# Viviendo los 7 Hábitos

# STEPHEN R. COVEY

# Viviendo los 7 Hábitos
## *Historias que engrandecen*

Traducción de
MARÍA AMPARO PENICHET

**Grijalbo**

**Viviendo los 7 hábitos**
*Historias que engrandecen*

Título original en inglés: *Living the 7 Habits.*
*Stories of Courage and Inspiration*

D. R. © 2000, Franklin Covey Company

D. R. © 2000, de la traducción por Franlklin Covey Co.
        Traducción: María Amparo Penichet, de la edición
        de Simon & Schuster.
        Nueva York, 1999

Franklin Covey Co. y su logo son propiedad exclusiva de
Franklin Covey Co., usados con autorización.

D. R. © 2012, derechos de edición mundiales en lengua castellana:
        Random House Mondadori, S. A. de C. V.
        Av. Homero núm. 544, colonia Chapultepec Morales,
        Delegación Miguel Hidalgo, C.P. 11570, México, D.F.

www.megustaleer.com.mx

Comentarios sobre la edición y el contenido de este libro a:
megustaleer@rhmx.com.mx

ISBN 978-607-311-089-1

Impreso en México / *Printed in Mexico*

# ÍNDICE

## PRIMERA PARTE
### INDIVIDUAL

## Segunda parte
## Familia

APÉNDICES

# AGRADECIMIENTOS

Agradezco a los cientos de personas que contribuyeron a la creación de este libro, especialmente a:

BOYD CRAIG, por administrar maravillosamente todo el proyecto. Con gran juicio, altos estándares, así como cortesía y gracia poco comunes, él nos dio las instrucciones para continuar. Además de organizar el maratón del libro, lo dirigió.

WES SMITH, por su tenacidad periodística y dones editoriales, lo cual resultó en muchas de las historias de la obra.

TESSA MEYER SANTIAGO, por editar las historias de manera tal que preservaran el corazón, la voz y la intención de las personas que las narraron.

LEEA BALLEY y ANNIE OSWALD, por su dedicación extraordinaria para coordinar y ayudar con todas las actividades de producción. Son personas que realmente hacen que todo suceda.

DAVID COLE y TY JEPPESEN, el equipo de arte y diseño, por proporcionar una ventana visual hacia el alma del libro y toda historia contenida en él. Su profesionalismo, habilidad artística y juicio son de clase mundial.

JEANETTE SOMMER, JANEEN BULLOCK, TONI HARRIS, PIA JENSEN, COLLEEN COVEY BROWN, JIM CRAWLEY, DAVID HATACH, LORRAINE DIETERLE, DAVID HARRIS y RICHARD HAMMOND, por entrevistar a los colaboradores, editar historias o reunir los elementos clave del libro.

JANITA ANDERSEN, ROICE KRUEGER, BRANDON HARDING y JACKIE PETERSON, por su visión y compromiso para aportar inspiradoras historias procedentes de otras partes del mundo.

CHRISTIE BRZEZINSKI y KERRI SITES, por sus extraordinarias transcripciones. ¡Siempre están presentes!

PATTI PALLAT, NANCY ALDRIDGE, DARLA SALIN, KERRIE JENSON y LEEA BAILEY (mi personal de oficina), quienes, para mi trabajo, son el "viento debajo de mis alas". Como equipo, son un verdadero modelo de los principios que enseñamos.

GREG LINK y STEPHEN M. R. COVEY, por su apoyo y consejo continuos.

DEBRA LUND, LAURA ELLERTSON, MELISSA ADAMS y RHONDA BROWN (nuestro equipo de relaciones públicas), por su dedicación al trabajo en publicidad.

BRENT PETERSON y TIM BOTHELL, por proporcionar información sobre la medición del impacto de los 7 hábitos.

JENNY SARANTIS y RON THURMAN, por su ayuda y apoyo legal.

RYAN PARK y NUESTRO EQUIPO DE COPIADO Y CORREO, por hacer con gusto todo lo necesario para lograr nuestros objetivos.

DOMINICK ANFUSO y el resto del equipo editorial y de producción de Simon & Schuster, siempre nuestros compañeros en publicaciones.

JAN MILLER (mi agente literario), por su inagotable energía y apoyo.

A todos mis colegas y asociados de Franklin Covey Co., por su dedicación, cada uno en su manera única y vital, para ayudar a millones a lograr "lo que es más importante".

Por último, y más importante, a mi familia, por ser la fuente inspiradora de luz, aprendizaje, alegría, impulso y apoyo incondicional.

# OBTENIENDO LO MEJOR DE ESTE LIBRO

*Viviendo los 7 hábitos* es un libro de historias: sobre personas de diversas condiciones de vida que enfrentan desafíos profundos en sus negocios, comunidades, escuelas y familias, así como dentro de ellas mismas; quienes muestran cómo aplicaron los principios de *Los 7 hábitos de la gente altamente efectiva* a esos desafíos y los extraordinarios resultados que obtuvieron.

¿Qué harán por usted estas historias? Si ya está familiarizado con *Los 7 hábitos*, probablemente renovarán su entendimiento y compromiso con los mismos y, tal vez lo más importante, harán surgir discernimientos creativos para aplicarlos en enfrentar con éxito sus desafíos.

Si no ha leído *Los 7 hábitos*, estas historias quizá renovarán su fe en sus habilidades y sabiduría. Creo que estas narraciones lo cautivarán e inspirarán, como lo hicieron conmigo, con una sensación de emoción y con reconocimiento de su libertad, potencial y poder.

Pero antes de seguir adelante, debo hacer una confesión. No siempre he reconocido el valor de las historias. Mi preocupación principal ha sido que el lector o la persona que escucha podría pensar que estoy recetando la práctica más que viendo la historia como una ilustración de un principio. Durante más de 40 años, Sandra, mi esposa, ha escuchado cientos de mis presentaciones y casi inevitablemente al darme retroalimentación, me aconseja usar más historias, dar más ejemplos que ilustren los principios y las teorías que enseño. Simplemente me dice: "No seas tan pesado. Usa historias con las que las personas se puedan relacionar". Siempre ha tenido intuición para estas cosas y, por fortuna, ¡no ha titubeado en expresarlo!

La experiencia me ha enseñado que Sandra tenía razón y yo no. He llegado a darme cuenta de que no sólo una imagen vale mil palabras, como dice la expresión oriental, sino que la imagen creada en el corazón y la mente de una persona por una historia vale diez mil.

No puedo describir completamente el respeto y la reverencia que tengo por cada persona que ha contribuido con una historia, por su voluntad para compartir sus luchas internas para vivir con principios universales y autoevidentes. Podríamos decir que todos son seres humanos ricos que deben ser respetados por lo que representan, por lo que están tratando de lograr y por lo que han logrado. Sus historias son espléndidas ilustraciones del cambio profundo. Me siento humilde ante su humanidad y profundamente agradecido por su contribución.

Pero éste es más que un libro de historias, porque hay un marco de pensamiento que las permea todas. Ese marco se basa en los 7 hábitos, que se complementan con principios universales, eternos y autoevidentes. Con *universales* me refiero a que se aplican en cualquier situación, en cualquier cultura, y pertenecen a las seis religiones principales del mundo, las cuales se encuentran en todas las sociedades e instituciones que han conocido el éxito. Por *eternos* se entiende que nunca cambian. Son leyes permanentes y naturales, como la gravedad. Con *autoevidentes*, me refiero a que no es posible luchar contra ellos más de lo que cualquier persona lo hace para construir confianza. (En las páginas 19, 20, 21 y 22 de este libro se presenta un diagrama de los 7 hábitos y una breve definición de cada uno.)

Tal vez suene presuntuoso, pero creo que *todas* las personas altamente efectivas viven los principios que fundamentan los 7 hábitos. De hecho, estoy convencido de que son muy relevantes en el mundo turbulento, problemático y complejo de hoy. Para vivir y optimizar el cambio se necesitan principios que no se modifiquen. Permítame un momento para razonar con usted.

Primero, definamos efectividad como el logro de resultados que le permitan ser mejor en el futuro. En otras palabras, éxito sostenible y equilibrado.

Segundo, los hábitos son principios personificados, que se viven hasta que se convierten en habituales. Son leyes naturales que gobiernan nuestra vida, ya sea que los conozcamos o no, que nos gusten o que estemos de acuerdo con ellos. No inventé los principios, sólo los organicé y usé el lenguaje para describirlos.

Con frecuencia me piden, en particular los medios de comunicación, ejemplos y evidencias. He compartido ambos en gran medida. Pero he descubierto que los mejores ejemplos y evidencias vienen cuando propongo e incluso desafío al público con esto: "Piense en cualquier individuo, familia, proyecto u organización que admire por su éxito duradero; ahí están su ejemplo y evidencia". El hecho de que las personas admiradas estén conscientes de los 7 hábitos es irrelevante. Lo relevante es que están viviendo con principios probados. Nunca he visto a nadie que argumente en serio contra uno de los principios fundamentales. Quizá no les guste el lenguaje o la descripción de los hábitos. Está bien. Tal vez no se relacionen con las historias. De hecho, en su situación pueden pensar en un ejemplo opuesto del mismo principio. Pero el principio de responsabilidad (hábito 1) es autoevidente. Así sucede con tener propósito y valores (hábito 2) y vivir con ellos (hábito 3), como con el respeto y el beneficio mutuos (hábito 4), desarrollar el entendimiento mutuo (hábito 5), la cooperación creativa (hábito 6), y finalmente la necesidad de renovación y mejora continua (hábito 7).

Los principios son como las vitaminas y los minerales que contienen los alimentos. Pueden estar concentrados, combinados, ser de liberación prolongada y estar encapsulados en un complemento alimenticio. Así pasa con los 7 hábitos.

Los elementos básicos llamados principios están en la naturaleza y se expresan en muchas formas. Para millones de personas en todo el mundo es muy útil la encapsulación de liberación prolongada de la serie equilibrada de principios en los 7 hábitos. El "por qué" y el "cómo" se demuestran en algunas historias. Dé a Dios o a la naturaleza el crédito de la fuente de nutrientes.

## MIS DOS PAPELES

Intentaré interpretar dos papeles en este libro: guía y maestro. Primero, guía: si usted fuera un turista que se dirige al río Nilo, tal vez querrá un guía que le indique qué buscar y su importancia. Por otra parte, si ya ha estado ahí varias veces antes se habría preparado para la experiencia y quizá preferiría guiarse usted mismo. Así sucede con estas historias. Usted decide si la guía es útil o no. Si no es así, ignore este texto inicial.

Segundo, maestro: hay una breve posdata para cada historia que pone énfasis en un punto particular, en un ángulo o en una forma totalmente nueva de pensar que aumente su entendimiento y motivación para actuar de cierta manera. Otra vez, usted decide. Puede elegir sus propias conclusiones o aprendizaje y pasar por alto la posdata. Perfecto.

He constatado que la repetición es la madre del aprendizaje y que si en realidad quiere ayudar a alguien a ser conscientemente competente, deberá repetir palabras e ideas similares una y otra vez en formas frescas y desde diferentes ángulos. Eso intenta mi libro. Como es una obra sobre personas que tratan de vivir los 7 hábitos, el lenguaje de éstos lo hallará en todo el texto.

La persona que narra, con frecuencia ha identificado el hábito que está viviendo en plena historia. Si no lo identifica específicamente, si es un discernimiento importante y no lo menciono en mis comentarios antes o después de la historia, he insertado el nombre del hábito que se practica dentro de corchetes; por ejemplo, [hábito 1: Ser proactivo]. Si por alguna razón esto le molesta, olvídelo y siga adelante, aunque siento que ayudará a la mayoría de las personas, familiarizadas o no con los 7 *hábitos*, a concientizar qué principio se está aplicando.

En la posdata incluí el hábito de nuevo, quizá con otra perspectiva, ángulo o experiencia. Recuerde que el propósito del libro es ayudarle a usted, lector, a profundizar su entendimiento y compromiso con los principios que se encuentran en los hábitos. No permita que las palabras lo repriman. La clave es aceptar que el principio existe en la naturaleza y gobierna las consecuencias de todas las acciones. También recuerde que éstos son principios autoevidentes. Sólo uso un lenguaje que identifica algunas de las verdades que usted ya conoce. Trato de hacerlos explícitos para que afecten su manera de pensar, decidir y actuar. Por lo tanto, las palabras de los 7 *hábitos* son sólo símbolos de un mundo de principios. Son como la llave que abre la puerta del significado.

Todas son historias verdaderas descritas en su mayoría en forma literal. En algunos casos fue necesario editarlas un poco, pero se realizó un esfuerzo para conservar el significado y la intención originales, el tono y el espíritu de la persona. Casi todos los nombres en las historias se cambiaron para mantener el anonimato. Las excepciones son quienes están identificados por su nombre en el título de la historia.

## LA LUCHA DE DENTRO HACIA FUERA

Al leer las historias, considere que con frecuencia las personas toman un enfoque de dentro hacia fuera, que por lo general implica lucha y sacrificio de orgullo y ego, así como una alteración importante de estilos de vida y trabajo. La modificación casi siempre requiere dolor, esfuerzo, paciencia y persistencia. Los cuatro dones únicos o dotes: autoconciencia, imaginación, conciencia y voluntad independiente, se ejercitan y se magnifican. Casi siempre hay una visión de lo que es posible y deseable. Y casi siempre resultan cosas maravillosas. Se restaura la confianza. Se arreglan las relaciones rotas. Se evidencia la autoridad moral para continuar el esfuerzo de cambio ascendente.

Usted se identificará con algunas historias más que con otras. Al reconocer el costo emocional de cada una, y al ver el principio universal fundamental involucrado, su confianza crecerá y será más hábil para adaptar y aplicar el marco de los 7 hábitos a cualquier situación difícil o desafío que enfrente ahora o en el futuro. También identificará una oportunidad en sus problemas para liberar sus propios poderes creativos. Si resolvemos problemas, nos deshacemos de algo. Si creamos, aportamos a nuestra existencia. Irónicamente, la mentalidad creativa resuelve situaciones mejor que la de intentar solucionarlas. Verá lo anterior una y otra vez en estas historias. Disfrútelas, aprenda, reflexione sobre ellas. Le inspirarán esperanza y aumentarán su fe en usted mismo y en su capacidad creativa.

# LOS 7 HÁBITOS

### HÁBITO 1: SER PROACTIVO

Ser proactivo es más que tener iniciativa; es responder por nuestra conducta (pasada, presente y futura) y hacer elecciones con base en principios y valores, más que en estados de ánimo o circunstancias. Las personas proactivas son agentes de cambio y eligen no ser víctimas ni reactivas, ni culpar a otros. Para ello desarrollan y usan cuatro dones únicos: autoconciencia, conciencia, imaginación y voluntad independiente, así como un enfoque de dentro hacia fuera para cambiar. Resuelven ser la fuerza creativa que se convierte en decisión fundamental que cualquiera puede tener.

### HÁBITO 2: COMENZAR CON EL FIN EN LA MENTE

Todo se crea mental y luego físicamente. Las personas, las familias, los equipos y las organizaciones dan forma a su futuro con una visión mental y un propósito para cada proyecto. No viven sin un fin claro en la mente, pues se identifican y se comprometen con los principios, los valores, las relaciones y los objetivos que son más trascendentales para ellos. Un enunciado de misión es más alto para una persona, una familia o una organización. Es la decisión principal, porque gobierna todas las demás. Dar origen a una cultura detrás de una misión, visión y valores compartidos es la esencia del liderazgo.

HÁBITO 3: PONER PRIMERO LO PRIMERO

Poner primero lo primero es la segunda creación, o la física. Es organizar y llevar a cabo alrededor de la realización mental (el propósito, visión, valores y prioridades). Las personas y organizaciones se enfocan en lo que es más importante, urgente o no. Lo principal es propiciar que lo importante se mantenga siempre en ese estado.

HÁBITO 4: PENSAR GANAR-GANAR

Pensar ganar-ganar es un marco de mente y corazón que busca el beneficio mutuo y se basa en el respeto hacia todas las interacciones. Es sobrepensar en términos de abundancia: un "pastel" siempre creciente, cornucopia de oportunidad, salud y recursos, más que de escasez y competencia. Evita actuar egoístamente (ganar-perder) o ser un mártir (perder-ganar). En nuestra vida familiar y de trabajo se piensa interdependientemente en términos de "nosotros", no de "yo". Pensar ganar-ganar promueve la solución de conflictos y ayuda a buscar soluciones, así como a compartir información, poder, reconocimiento y recompensas.

HÁBITO 5: BUSCAR PRIMERO ENTENDER, LUEGO SER ENTENDIDO

Cuando escuchamos con la intención de entender a los demás, más que con la de contestar, iniciamos la comunicación verdadera y la formación de relaciones. En el momento en que los demás se sienten entendidos y valorados, disminuyen sus defensas y se convierten en personas más abiertas y capaces. Buscar entender requiere amabilidad; ser entendido, valor. La efectividad radica en equilibrar los dos estados.

HÁBITO 6: SINERGIZAR

Sinergia es una tercera alternativa, no a mi manera, no a la tuya, sino una que sea mejor que cualquiera de las dos. Es el fruto del respeto mutuo, de entender e incluso celebrar las diferencias de los demás para resolver problemas y aprovechar oportunidades. Los equipos y las familias sinérgicos se enriquecen de las fortalezas de sus miembros, para que el todo se vuelva mayor que las partes. Entonces renuncian a ser adversarios defensivos (1 + 1 = 1/2), no se conforman con un compromiso (1 + 1 = 1 1/2) o la simple cooperación (1 + 1 = 2) y van por la acción conjunta (1 + 1 = 3 o más).

## Hábito 7: Afilar la sierra

Afilar la sierra significa renovarnos constantemente en las cuatro áreas básicas de la vida: física, socioemocional, mental y espiritual. Es el hábito que aumenta nuestra capacidad para aprovechar todos los demás con efectividad. En una organización, el hábito 7 promueve visión, renovación y mejora continua; salvaguarda contra crisis y entropía, a la vez que abre un camino ascendente de crecimiento. En una familia, aumenta la efectividad mediante actividades personales y de grupo, tales como establecer tradiciones que nutran el espíritu de renovación.

### Cuenta de banco emocional

La cuenta de banco emocional es una metáfora para conocer la cantidad de confianza que debe tener una relación. Como en una cuenta financiera, en ésta también hacemos depósitos y retiros. Accio-

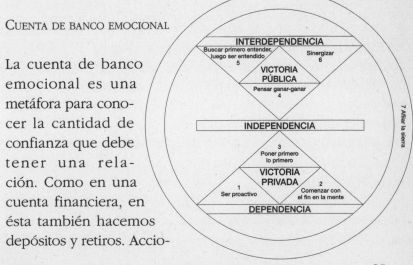

nes como buscar primero entender, ser amable, hacer y honrar promesas, así como ser leal con el ausente, aumentan el saldo de confianza. No ser amable, romper promesas y hablar de alguien ausente disminuye y acaba con la confianza en una relación.

PARADIGMA

Un paradigma es la manera como cada persona ve el mundo. Es el mapa, no el territorio. Es nuestra lente a través de la cual vemos todo, formada por la educación, las experiencias y las elecciones acumuladas.

# PRIMERA PARTE
## INDIVIDUAL

*"Cualquier cosa que pueda hacer o sueñe que puede hacer, ¡empréndala! La audacia tiene poder, magia y genio en ella."*

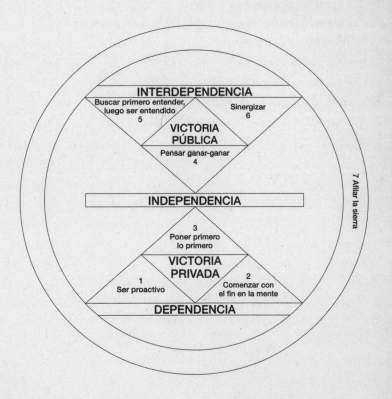

# VALOR PARA CAMBIAR

*Esta mujer invadida de dolor usó los cuatro dones únicos para literalmente reinventar su vida. Observe cómo creció su autoconciencia, cómo consultó su imaginación y conciencia, y cómo ejerció una fuerza de voluntad tremenda para redescubrir y renovar su vida. ¡Qué gran contribución está haciendo! Qué paz espiritual obtuvo.*

Tenía 46 años cuando le diagnosticaron cáncer a mi esposo Gordon. Sin titubear, me retiré para estar con él. Aunque su muerte —18 meses después— era esperada, el dolor me consumió. En mi primera Navidad sin él, ni siquiera decoré la casa. Me dolía pensar en nuestros sueños no realizados, en los nietos que él nunca vería o tocaría. Volteaba para hablar con él, sólo para recordar que ya no estaba conmigo. El dolor llenaba todos los rincones de mi alma. Con sólo 48 años, ya no tenía razón para vivir.

Mi pregunta recurrente era: "¿Por qué Dios se llevó a Gordon y no a mí?" Sentía que Gordon tenía mucho más que ofrecer al mundo que yo. En este punto tan bajo de mi vida, con el cuerpo, la mente y el espíritu fatigados más allá de lo imaginable, encontré los 7 hábitos. Éstos me hicieron preguntarme: "Si estoy aquí por alguna razón, ¿cuál se supone que sea?" Con ellos encontré un nuevo significado a mi vida.

"Comenzar con el fin en la mente" sugiere romper los roles de la vida. Así que dibujé una gráfica de pastel con los roles que ejercía hasta antes de la muerte de Gordon. En una segunda gráfica, dejé un enorme espacio en blanco donde solían estar Trabajo y Esposa. Ese gran espacio me mostró que mi vida era muy diferente. Dibujé un signo de interrogación en la rebanada. Me senté mirándome y preguntándome: "¿Cuáles son tus roles 'futuros'?"

Me apegué a la idea de que todo se crea dos veces: primero mental y luego físicamente. Tuve que escribir un nuevo guion.

Tenía que preguntarme: "¿Qué talentos tengo?" Así que tomé una prueba de aptitudes, la cual me mostró cierta claridad sobre mis tres habilidades principales. Para crear un sentido de equilibrio en mi vida, me concentré en las cuatro dimensiones: sobre un nivel intelectual, me di cuenta de que me encantaba dar clases; espiritual y socialmente, quería continuar apoyando la armonía racial que había tratado de vivir durante nuestro matrimonio interracial; emocionalmente, sabía que necesitaba dar amor. Cuando mi madre vivía, arrullaba a bebés enfermos en el hospital. Quería dar amor como ella lo había hecho, continuar su legado de amor incondicional.

Temía fracasar. Nunca había hecho nada en mi vida adulta, excepto trabajar para la Asociación de Veteranos. Pero me dije que debía intentar cosas diferentes. Si no me gustaba dar clases después de un semestre, no tendría que volver. Si las relaciones raciales no funcionaban, estaría bien dejarlo e intentar algo diferente. Empecé de nuevo a ir a la universidad para enseñar a nivel profesional. La universidad es dura, punto, pero a los 48 era realmente difícil. Estaba tan acostumbrada a pasar documentos a mi secretaria para mecanografiar, que tuve que tomar un semestre para aprender a utilizar la computadora.

Mi concentración de algún modo todavía andaba mal después del problema de Gordon; era difícil disciplinarme para leer lo que querían que leyera. Apagar la televisión y guardar el control fueron actos de gran fuerza de voluntad. Pero sabía que era necesario renunciar a esas cosas si quería llegar a donde planeaba [hábito 3: Poner primero lo primero].

Me gradué y empecé a dar clases en una universidad históricamente negra en Little Rock. Fui asignada por el gobernador para servir en la Comisión Martín Luther King para mejorar las relaciones raciales en Arkansas. Arrullo a bebés y a niños con sida que están conectados a respiradores. Aunque mi tiempo con ellos es muy corto, sé que estoy dando amor y que a cambio también estoy recibiéndolo. Tengo una sensación de paz.

Ahora mi vida es muy buena. Siento que veo a Gordon sonriéndome. Antes de morir, me dijo una y otra vez que deseaba que tuviera una vida llena de risas, recuerdos felices y cosas buenas. ¿Cómo podría desperdiciar mi vida con su dirección sobre mi conciencia? No creo que lo hubiera logrado. Tengo la obligación de vivir lo mejor que pueda para las personas que más amo, ya sea que estén en esta tierra o en el más allá.

 *Esta extraordinaria mujer no sólo rehizo su vida, tuvo la sabiduría de crear en su mente una vida totalmente nueva [hábito 2: Comenzar con el fin en la mente]. Su ejemplo inspirador ilustra la importancia de equilibrar las cuatro dimensiones de la vida comprendidas en el hábito 7: Afilar la sierra: la física, la mental, la social y la espiritual. Se enfrentó al temor y abandonó su zona de comodidad arraigada de miedo al fracaso. Ésta no es una historia de remedio rápido. Ella fue paciente, persistente y obtuvo su recompensa.*

CAMBIÁNDOSE AL CAMPO

*Muchos nos sentimos atrapados en nuestras circunstancias presentes. No sólo fallamos en ver una manera de salir de ellas, a menudo ni siquiera nos hacemos la pregunta: "¿Qué más puedo hacer?" Ésta es una historia de una pareja valiente que eligió hacer todo lo necesario para cumplir su enunciado de misión, no sólo para conservar su familia, sino también para asegurar un empleo más agradable.*

Trabajaba para el gobierno federal en Washington, D.C. Creía que mi familia era feliz y que estaba emocionada, igual que yo, con nuestra situación. Estaba equivocado, pero también estaba demasiado envuelto en las cosas urgentes e importantes en la oficina como para darme cuenta. Mi esposa y mi familia me habían seguido por todo el mundo. Finalmente, mi esposa preguntó: "¿Esta vez podríamos cambiarnos a un lugar donde seamos felices?"

Me encantaba mi trabajo, pero la ciudad de Washington no era el mejor lugar para mi familia. Antes hubiera sido fácil contestar: "Cariño, por favor, sé razonable. No puedo cambiarme sólo porque sí. Sabes que ellos deciden dónde debo vivir. Voy a donde me dicen que vaya". Pero cuando vi sus ojos, me di cuenta que para ella no era una simple petición. De alguna manera, era de vida o muerte. Ya estaba harta. Usando mi enunciado de misión como recordatorio de lo que valoraba [hábito 2: Comenzar con el fin en la mente], le respondí: "Está bien, veré qué puedo hacer".

Al día siguiente, fui con mi jefe y le dije: "Me gusta mucho trabajar aquí. Estoy feliz con lo que hago, pero necesito equilibrio entre mi trabajo y mi familia. Mi esposa quiere salir de la ciudad. Creo que ella se irá aunque yo no lo haga. Si no tengo a mi familia viviendo conmigo, no voy a ser efectivo. No voy a ser capaz de hacer las cosas que quieres que haga, porque estaré preocupado por mi familia".

Él no quería dejarme ir, pero entendió que hablaba en serio. Durante nuestra conversación, mencionó la apertura de una agencia fuera de la ciudad, en la cual podría encajar. Me ayudó a conseguir el empleo. Cuando se supo que me enviarían al campo, no podían creerlo. "Stan, ¿estás loco?" Todos estaban preocupados de que sufriera de locura temporal.

"No creo estar colgando la toalla —les contestaba—. En realidad estoy haciendo algo que es mejor." La mayoría sólo agitaba la cabeza y me daba una palmada consoladora en el hombro.

Llevé a mi familia fuera de Washington, a un pequeño pueblo. Me quedé con la agencia haciendo un trabajo que disfruto. Todavía veo a mis antiguos amigos y tengo oportunidad de viajar. Mis hijos están creciendo y asisten a una escuela donde se superan y obtienen la atención que necesitan. Mi esposa está feliz porque por primera vez compramos una casa. Apartamos dos noches a la semana como ocasiones familiares. Pasamos más tiempo juntos y nos encanta practicar la jardinería en familia. Nunca me di cuenta de lo divertido que es echar tierra en el jardín.

---

 *Lo único que podemos controlar directamente es nuestra conducta. Del comportamiento de los demás sólo tenemos control* indirecto, *lo cual se basa en el método de influencia que usamos. Hay también muchas cuestiones sobre las que no tenemos control, como el clima, la economía, nuestros parientes políticos, nuestros genes. La clave para los tres desafíos (control directo, control indirecto y no control) es siempre la misma: empezar por cambiar uno mismo sus hábitos, sus métodos de influencia o sus actitudes. La pareja en esta historia reunió y transformó sus circunstancias, lo cual generó una vida personal y familiar más equilibrada, pacífica y feliz. Modificaron sus métodos de influencia entre sí practicando el hábito 5: Buscar primero entender, luego ser entendido. Cambiaron su método de influencia con el jefe del esposo buscando con valor ser entendidos (la segunda mitad del hábito 5) y llegando a un arreglo sinérgico ganar-ganar (hábitos 4 y 6: Pensar ganar-ganar y sinergizar). Es maravilloso ver la libertad de las personas cuando asumen responsabilidad y toman la iniciativa.*

NUNCA ES DEMASIADO TARDE PARA CAMBIAR

*Observe en esta historia los elementos básicos del proceso de cambio: autoconciencia, asumir responsabilidad, expresión auténtica, apoyo de grupo y responsabilidad.*

Soy maestro de adultos. Durante la presentación de uno de los seminarios que conducía, cuando todos se preguntaban por qué estaban ahí, un caballero se puso de pie y dijo: "Mi nombre es Harry. Tengo 76 años y estoy aquí porque mi esposa me envió". Todos se rieron, pero él estaba muy serio. Continuó: "Mi esposa me dijo que ésta es mi última oportunidad. Si no arreglo las cosas, tendré que marcharme. Mire, toda mi vida he sido un bribón, ¿cree que es demasiado tarde para mí?"

Contesté: "Es demasiado tarde si no empieza ahora".

Bueno, conforme avanzó el seminario, el grupo lo tomó como un proyecto personal. Harry es una persona que usted odiaría querer, pero que de cualquier forma se da a querer. Era muy tierno, pero tenía algo de pícaro. Se podía ver cómo su esposa estaba en el límite de su paciencia con él. El grupo observó que la cuenta de banco emocional de su esposa estaba vacía. Con los años había hecho muy pocos depósitos y numerosos retiros. De hecho, su cuenta estaba sobregirada y cerca de la bancarrota. Por medio de ejemplificar, apoyar y enseñar, pronto empezó a hacer depósitos. Al principio su esposa no creía que fuera sincero, lo cual era muy frustrante para él. Se sentía decepcionado de que su esposa no pensara: "¡Miren cómo ha cambiado este hombre!" Quería darse por vencido, pero no se le permitió. El grupo expresó: "La cuenta bancaria de tu esposa está tan sobregirada, que tienes que actuar consistentemente".

Harry empezó a hacer pequeñas actividades hogareñas que nunca había realizado. Sacaba la basura, limpiaba la casa, llevaba los platos a la cocina y ofrecía ayuda en su hogar. Y eso fue su prioridad. Su esposa estaba tan enojada que pensaba: "Maravilloso, pero no durará". Pero él continuó haciendo pequeñas tareas como asegurarse de que cuando su mujer usara el auto, éste estuviera limpio y tuviera el tanque lleno de gasolina. Si llegaba a casa y estaba ocupada, le preguntaba: "¿Quieres que vaya a la tienda? ¿Se te ofrece algo?" Empezó a llevarla a comer fuera y a hacer todo tipo de cosas. Se notaba cómo resurgía el amor.

El grupo se reunió dos horas a la semana durante 11 semanas, con una ventaja: llevábamos un reporte de progreso semanal. Al pasar las semanas, la esposa empezó a confiar en él y a sentir que tal vez estaba cambiando. En la última sesión, Harry entró al salón con una gran sonrisa en la cara. Se paró frente al grupo y me dio un gran abrazo. Bueno, también lo abracé con cariño y le comenté: "Vaya, Harry, esto no muestra nada de tu comportamiento bribón, ¿verdad?" Respondió: "No, ese abrazo es de parte de mi esposa, que también hizo galletas para el grupo. Quería que todos supieran que puedo quedarme. ¡Ella dijo que puedo quedarme!"

*El verdadero apoyo de grupo, una gran cantidad de expresión genuino y la sensación de responsabilidad, no sólo dieron a este hombre de 76 años el poder para transformar su vida, sino que son elementos comunes en la mayoría de los esfuerzos exitosos de cambio.*

*Los sucesos de una sola vez inician un proceso de transformación, pero por lo general son insuficientes. Es necesario desarrollar un proceso y un reforzamiento sistémicos basados en principios autoevidentes, universales y eternos.*

*Hace muchos años, al final de uno de mis semestres en la universidad, recuerdo que le pregunté a un profesor de oratoria: "Si tuviera que volver a hacer su carrera, ¿qué haría diferente?" Además de enseñar, también era un conferencista reconocido internacionalmente. Su respuesta fue interesante e instructiva; además, estoy convencido de que, entre otras cosas, de manera inconsciente ejerció gran influencia en mi vida. Dijo: "Formaría una organización". Le pregunté por qué y contestó: "Así habría seguimiento e influencia duradera; un proceso, no sólo un evento". Ese principio es lo que me condujo a dejar la universidad muchos años después, para empezar mi propia organización.*

VIVIENDO PARA HOY

> *Aprecie el crecimiento de los músculos proactivos de esta joven al usar los cuatro dones únicos (autoconciencia, imaginación, conciencia y voluntad independiente). Además, el cambio en su modo de pensar: de ser una víctima a convertirse en la fuerza creativa de su vida. Reflexione también en el enunciado: "Planificar es invaluable, pero los planes no tienen valor".*

Sentada en la unidad de terapia intensiva viendo a mi hermano mayor, Byron, en estado comatoso, me preguntaba: "¿Por qué? ¿Por qué salí del accidente sin un solo rasguño en el cuerpo?" La cabeza de Byron estaba envuelta en vendajes, debido al severo daño cerebral, y sus ojos estaban inflamados y cerrados. Los médicos nos convencieron de que quizá no sobreviviría.

Ahora dicen que el accidente del que milagrosamente salí ilesa pudo ser el punto de presión en mi vida, que impulsó el inicio de una enfermedad inflamatoria crónica que afecta a muchos órganos del cuerpo. Este mal traería a mi vida muchas tribulaciones, difíciles y desafiantes.

Tenía nueve años en el momento del accidente, y mi sueño era convertirme en la siguiente Mary Lou Retton. Sobreviví, pero mis sueños se destruyeron un año más tarde cuando empecé a tener dolores en las muñecas y las rodillas. Los doctores me diagnosticaron artritis juvenil reumatoide, aunque también dijeron que era probable que la superara. Mientras tanto, me aconsejaron dejar mis clases de gimnasia, debido a la gran fuerza que implicaban. Lloré mucho, pero mis actividades, metas y sueños sólo cambiaron. Las materias académicas, el basquetbol, la natación, el tenis, esquiar y los deportes acuáticos se convirtieron en los nuevos amores de mi vida.

Durante mi primer año de secundaria, comencé a sentir dolores mucho más severos en todo el cuerpo. Resentía el más ligero toque o movimiento en cada coyuntura y hueso. Voltearme en la cama, levantarme para ir al baño, atar mis zapatos y cepillarme los dientes requerían un esfuerzo tremendo. La duda latente era: "¿Volveré a caminar o correr de nuevo?" Recuerdo claramente la preocupación de mi hermana menor cuando preguntaba a mamá en voz baja: "¿Elisa se va a morir?"

Me sometieron a más pruebas, que determinaron que tenía lupus eritematoso sistémico incurable. El lupus es una enfermedad autoinmune que ataca los tejidos del cuerpo. Me convencí de que éste sería mi secreto. A pesar de mi condición, sería como los demás. El diagnóstico no iba a impedirme hacer en la vida lo que siempre había soñado y esperado. Aprendí que una sonrisa en la boca y determinación en el corazón, eran las únicas armas que podrían mantener mi espíritu alto y concederme la fuerza para seguir adelante [hábito 1: Ser proactivo].

Terminé con éxito la preparatoria, con la ayuda de dosis masivas de medicamentos. Sabía que tendría que aceptar esta enfermedad el resto de mi vida, pero pensaba que el episodio que experimenté en la secundaria era mi última prueba y que podría resistir cualquier situación.

Ingresar a la educación universitaria era la siguiente meta en mi vida [hábito 2: Comenzar con el fin en la mente]. Estaba ansiosa por salir de mi habitación, cocinar mis alimentos, ser independiente y tener la vida de un estudiante universitario. El primer semestre fue difícil, pues lo pasé haciendo los ajustes necesarios, pero me encantaron los desafíos y los recuerdos que tenía. Regresé a casa en Navidad a pasar las fiestas con mi familia, y ahí empecé a experimentar síntomas que nunca había tenido. Comencé a retener líquidos y pronto parecía como si tuviera nueve meses de embarazo. ¿Qué estaba sucediendo?

Una vez más regresé al consultorio médico. Esta vez el lupus atacaba mis ríñones. Deseaba regresar a la escuela en menos de una semana, así que necesitaba sanar rápido. Pero los médicos me informaron que ese semestre no sería bueno para mí. Pasé una semana en cuidados intensivos en el hospital y luego, cuatro meses de tratamientos intravenosos. Tenía 19 años, trataba de lograr un título universitario y vivir la vida tan activamente como cualquier persona, pero mi condición física no me lo permitía.

Después de interminables días en el hospital, de ver agujas, de recibir inyecciones intravenosas y someterme a diferentes pruebas, lentamente comenzó a desaparecer la retención de líquidos. Aunque una vez que la función renal se pierde, nunca se recupera del todo, con medicamentos volví a mis actividades y a la escuela, a empezar de nuevo. Me había retrasado un semestre, pero lo recuperé tomando cursos en el verano.

Mi clase de comunicaciones requería que todos los estudiantes hicieran un internado antes de graduarse. El semestre que abarcaría el invierno sería el de mi internado y la graduación sería en agosto. Tuve suerte en conseguir el internado de mis sueños y trabajar con algunas personas talentosas en mi área. A las dos semanas de haber llegado, regresaron la retención de líquidos y la inflamación. ¡No era posible! No podía suceder ahora, no durante este internado que tanto había anhelado. Sabía qué venía y a qué iba a enfrentarme los siguientes tres o cuatro meses. Sólo que esta vez no iba a dejar la escuela. Mentalmente me convencí de que seguiría con la escuela, con el internado, con todo.

De nuevo parecía que tenía nueve meses de embarazo y no podía usar mi ropa. La inflamación tremenda en las piernas y pies dejaba estrías en mi piel. Las venas se me saltaban en la cara, y aparecían moretones que permanecían muchos meses. Amigos y compañeros que me habían visto normal una semana, se quedaban en silencio mirándome mientras trataba de realizar mis actividades cotidianas. Muchas veces quise arrastrarme hacia un agujero y esconderme hasta que todo terminara. La sonrisa que aprendí a tener en la cara durante mis años en preparatoria me ayudó a continuar. Sabía que habría un final para todo esto, pero no lo creía en ese momento. Mis síntomas variaban con cada cambio y vencí esta etapa sin hospitalización prolongada, así que, con muchos dolores, continué con mi vida. Cada día me sentía mejor y recuperé por completo mi fuerza. Mi meta de graduarme, a pesar de mi condición, la alcancé en menos de cuatro años.

Una carrera era lo siguiente en mi lista. Estaba ansiosa por aplicar mi educación y experiencia como parte de la fuerza de trabajo. Encontré un empleo maravilloso y me fui adaptando a este nuevo estilo de vida. Había superado varias pruebas. Sólo dos meses en mi nuevo empleo y tratando de causar una buena impresión, tuve otra recaída. ¿Por qué? ¿Por qué? ¿Por qué?

Los tratamientos continúan. Cada vez mis ríñones son más y más débiles, y los tratamientos más y más agresivos, con más y más efectos secundarios. Combato náuseas, fatiga, pérdida de cabello, debilitación ósea, moretones y sensibilidad al sol, como resultado de los medicamentos, de los cuales depende mi cuerpo cada vez más. La amenaza de diálisis o de trasplante de riñon está latente. Puede ser cuestión de tiempo; nadie lo sabe.

Vivir con lupus es estar en el límite. Nunca sé cuándo va a atacar, qué síntomas se presentarán, cuánto tardaré en recuperarme y qué deuda por gastos médicos enfrentaré. Tener hijos es muy improbable y el pensamiento de que alguien me acepte con mi condición es siempre una preocupación. He aprendido a no preguntar "¿por qué?", sino "¿qué puedo aprender de esta experiencia?" Las metas que me fijo son las que sé que puedo cumplir, aunque sé que habrá obstáculos en el camino. Vivo para hoy y para lo que haré hoy, no en el pasado ni en el futuro. Porque para mí el futuro quizá no sea lo que tengo planificado.

---

 *¡Qué persona tan asombrosa! Me gustaría señalar cuatro puntos:*

*Primero, quienes estudian las características de los individuos sometidos a tensión se enfocan básicamente en tres actitudes, las cuales se manifiestan en esta valiente mujer: desafío, control y compromiso.*

*El desafío nos lleva a aprender de la experiencia, ya sea positiva o negativa, más que a tener un enfoque de una vida de confort y seguridad.*

*El control significa mantener el manejo del círculo de cosas sobre las que podemos influir, aunque sea de modo mínimo, para no caer en el autocompadecimiento, la pasividad y la falta de poder.*

*El compromiso nos conduce a mantenemos involucrados en diferentes tareas y metas, como terminar una educación, más que buscar protección.*

*Segundo, observe cómo los cuestionamientos de esta mujer cambiaron de "¿por qué?" a "¿qué puedo aprender?" Mientras luchaba por sobrevivir en los campos de concentración de la Alemania nazi, Viktor Frankl aprendió a hacerse la pregunta "¿qué me está pidiendo la vida?" en vez de "¿qué quiero de la vida?" También confrontaba a quienes estaban en depresión profunda y experimentando tendencias suicidas con: "¿Qué te está pidiendo la vida? ¿Qué motivo tienes para vivir? ¿Qué significado puedes encontrar?", en vez de "¿Qué quieres de la vida?" Es por ello que Frankl considera que el significado de cada persona se detecta, no se inventa. Cuando*

*usted hace la pregunta "¿Qué me está pidiendo la vida?"*
*está escuchando a su conciencia que, como un radar,*
*revisa el horizonte de sus responsabilidades y su situa-*
*ción para luego guiarlo.*

*Tercero, el enunciado "planificar es invaluable, pero*
*los planes no tienen valor" tiene cierta sabiduría. Aun-*
*que no estoy totalmente de acuerdo con que los planes*
*no tienen valor, pienso que el enunciado adquiere signi-*
*ficado en situaciones cambiantes y conduce a discerni-*
*mientos importantes. Tomemos como ejemplo a la mujer*
*de esta historia. Todos sus planes y expectativas se desva-*
*necían repetidamente y ella experimentaba decepciones*
*continuas, así que empezó a definir el hábito 2: Comen-*
*zar con el fin en la mente, en términos de aprendizaje,*
*adaptación, resignación, ajuste y optimización.*

*Cuarto, Lloyd C. Douglas escribió una bella narra-*
*ción llamada* Riesgo precioso, *que se asemeja en algu-*
*nos aspectos a la de la mujer en esta historia. Cuando*
*la vida está amenazada realmente la apreciamos y la*
*valoramos. La vida es muy preciosa, pero suele estar*
*amenazada por fuerzas externas fuera de nuestro con-*
*trol. Durante muchos años, en mi familia leíamos* Riesgo
precioso *alrededor de Navidad, porque tenía un efecto*
*tan motivante e inspirador sobre nosotros, más cuando*
*reflexionábamos sobre los años previos, planificábamos*
*el siguiente año y, más importante, buscábamos vivir con*
*gratitud el momento.*

## MI FLORERÍA

*Esta historia es una bella ilustración de cómo nuestra*
*mente crea nuestro mundo. Si guardamos una visión o*
*un sueño muy profundo dentro del corazón y la mente,*
*no sólo influenciará nuestras actitudes y acciones, lo*

*hará también con las circunstancias de nuestra vida. Observen cómo todas las cosas se crean dos veces: primero mental y luego físicamente (hábito 2: Comenzar en el fin en la mente). Esta mujer plantó el enunciado de misión tan dentro de su corazón que salvó la brecha entre su sueño y la realización del mismo.*

He soñado con tener una florería desde la secundaria. En la universidad, estudié horticultura. De modo lento mi sueño murió bajo la presión del matrimonio, divorcio y crianza de una familia. Irónicamente, la muerte de mi hijo fue lo que hizo resurgirlo. Al ver las hermosas flores que llegaban a nuestra puerta como expresión de dolor de los amigos por nuestra pérdida, me conmoví. Al tocar sus pétalos y oler sus fragancias, pensé: "Eso es. Ustedes son lo que he estado buscando: su textura, su color radiante, su olor. Ya me había olvidado de ustedes". Imaginé al florista arreglando con cuidado estas hermosas flores para que el arreglo diera brillo a nuestras vidas en este momento tan oscuro. Supe que quería ayudar de esa manera.

Cuando imaginé mi cumpleaños 80 como parte del desarrollo de mi enunciado de misión personal, pensé en mi florería. Imaginé los eventos en los que podría ayudar: los nacimientos, las bodas, los cumpleaños y los funerales. En todos esos días ayudaría a las personas a demostrar su afecto. No imaginaba una forma más recompensante y satisfactoria de pasar la vida. Cuando llegó el momento de escribir mi enunciado de misión, puse que un día sería propietaria de una florería. Ver las palabras en el papel hizo que mi sueño se volviera más real.

Casi un año después me encontré con los dueños de una florería llamada Ocean Shores. Les pregunté: "¿Cómo va la florería?" Ellos contestaron: "Estamos preparándonos para venderla. No hemos tenido un solo comprador hasta ahora. ¿Le interesaría?" Esas palabras se grabaron en mi alma. En vez de responder: "No puedo hacerlo; no es posible", y de dar excusas como "bueno, me gustaría, pero no es el momento adecuado" o "tengo trabajo de tiempo completo y estoy sola con mis dos hijos adolescentes", pensé: "Es el momento. Así es. Aquí viene mi sueño".

Me dediqué a hacer que sucediera. Examiné su estado de pérdidas y ganancias. Contraté a un consultor de negocios para que estudiara si era financieramente factible. Obtuve el financiamiento que necesitaba y compré la tienda.

Ahora que tengo mi florería, todas mis decisiones de negocios y cómo trato a los empleados están basados en el sueño que tuve en primer lugar. Mi enunciado de misión me dio el valor y en verdad estoy haciendo lo que siempre había soñado. Sé que tener una florería es un sueño muy peculiar hecho realidad. Otros quieren poseer el mundo. Yo sólo deseo hacerlo más hermoso.

---

 *La imaginación es más poderosa que la memoria, pues abre posibilidades hasta el infinito. La memoria se limita a sucesos pasados y es finita. Cuando esta mujer usó su imaginación y sus sueños como criterios para tomar sus decisiones, se convirtieron en profecías que se autocumplen. La mente subconsciente aprovecha la experiencia y la oportunidad para llevar a cabo esos sueños imaginados. Dichos sueños también detonan emoción y esperanza en otras personas.*

## Mi pesadilla viviente

*La siguiente historia es muy calmante. Expresa la sensación de profundidad de la pena de este hombre y también el poder de una sola idea: que hay distancia entre el estímulo y la respuesta.*

Después de graduarme en la universidad, me convertí en un ingeniero con éxito. Luego, cerca de los 30 años, escuché una voz interna que me decía que podía dar clases a adultos. Así que renuncié a mi empleo y me inscribí en un seminario.

Me dediqué a mis estudios y me gradué con honores en la facultad del seminario. Antes de la graduación, mi esposa y yo, junto con nuestro hijo recién nacido, Seth, nos cambiamos de casa para que ingresara en un programa de enseñanza de adultos en una gran iglesia. De nuevo tuve éxito y lo disfrutaba mucho, porque estaba marcando una diferencia en la vida de los demás.

Nuestra familia floreció con la nueva situación. Tendríamos a nuestro segundo hijo en dos meses. La vida era buena. Una noche, mientras mi esposa descansaba en el sillón, decidí limpiar mi pistola. Al hacerlo, el arma se disparó e hirió a mi esposa. Los médicos no pudieron salvarla, como tampoco lo lograron con el bebé.

Me sentía devastado. Era una pesadilla viviente. Mis emociones pasaban de negación a angustia y de enojo a completo vacío. A los 33 años, mi vida tenía un cambio total. Me fui a vivir con mis padres después del accidente. No podía vivir solo. Continué dando clases por casi dos años más. En realidad, ellos me daban clases a mí. Pero tuve que abandonar el empleo, porque era un recordatorio demasiado doloroso de mi vida con Julia. Si uno es líder religioso, la esposa y la familia son parte integral del trabajo. No podía entrar a la iglesia sin sentir una ráfaga de dolor y remordimiento. Así que renuncié a este trabajo que me había dado tanta alegría.

En realidad no hice mucho. Un amigo me dio un empleo de venta de equipo pesado de construcción. Nunca había vendido equipo en mi vida, ni siquiera conocía los nombres de algunas piezas. Aunque mi trabajo no era cirugía de cerebro, fue algo que Dios me envió. Sólo debía vender algunos compresores o partes de equipo en un mes y regresar a casa. No estaba estimulado intelectualmente, ni tenía ante mí un desafío. En ese momento no lo hubiera soportado. Me sentía como dormido.

Mi cerebro, mi mente y mi corazón aún intentaban procesar lo que sucedió. Ese trabajo era lo que necesitaba.

Por un tiempo mi vida estuvo en piloto automático. Me levantaba, le daba de comer a Seth, lo llevaba a la guardería, iba a trabajar, lo recogía, preparaba la cena, limpiaba y me dormía. Antes del accidente, era una persona con mucho entusiasmo. Me fijaba metas y las alcanzaba. Pero ahora, no podía pensar en algo tangible que deseara lograr. Hacía sólo las cosas cotidianas, como ir a comprar leche. No podía obligarme a emprender cosas importantes. No podía, por ejemplo, empezar a planificar un futuro para Seth y para mí. No podía pensar que había una vida por delante ni tenía interés en el futuro.

Empecé a leer el libro *Primero lo primero* con mucha lentitud. Cuando llegué a la sección sobre estímulo y respuesta, me reconocí. Sabía que me encontraba en el límite de la distancia entre el estímulo y la respuesta. Estuve ahí por tres años, durante los cuales me moví lentamente, centímetro a centímetro, hacia el momento en que fui capaz de responder. Ahora, por fin, tres años después, me encontraba listo para superar la muerte de mi esposa.

Este sentimiento no fue una experiencia instantánea. Lenta y gradualmente tuve más control, más iniciativa, más acción. Recuerdo haber hablado con uno de mis amigos, un pastor. Le dije: "Tengo de nuevo estas sensaciones extrañas. Algo no está bien".

Él me contestó: "Phil, creo que estás despertando".

"¿A qué te refieres con que estoy despertando?"

"Bueno, finalmente estás listo para dejar tu capullo. Tu cuerpo, mente y corazón están listos para vivir de nuevo, por lo cual creo que estás despertando".

Una de las primeras metas que me fijé fue terminar de leer el libro. Solía ser un Lector voraz antes de la muerte de mi esposa, pero no había leído un libro en tres años. Ni siquiera leí una revista. Al leerlo me sentí más vivo. También me sentía más fuerte para enfrentar el futuro y más listo para darle forma.

Mi segunda meta fue dejar un legado a mi hijo. No deseaba que mi vida, fuera una vida que nunca resurgió. Decidí concentrarme en construir algo de lo que me sintiera orgulloso. No fue fácil al principio. Lentamente empecé a levantarme y darme cuenta. Pensé mucho sobre lo que era importante para mí y para Seth. Mi motor fue vivir cada día como si fuera el último de mi vida, así que siempre hacía primero las cosas importantes. Examiné cómo incorporaría este modo de pensar en mis planes futuros. Luego formulé un enunciado de misión que me ayudara a recuperarme, a contribuir con este mundo y a desarrollar relaciones sólidas con mis seres queridos. Nuestra vida se volvió más brillante, más activa y más excitante. El *Eclesiastés* en la *Biblia* habla acerca de que hay un tiempo para todo. Cuando el momento fue adecuado, me recuperé y continué con mi vida.

Me volví a casar y actualmente soy feliz. Seth adora a su nueva mamá. Tengo dos hermosas hijas y mis ruedas siguen girando, aunque lenta y metódicamente. Empecé a editar una publicación para familias de segundos matrimonios, compré un negocio y acepté dictar muchas conferencias el próximo año.

Sin duda, lo más difícil que hice fue perdonarme por ese accidente. Lo segundo fue vivir el proceso de duelo. Lo tercero fue tener el valor de soñar de nuevo y empezar el proceso para hacer realidad esos sueños.

Por favor, entiendan, todavía tengo lo que llamo "recaídas". Como en una ocasión dijo John Claypool, un ministro episcopal, después de que su hija de ocho años murió de leucemia: "Caminaré de nuevo, pero siempre voy a cojear". Tal vez estoy cojeando, pero me estoy moviendo.

---

 *Me gustaría compartir un momento personal que comenté en otras obras. Ocurrió cuando gozaba mi año sabático en Hawaii. Revisaba unos libros en la parte trasera de la biblioteca de la universidad. Uno llamó mi*

*atención y al hojearlo mis ojos cayeron en un párrafo que era tan poderoso, tan memorable, tan conciso, que ha influido profundamente en mi vida y en mi pensamiento.*

*En ese párrafo había tres oraciones que contenían una idea muy poderosa:*

Entre el estímulo y la respuesta, hay una distancia.

En ella radica la libertad y el poder para elegir nuestra respuesta.

En la respuesta radica nuestro crecimiento y felicidad.

*No puedo describir el efecto que esa idea tuvo en mí. Me sentí agobiado. Reflexioné sobre ella una y otra vez. Me revelé ante su libertad. La personalicé. Entre cualquier evento y mi respuesta a él hay cierta distancia, en la cual están mi libertad y poder para elegir mi respuesta. Y en mi respuesta está mi crecimiento y felicidad.*

*Mientras más lo analizaba, me daba cuenta de que podía elegir las respuestas que afectarían al estímulo mismo. Podía convertirme en una fuerza de la naturaleza en mi propio derecho.*

TIENES ÉXITO... PERO ¿ERES FELIZ?

*Con frecuencia cuento la historia de alguien que ascendió la escalera del éxito y llegó arriba sólo para ver que la escalera estaba recargada sobre la pared equivocada. Esta narración ilustra cómo el hábito 2: Comenzar con el fin en la mente, define la pared contra la cual usted quiere colocar la escalera.*

Estaba sentado en un restaurante junto con un joven que estuvo en nuestra agencia durante cinco años. Tenía una casa amplia, lugar para estacionamiento cerca de la puerta y su nombre grabado en bronce en la puerta de su oficina. En el almuerzo hablamos sobre la definición de éxito. Mencioné el enunciado de misión personal y dijo que no conocía el concepto. Para demostrarle cómo crear una, le pregunté qué era importante para él. Empezó a mencionar todo lo que quería hacer. Nada tenía que ver con su trabajo.

Me sentí intrigado. "Bueno, ¿eres feliz?", le pregunté cuando terminó.

Me dijo: "Pues no".

Añadí: "Pero tienes éxito, ¿no es así?", y me reí un poco. Él se quedó pensando.

No lo volví a ver en un par de meses, porque viajábamos a diferentes partes del país. Un día lo vi en el corredor. Deseando saber cómo iba, me le acerqué. "Hola, Christian, espera. ¿A dónde vas? Camino contigo".

"No voy a ninguna parte. Es mi último día de trabajo", respondió con un gesto.

Me impresionó. "¿Qué?"

"Sí, acabo de hablar con mi jefe. Me preguntó por qué me iba y le respondí que por tu culpa."

"Pero, estás bromeando. ¿Por qué le dijiste eso?"

"Pues le platiqué sobre nuestra conversación en El Paso. Acerca de cómo me hiciste analizar mi vida para hacer con ella lo que quisiera. Y no fue así, por lo que renuncio a este empleo para empezar a hacer las cosas que realmente me gustan. Gracias, compañero."

No lo he visto en dos años. Cuando renunció a su empleo, él y su esposa iniciaron su propia compañía de reparación y construcción de techos. Le gusta trabajar con madera. Se hallaba en el terreno de las telecomunicaciones; ahora está martillando azoteas y construyendo techos. ¿Y adivinen qué? Está feliz.

---

 *El mundo occidental está orientado a la acción, pero el oriente es más efectivo. El hábito 2: Comenzar con el fin en la mente, y el hábito 3: Poner primero lo primero*

*intentan ser un puente entre el occidente y el oriente: reflexionar y luego actuar sobre su decisión. Esta historia ilustra el poder de elección (hábito 1: Ser proactivo), lo indispensable de pensar detenidamente sobre lo que es más importante (hábito 2: Comenzar con el fin en la mente) y luego actuar en consecuencia (hábito 3: Poner primero lo primero). Este hombre hizo un cambio valiente de 180 grados, colocando su escalera del éxito sobre la pared de la felicidad. La mejor forma de predecir su futuro es creándolo.*

## La historia de un prisionero

*Observe la transformación de este hombre cuya vida fue destrozada, y aunque estuvo en prisión vivió triunfalmente. Note el efecto inmediato sobre su mente al concientizar el espacio que existe entre lo que nos sucede y la forma en que reaccionamos. Luego vea qué sucede cuando, en vez de negar, culpar o buscar venganza, él elige concentrarse sólo en aquello que puede controlar.*

Desperté un día en el hospital con mi vida hecha pedazos. Mi esposa me dijo que hubo un accidente automovilístico. Yo había bebido en una fiesta con mi amigo Frank. Él estaba conmigo cuando choqué el vehículo al salir de la fiesta. Frank murió.

Fui acusado de homicidio imprudencial por matar a mi amigo. Mientras esperaba el juicio, me uní a Alcohólicos Anónimos. Llegué a la primera reunión sintiendo que no tenía nada en común con las personas que estaban ahí. Salí con la sensación de que nunca en mi vida había pertenecido a un lugar más que a éste.

El programa de 12 pasos de Alcohólicos Anónimos fue una gran ayuda para cambiar mi vida. Mi matrimonio estaba en problemas. Enfrentaba un juicio de asesinato. La distribuidora de motocicletas que poseía, una de las más grandes del país, estaba muy endeudada. Mi manera de beber era sólo un síntoma de problemas más importantes. Bebía tanto en situaciones difíciles como en las alegres. Personal y profesionalmente estaba fracasando.

Con la ayuda de AA, empecé a buscar material que me ayudara a cambiar mi vida. Tenía 34 años cuando leí el libro de Alcohólicos Anónimos. Era el primero que leía completo. *Los 7 hábitos* fue el segundo. La parte de ser proactivo *versus* reactivo me impulsó mucho, en particular porque quizás enfrentaría una sentencia de prisión. Nunca había estado en la cárcel. Tampoco tenía idea de qué pasaría con mi esposa y mi hija, mi familia o mi negocio si me encerraban por 30 años. Ésa era la sentencia que enfrentaría si me encontraban culpable. A veces sentía que prefería morir.

Me di cuenta que debía concentrarme en lo que podía controlar [hábito 1: Ser proactivo]. En el trabajo, me enfoqué en preparar a mis gerentes de tienda para manejar el negocio si yo iba a prisión por mucho tiempo. Compartí con ellos los principios de los 7 hábitos. También trabajé junto a ellos para reducir la deuda de la compañía.

Ordené ese aspecto de mi vida, pero la relación con mi esposa seguía deteriorándose. Ella estuvo lejos mucho tiempo durante este periodo, cuidando a un hermano enfermo en Florida. La visité, pero era claro que cada vez estábamos más y más distanciados.

Un día empecé a sufrir terribles calambres en el pecho y los brazos. Resultó que tenía un pequeño tumor en el cuello a causa del accidente, en el cual me golpeé la cabeza con el techo del vehículo. El tumor presionaba la espina dorsal y debía someterme a una cirugía de ocho horas. Bajé de 110 a 85 kilos. Pero lo superé, en parte porque descubrí y leí *El hombre en busca de sentido* de Viktor Frankl. De hecho, lo leí cuatro veces. Aprendí en ese libro que tenía el poder para controlar mis reacciones a lo que sucedía [hábito 1: Ser proactivo]. Mi mundo estaba derrumbándose, pero no tenía que caer junto con él.

Al cambiar desde dentro, las personas a mi alrededor lo notaban. Un día recibí una carta de mi esposa, en la cual me decía que si se divorciaba de mí lo estaría haciendo de la persona equivocada. Quería venir a casa a tratar de que nuestro matrimonio funcionara de nuevo.

Durante nuestras reuniones en el tiempo que no estuvimos juntos, traté de entenderla. Siempre pensé que todo giraba a mi alrededor. Era un orgullo o ego falso. Cuando aprendí a no reaccionar y conocerla mejor, empezamos a comunicarnos y regresó a mi lado de nuevo.

Ella apenas llevaba tres días en casa cuando la oficina del fiscal me ofreció un trato. En lugar de la posible sentencia de 30 años, la redujeron a 10. Yo acepté. Fui a prisión con el libro de Viktor Frankl en la mente, pensando que aprovecharía al máximo esta experiencia sin importar lo que sucedería. Estaba dispuesto a controlar lo que pudiera y a que no me afectara lo que estuviera fuera de mi influencia.

Hubo un par de veces en la prisión en que casi me involucro en altercados, pero seguí siendo proactivo y no reactivo. Me enfocaba en el fin en la mente, el cual era no meterme en problemas y así reducir la sentencia por buen comportamiento e ir a casa antes [hábito 2: Comenzar con el fin en la mente].

Conseguí un empleo limpiando las oficinas de la prisión y me gané la confianza de la administración hasta el punto en que, cuando mencionaba un problema o preocupación, me escuchaban. Una situación que noté era la siguiente: los niños que visitaban a sus padres no podían hacer nada ni estar en algún sitio mientras los adultos hablaban. Presenté una propuesta para crear una biblioteca para niños en la sala de visitas. No había dinero, así que pedí a mi esposa que recolectara libros para grupos de diferentes edades y nosotros los pagamos. Algunos amigos del taller de carpintería hicieron los gabinetes y por arte de magia la biblioteca se hizo muy grande. Otras personas donaron libros e incluso se instaló una sección de libros en español.

Ahora hay cientos de niños sentados con sus padres leyendo libros, en lugar de quedarse dormidos como antes.

También empecé a compartir lo que aprendí acerca de cambiar mi vida con otros internos que se mostraron interesados. Pedí más copias del libro de Frankl y de *Los 7 hábitos*, y los repartí. Invité a los internos a mi celda para discutir los principios dos veces al día y los alenté a discutirlos con otros.

Cierto día, un interno musulmán se me acercó y dijo: "De todos los que estamos en esta prisión, quizás el que más ha perdido eres tú. Y aun así eres la persona más feliz y positiva del lugar. ¿Por qué?"

Le contesté: "Aunque no tengo control sobre las circunstancias de mi vida en este momento, las cuales son consecuencia de acciones que hice hace años, lo único que puedo cambiar ahora es mi actitud y mi conducta. Y me concentro en eso. Puedo estar molesto, patear los muebles, llorar mi tristeza, maldecir, pero eso no me llevará a ninguna parte. De seguro no me llevará a casa con mi familia más rápido, y no hará las cosas más sencillas. Por ello elegí no ser así, porque mañana puedo estar muerto, y si así fuera, no voy a desperdiciar este día, mi último día en esta tierra, siendo miserable".

Un día me enteré que el fuego destruyó nuestra tienda de motocicletas. Mis padres la vieron arder durante 20 horas. Cuando mi esposa llegó a la escena y vio que se había quemado todo, se desmayó. Le dijeron que se trataba sólo de un problema eléctrico. Yo me sentí tan devastado cuando me enteré del incendio que fui a ver a un amigo de la prisión. Me pidió que me sentara y me repitió todo lo que le había enseñado. Me explicó que en todo lo que nos sucedía había algo bueno y una lección que aprender. Me hizo ver que ésta podría ser una oportunidad para que mis padres construyeran la tienda por ellos mismos. Yo la construí la primera vez y esto les permitiría dármela como regalo cuando saliera de prisión. Siempre fui malo para aceptar obsequios de otras personas, así que este incendio me permitiría aceptar algo con gratitud. También me dijo que lo anterior daría a mis padres algo en qué enfocarse. Me sentí mucho mejor después de hablar con mi amigo. Trabajé sobre la experiencia.

He tratado de compartir con los internos lo que aprendí acerca de honrar compromisos con ellos mismos. Aquí casi todos son reactivos. Les proponía emprender compromisos, como ejercitarse, leer un libro o escribir una carta. Al cumplir un compromiso se sentían mejor con ellos mismos.

Ahora estoy en un lugar especial. Se formó un grupo de 30 personas y tenemos nuestra propia área para crear un ambiente más positivo. Es más tranquilo. Los compañeros son mayores. Muchas personas quieren mudarse con nosotros. De cierta manera es más complicado que en la prisión, porque hay que estar concentrado. Se nos permite salir y trabajar durante el día, pero hay que regresar y vivir con las reglas o se nos envía de nuevo a prisión. Aquí uno está atrapado entre dos mundos.

Desde que llegué desarrollé un seminario que llamo "Piense antes de beber". Voy a las escuelas y hablo con los chicos de entre 8 y 18 años de edad. Comparto toda mi experiencia con ellos. Siempre es muy emotivo. Cuando termino, las sesiones de preguntas duran hasta 45 minutos. En este último año he hablado con 10 mil jóvenes. Mi mensaje siempre es el mismo: elecciones, acciones y consecuencias. Me ayuda con la muerte de mi amigo en el vehículo. Por sus cartas me doy cuenta de que me escuchan.

Me siguen prometiendo que estaré en la siguiente lista de liberaciones. Mi esposa y mi hija ya dejaron de preguntar cuándo voy a salir. Cada vez, me duele mucho que digan que no estuve en la última lista. De nuevo, éstas son las circunstancias con las que tengo que vivir, son el resultado de decisiones que tomé y acciones que emprendí en el pasado. Me siento mal de que otras personas tengan que sufrir, pero ha sido una experiencia enriquecedora para nosotros. Mi esposa es una persona diferente a la que era hace cuatro años. Es mucho más saludable ahora, en todos los sentidos: espiritual, mental y físicamente. Está planeando entrar a un concurso de acondicionamiento físico a los 32 años de edad. Cuando llegué a prisión, ella me aseguraba que Dios no existía por todo lo que nos sucedió. Pero hace año y medio me escribió una carta con una "Oración de serenidad" y un poema. Terminaba diciendo que sería un honor llegar a la eternidad conmigo.

Ha sido una experiencia enriquecedora para todos nosotros, no me cabe la menor duda.

---

 *A pesar de las complicaciones de su vida pasada y de las circunstancias presentes, al convertirse en proactivo en su círculo de influencia, pudo tomar un camino totalmente diferente de cura, recuperación, contribución, valor y paz. Eso no significa que todas las cicatrices físicas del pasado estén borradas, ya que pueden presentarse en otras formas en el futuro. Pero significa que si uno asume responsabilidad por su respuesta en el momento presente, y si esa respuesta se basa en un sistema de valores para trabajar dentro de su círculo de influencia, esa acción puede mitigar o, por medio de la fe, borrar esas cicatrices físicas.*

*Quienes trabajan con prisioneros reconocen que su problema fundamental es que niegan la responsabilidad de su situación. Así, el concepto de asumir responsabilidad, ser proactivo y trabajar dentro de su círculo de influencia llega a lo profundo del alma. En otras palabras, si existe una distancia entre el estímulo y la*

*respuesta, no importa cuáles sean las circunstancias: genéticas, presiones actuales, cicatrices emocionales o psicológicas pasadas, lo más liberador, ennoblecedor y exaltante de todo es la conciencia de la habilidad para elegir nuestra respuesta.*

*Ésta es la esencia del trabajo de Viktor Frankl, sobreviviente de un campo de concentración nazi. Hablé con el señor Frankl varios meses antes de su muerte para expresarle mi gran aprecio por el trabajo de su vida. Me comentó: "Todavía no he terminado. Aún tengo dos proyectos más por concluir". La gran misión de su vida fue desarrollar proyectos tan significativos. Representó una nueva fuerza en psicoterapia llamada Logoterapia; "logo" se refiere a la búsqueda de significado, la búsqueda para encontrar un propósito, una razón, una meta, una tarea que tenga significado personal. El decía que, aunque estaba ciego, su esposa le leía durante horas cada día y le ayudaba con estos proyectos. Murió la misma semana en que fallecieron la Madre Teresa y la Princesa Diana.*

# BUSCANDO EQUILIBRIO DE VIDA

*Esta difícil situación de una gerente presionada por un proyecto urgente, un jefe inseguro y una madre moribunda, ilustra el singular poder de la sinergia, para encontrar alternativas mejores.*

Soy la madre de dos adolescentes, no tengo esposo y profesionalmente estaba en un momento crítico de mi carrera. Fui la gerente de proyecto de una iniciativa corporativa durante dos años. El proyecto estaba a punto de culminar y, anticipándome a su conclusión, empezaba a asumir algunas de las responsabilidades de mi nuevo puesto en otra área. Sin embargo, la orden fue clara: termina el proyecto lo antes posible.

Al mismo tiempo, mi madre, quien vivía dos mil kilómetros al sur de Texas, fue diagnosticada con cáncer. El pronóstico era peor de lo que esperábamos. Cuando el médico terminó la cirugía exploratoria nos dijo, en palabras que recuerdo hasta el día de hoy: "No hay nada que podamos hacer. Le doy entre dos semanas y tres meses de vida".

La vida nos enseña cómo tener equilibrio para determinar lo que es importante. Obviamente, la condición de mi madre era mi enfoque principal, como lo era mi carrera. La cuestión era de equilibrio. ¿Cómo podía pasar con mi madre todo el tiempo posible, cuidándola, y terminar el proyecto de manera profesional? Convencida de que no podía lograr ambas cosas debido a la distancia, concluí que debía dejar el proyecto y pedir a mi familia que nos fuéramos a vivir con mi madre.

Al tomar la decisión, necesitaba aplicar los hábitos interpersonales: hábitos 4, 5 y 6 [Pensar ganar-ganar; Buscar primero entender, luego ser entendido; Sinergizar], para trabajar con mis empleados. Pensar ganar-ganar fue fácil en este caso. En realidad, era devota de mi compañía; no quería dejarlos solos en este proyecto. Quería ganar para la empresa, pero sabía que

53

necesitaba estar cerca de mamá esas últimas semanas. Entonces pensé que dejar el proyecto a otra persona sería lo mejor para la compañía.

Me acerqué a mi supervisora para buscar primero entender. Ella era nueva en la compañía. Su desempeño era vigilado y necesitaba dar una buena impresión, por lo cual el proyecto debía terminar a tiempo y de manera efectiva.

Ella también usó el hábito 5 para primero entender mis necesidades y las de mi familia. Aprendí una lección clave ese día: cuando dos partes aplican con honestidad los hábitos 4 y 5, la sinergia fluye de modo natural. Uno no necesita *hacer* sinergia; ésta es la recompensa de pensar ganar-ganar efectivamente y buscar primero entender.

Durante los tres meses siguientes continué con mis responsabilidades en el proyecto con una computadora portátil desde el cuarto de hospital de mi madre. Si era necesario reunirse, los compañeros de la oficina lo hacían y yo me unía a ellos vía telefónica desde mi oficina temporal, la habitación 602 de la unidad de terapia intensiva de oncología. Por primera vez en su vida, mi madre estaba fascinada al ver a su hija trabajando. Comentaba sobre mis contribuciones a las reuniones y me preguntaba aspectos del proyecto. Le proporcioné una buena diversión a esa rutina de inyecciones, medicamentos, médicos y enfermeras.

Al final, el proyecto se terminó exitosamente y a tiempo. Y pude pasar con mi madre hermosas horas, días y semanas.

---

 *El* momento *clave en esta historia ocurrió cuando esta mujer se acercó con valor a su supervisora y compartió su dilema. Muchas personas titubean al hacer algo así porque tienen que confrontar sus miedos, en particular el temor de no terminar con el resultado deseado. Alguien lo contextualizó de manera hermosa: "El valor es la calidad de toda cualidad en su punto de prueba más alto".*

*El discernimiento clave que la mujer adquirió fue que la sinergia es el fruto —el hábito 6 fluye de las raíces, el hábito 4: Pensar ganar-ganar y el hábito 5: Buscar primero entender, luego ser entendido—. Si existe el espíritu real de ganar-ganar y hay un esfuerzo para lograr entendimiento mutuo, se crean discernimientos y alternativas.*

PAPI, QUIERO QUE ESTÉS SANO

*Esta historia extraordinaria muestra que la sinergia, donde el todo es mayor que la suma de sus partes, viene del equilibrio de vida.*

He trabajado muy duro durante toda mi carrera. Al llegar a los 45 años, era realmente exitoso. También tenía casi 30 kilos de sobrepeso, era un comedor compulsivo en momentos de tensión y nunca tenía tiempo para hacer ejercicio debido a mi trabajo. Cuando mi hijo Logan cumplió cinco años, me dio un libro sobre vida saludable. Como dedicatoria, su madre le había ayudado a escribir las siguientes palabras: "Papi, en mi cumpleaños de este año, quiero que estés sano. Quiero que estés más tiempo conmigo". Hablando de golpes duros en el estómago. ¡Ay!

La petición de mi hijo cambió por completo la perspectiva de mi estilo de vida. Comer y no hacer ejercicio no debían ser mis alternativas. De repente vi que estaba creando un legado poco saludable para nuestros hijos. Les estaba indicando que el cuerpo no era importante; que el autocontrol no era importante; que lo único que valía la pena era trabajar duro para tener dinero y prestigio en la vida. Me di cuenta que educar a mis hijos implicaba más que proporcionarles lo físico, financiero y emocional que necesitaban. También se debían mostrar modelos saludables. Yo no hacía eso.

Así que me comprometí a ser saludable para mis hijos [hábito 1: Ser proactivo]. No para perder peso, sino para ser sano. Ésa es la clave para mí. Mi compromiso debía contener valor real. Antes había intentado muchas dietas y programas de ejercicio. Normalmente lo hacía bien mientras no hubiera tensión en mi vida. Perder peso como mi motivación inspiradora no era suficiente.

Pero mis hijos *son* lo suficientemente importantes. Me importaban tanto, que tomaría decisiones saludables. Establecí como meta que quería estar sano [hábito 2: Comenzar con el fin en la mente]. Quería ser vital, tener energía para jugar con mis hijos después del trabajo, participar en el torneo de fútbol de la compañía sin que me asfixiara en los primeros minutos. Para lograr esa meta, puse en marcha una dieta y un programa de ejercicio. La clave era que la dieta y el programa de ejercicio no eran la meta. La meta era estar sano para mis hijos. Decidí compartir mi meta con otra persona que quisiera estar sana. Ahora trabajamos juntos en un programa de ejercicio con beneficios mutuos. Me aseguré de apartar tiempo para lograr mis metas. Aprendí a dejar de trabajar y atender las necesidades de mi cuerpo.

Han pasado dos años desde que cambié mi forma de pensar. Ya no lucho por levantarme de la cama. El ejercicio se ha convertido en parte de mí. No me convenzo de dejar de ejercitarme como lo hice al principio. Claro que hay días en que no lo hago muy bien. Estoy cansado, me duele la cabeza, hace mucho calor. Algunos días, sólo me convenzo de no salir a correr. Pero es mucho más fácil para mí ahora volver al camino correcto [hábito 3: Poner primero lo primero]. Como tengo este compromiso más amplio con alguien que amo más que a mí mismo, puedo volver al camino correcto.

Un segundo beneficio de este modo de pensar saludable es que creo que puedo ser proactivo. Salir de la cama temprano cada mañana, correr durante una hora, estar en excelente condición física. Lo anterior me motiva. Día tras día, al hacer ejercicio, experimento victorias privadas. Ahora tengo esta sensación de fe, de creencia en que soy capaz de efectuar cosas difíciles. De cierta manera, antes tenía la mentalidad de víctima porque estaba desmotivado, tan presionado que no podía hacer una diferencia en mi forma de vivir. Ahora tengo victorias privadas que me mantienen a flote.

Un tercer beneficio de esta meta es la claridad de mente. Me estoy haciendo más viejo. Solía pensar que envejecer significaba acostumbrarse a estar quieto, cansado y con dolores. Pero ahora que tengo un estilo de vida tan saludable, puedo ver que no era la edad lo que hacía sentirme así, sino la forma en que vivía. Ahora sé que si me duele la cabeza es porque comí demasiada azúcar, no porque tenga 47 años. Mi cuerpo está ajustado a la salud. Puedo usar sus reacciones sanas para tomar decisiones sobre cómo vivir. He aprendido que se puede confiar en un cuerpo saludable. Cuando se paga el precio de vivir con principios verdaderos, la recompensa de vitalidad y salud es ilimitada. Cuando esa claridad de mente se nubla, sé al instantante que necesito volver al camino correcto en mi manera de comer, hacer ejercicio y dormir.

Tal vez la lección más importante que aprendí es que mi cuerpo está conectado con los aspectos social, mental y espiritual de mi vida. Ese dolor de cabeza a causa del azúcar no me permitía pensar claramente. Además, la claridad de mente que viene después de hacer ejercicio es muy benéfica. Identificamos la pérdida de peso como la recompensa de hacer ejercicio. Creo que la claridad mental es la recompensa más grande que he tenido hasta ahora. Nunca antes pensé tan clara y concisamente. En lo social también he tenido beneficios. Antes, cuando hacía dieta, siempre estaba de mal humor, lo cual afectaba mi relación con mi esposa, hijos y compañeros de trabajo. Estaba tan malhumorado por ese enorme "tengo que" en mi lista, en la cual no existía el deseo de hacerlo. Ahora que quiero estar sano, las decisiones para comer correctamente y hacer ejercicio me hacen más positivo, incluso jovial y alegre. Esta falta de lucha interna me libera mucha energía emocional para dedicarla a mi esposa e hijos.

Nunca pensé que la decisión de estar saludable tuviera un efecto tan dramático en las cuatro áreas de mi vida. Todavía no estoy ahí. Sigo trabajando. Pero disfruto las recompensas que vienen de vivir, ejercitarme y comer de manera correcta.

---

 *Cuando este hombre de 47 años, con sobrepeso, encontró motivaciones emocionales y espirituales más profundas, incluido el legado que dejaría a su familia, logró control, perspectiva, fuerza de voluntad, claridad de mente, autoconciencia profunda y libertad personal. Entre las muchas lecciones que contiene esta historia aparecen el poder y los frutos de la victoria privada. Qué tan fácil es decir no cuando tenemos un sí quemándonos por dentro.*

*He llegado a pensar que la autodisciplina es fundamental para mantener buenas relaciones. El control del apetito precede y permite el control emocional y mental. Tampoco se pueden construir relaciones realmente sólidas hasta que conquistemos las pasiones orgullosas. El autor de* Proverbios *enseñaba: "Aquel que rige su propio espíritu es mejor que el que conquista una ciudad". La sabiduría griega dice: "Conócete a ti mismo. Contrólate. Date a ti mismo".*

### MIÉRCOLES POR LA NOCHE: MI TIEMPO CON MAMÁ

*Nuestros estudios muestran que la mayoría de las personas reconocen que su vida está realmente fuera de equilibrio. Las personas se enfocan mucho en el trabajo y otras actividades que pueden ser presionantes mientras que las relaciones y actividades que atesoran termi-*

*nan exprimidas y abandonadas. Ésta es una hermosa historia sobre alguien que se encontraba atrapado en el remolino de la urgencia y que dedicó tiempo a pensar sobre sus roles y metas (hábito 1: Ser proactivo, y hábito 2: Comenzar con el fin en la mente), a sinergizar con su esposa (hábito 6: Sinergizar) y llegó a una solución maravillosa.*

Siempre tuve una amistad especial con mi madre. Juntos realizamos una serie de eventos en la vida que crearon una relación maravillosa. En una ocasión, aunque adoraba a mi madre y disfrutaba pasar el tiempo con ella, me comprometí con el trabajo, la comunidad y mi propia familia. Estaba tan ocupado que pasaban semanas sin siquiera llamarla por teléfono para ver cómo estaba. Y cuando tenía tiempo para visitarla, apenas nos sentábamos a platicar cuando ya debía irme. Otra reunión que atender, otra fecha límite que cumplir. Mi contacto con esta mujer extraordinaria fue prácticamente nulo.

Mi madre nunca me presionó para que la visitara con más frecuencia, pero yo no estaba feliz con la situación. Sabía que mi vida estaba fuera de control si no podía dedicar tiempo a mi madre. Así que tomé la perspectiva de poner primero lo primero, por lo cual mi esposa y yo hicimos una tormenta de ideas para encontrar una solución. Ella sugirió programar algún tiempo cada semana que funcionara tanto para mi familia como para mamá. Cuando miramos el calendario, vi que mi esposa tenía práctica de coro todos los miércoles por la noche. Esa noche se convirtió en el momento para mamá.

Ahora mi madre sabe que cada semana llegaré en una noche específica, en un momento específico. No tengo el impulso de correr a los 10 minutos y hay pocas interrupciones. Si ella quiere hacer ejercicio, caminamos juntos. Otras veces cocina para mí. En ocasiones la llevo de compras al centro comercial, lo cual no hace con frecuencia porque está lejos de su casa. No importa lo que hagamos, siempre hablamos de nuestra familia, de sucesos actuales, de nuestros recuerdos.

Cada noche que paso con mamá es un oasis de paz en mi vida. Le digo a mi esposa que es una de las mejores sugerencias que me ha dado.

---

 *Cuando mi padre murió decidí que iba a mantener y mejorar mi relación con mi madre debido a la pérdida. Además, no importaba dónde estuviera, la llamaría todos los días por el resto de su vida. Aunque vivíamos a 100 kilómetros de distancia, también haría el esfuerzo de visitarla cuando menos dos veces por semana. Ella vivió otros 10 años y todavía no puedo expresar lo profundo de mi gratitud por ella y por los preciosos momentos que pasamos juntos.*

*Aprendí, con mi madre, que cuando te comunicas regularmente con otra persona se llega a un nivel de entendimiento que casi fluye por inercia. Encontré que la llamada diaria no era demasiado diferente a mis visitas semanales; nos sentíamos tan cerca uno del otro, lo mismo que tan abiertos y auténticos entre nosotros, como cuando estábamos juntos. Era como una conversación continua. En realidad, no había mucha diferencia si hablábamos por teléfono o frente afrente, lo cual me sorprendía, porque siempre pensé que nada podía reemplazar el contacto personal. Estoy seguro que en otro sentido eso es correcto, porque cada conversación contiene el efecto acumulativo de las pláticas previas. Asimismo, es posible compartir discernimientos y sentimientos profundos más que sólo experiencias. La comunicación íntima implica casi verte.*

*Justo como el caballero en esta historia, también he recibido el beneficio enorme de tener a una esposa que me apoya y me entiende, con una mentalidad muy abierta. Mi esposa, Sandra, no ve la vida como un pedazo de pastel donde el tiempo con mi madre significaría estar alejado de ella. Ella vio que el tiempo con mi madre en realidad mejoraría nuestra relación.*

## Miré en el espejo y vi un extraño que se reprime

> *Observe en esta historia qué sucede cuando el trabajo es el centro de nuestras actividades y afectos. También, el profundo remolino cuando se agrega un nuevo centro, incluso uno tan importante como la familia. Por último, debemos llegar a una tercera alternativa, una que envuelva y armonice todas las áreas importantes: un centro de principios. Cuando lo logremos, como lo hizo este hombre, habrá llegado el equilibrio que buscamos, iremos más al fondo de las cosas y tendremos orden e integridad en nuestro carácter y en su aspecto emocional. El resultado será una reducida necesidad de controlar a los demás, lo mismo que mayor productividad y felicidad en todas las áreas de nuestra vida.*

Pasé toda mi vida adulta concentrado en mi trabajo. Laboraba de 12 a 14 horas al día, seis días a la semana, para salir adelante. Constantemente me esforzaba por destacar y ser recompensado. Aceptaba asignaciones de viajes, porque con eso daba la impresión de que era devoto de la empresa. Nos cambiamos al centro de Chicago para estar más cerca de la oficina matriz. Pensaba que mi esposa adoraba vivir ahí y que le gustaba vivir así.

Luego nació mi hijo. Como quise pasar más tiempo con él y con mi esposa, trataba de repartirme entre mi familia y el trabajo. Me sentía mal con mi familia, por un lado, y mal con el trabajo, por el otro. Si dedicaba tiempo a mi familia, la parte del trabajo se afectaba. En la oficina debía correr de un lado a otro. Eso significaba dejar a mi familia. Entonces corría para estar con mi familia. Sentía que estaba corriendo entre dos puntos opuestos toda la semana. Lo intenté mucho, pero no logré equilibrarlo. No importaba lo rápido que me moviera para ir a los dos lugares, no me era posible mantener un balance. Como me cansaba mucho, me volví irritable.

Cuando empecé a aprender y pensar seriamente sobre el principio de poner primero lo primero, me di cuenta que mis prioridades no eran las correctas. No podía tener trabajo y familia, a la vez, como el centro de mi vida. Si lo hacía, mi familia terminaría en un segundo plano como había estado durante años. Necesitaba redefinir lo que era importante para mí [hábito 2: Comenzar con el fin en la mente]. Luego, ajustar mi vida de manera que mis acciones fueran congruentes con mis prioridades [hábito 3: Poner primero lo primero]. Sólo entonces sentiría que mi vida tenía balance y que tenía un propósito.

Al observar la manera en que hacía mi trabajo, me vi como un extraño que se reprimía. Me gustaba estar en la oficina para conocer toda decisión y ver sobre los hombros de los demás, para asegurar que todo se realizara como me gustaba. Pensaba que nadie hacía las cosas como yo. En consecuencia, mi vida estaba llena de basura; por otro lado, reportes sin importancia, cuestionarios y hojas de datos llenaban mis días. Sentía que debía hacerme cargo de todo eso porque sólo yo lo haría bien. Estaba equivocado. Al no delegar funciones, propiciaba el fracaso de mis asociados, pues no les daba la oportunidad de mostrar sus habilidades. Empecé a dejar a los demás participar en esos asuntos. Mis compañeros de equipo tenían un rol más activo, en tanto que yo asumí un papel de consejero en la mayoría de los proyectos. Supe que ellos se sintieron más integrados.

Para mi asombro, y un poco de disgusto, aquellas labores tan importantes en el trabajo que sólo yo podía hacer iban bien. Mi jefe estaba contento y yo tenía menos trabajo que realizar, lo cual significaba la revelación de todas las revelaciones: que tenía más tiempo para dedicarlo a lo que consideraba importante. Comencé por tomar una hora para comer, lo cual hacía en ocasiones con mi esposa e hijo. Tomé tiempo para aprender a manejar el *software* que usábamos en la oficina. Mi productividad aumentó muchísimo. Pensé que con todo este tiempo libre habría oportunidad incluso de volver a la escuela [hábito 7: Afilar la sierra].

Mi vida familiar cambió dramáticamente. Nos fuimos a vivir a las afueras de Chicago, a un pequeño pueblito campestre (resultó que a mi esposa nunca le gustó vivir en la ciudad). En vez de pasar tiempo en la oficina, estaba con mi familia. Mi hijo y yo vamos a la matiné los sábados. Compramos bolsas grandes de rosetas de maíz (con mantequilla extra), alguna bebida sabrosa y nos sentamos a disfrutar la película. Llevo una mejor relación con mi esposa. Pasamos mucho tiempo juntos y hacemos lo que queremos: caminar, practicar ejercicio, andar en bicicleta, laborar en la jardinería; lo mejor: siempre hablamos. Ahora disfruto mucho mi vida. Incluso, he aprendido a hacer bromas ocasionales.

Lo que es más importante, ya no estoy entre dos amos. La vida no es tan agitada como pensaba. Hoy conozco la diferencia entre qué trabajo debe hacerse y cuál puede hacerse. Sobre todo, el que no hay que realizar. Ése ya lo dejé hace tiempo.

---

 *Cuando estamos entre dos valores, ambos buenos, por lo general terminamos mal con los dos. Tal es el caso entre el valor del trabajo y el de la familia. Enfocarse en un propósito o principio más alto, no compromete. Se puede lograr mayor éxito y tener sinergia entre las acciones o los compromisos que se acepten.*

*Para algunos, el aspecto más importante de esta historia sería el cambio de paradigma que se llevó a cabo*

*cuando nació el hijo de este hombre. Un paradigma es cómo se ve la realidad, el punto de vista propio del mundo. La manera más rápida de transformar el paradigma de una persona es modificar su papel. Tan pronto como invertimos nuestro papel de esposo a padre, vemos el mundo diferente. Los cambios de paradigma o percepción son más profundos que los de conducta o actitud. Siempre he creído que si uno quiere una mejora significativa, debe trabajar en su paradigma. Si las quiere menores, cuide su conducta y sus actitudes. Ya una vez con un paradigma correcto de la realidad, donde el mapa refleje el territorio, trabaje en su conducta y sus actitudes.*

## LA VISITA SORPRESA

*Al crear un enunciado de misión identificamos propósito, visión, valores y las relaciones más importantes en nuestra vida. Un enunciado de misión puede ser sumamente poderoso, en particular cuando trata explícita o implícitamente todos los papeles importantes de uno. La mayoría de las personas se enfocan en la familia inmediata y el trabajo. Cuando la mujer de esta historia se enfocó en su familia extendida, encontró cierta resistencia en su familia inmediata. Pero dentro del contexto de su enunciado de misión (hábito 2: Comenzar con el fin en la mente) y apegándose al plan (hábito 3: Poner primero lo primero), encontró una nueva dimensión importante de la vida.*

Cuando escribí mi enunciado de misión el año pasado, dije que deseaba estar más cerca de mis familiares de lo que había estado en el pasado. Entonces, al planear mis vacaciones anuales para ir a Tennessee a visitar a mis padres y mi hermana, decidí programar una visita a dos tías ancianas. Creo que no las había visto en años y sentí que necesitaba dedicarles tiempo para ser congruente con mi misión.

Al llegar a Tennessee, comenté a mi hermana mi plan de visitar a tía Dorothy y tía Margaret. No entendió mis motivos. "¿Por qué no les llamas en vez de ir a visitarlas? Hay unas tiendas maravillosas de antigüedades que quiero enseñarte. Ellas estarán felices con una llamada telefónica." No sé por qué, pero en realidad tenía deseos de pasar un rato con mis tías. "No —le respondí con cierta firmeza—, en realidad quiero ir a verlas."

Al dirigirme a su casa, sentí los pies helados. ¿Qué pensarán de mí, por visitarlas después de todos estos años? ¿Por qué creo que les dará gusto verme? Estuve a punto de dar vuelta al auto y regresar.

En el momento en que entré a la pequeña sala, ambas se iluminaron. La visita duró casi tres horas. Me contaron detalles de cuando era niña, de cómo fueron a verme cuando nací. Incluso, historias de mi abuela y de mi bisabuelo, que nunca antes había escuchado. Pasé una tarde deliciosa. Lamento no haberlo hecho antes. Ese día no supe lo oportuna que había sido mi visita.

Tres meses después, tía Margaret murió. Cuando me enteré de la noticia, mi primer pensamiento fue: "Qué bueno que no fui a la tienda de antigüedades". En mi momento de elección, me apegué a mi plan. Había decidido construir mi relación con las personas que amaba justo como decía mi enunciado de misión. Esa tarde fue importante para mí. No creo que resultara si no hubiera tomado tiempo para planificar y pensar la urgencia de poner estas relaciones en primer lugar.

PLAN DE RECUPERACIÓN DE STEPHANIE

*Mire en esta instructiva y conmovedora historia la sinergia de un enfoque multidimensional de curación.*

Mi esposa, Stephanie, y yo fuimos a bucear un día cuando algo extraño sucedió. Cada vez que se sumergía, sentía como si sus pulmones se llenaran de agua, hasta sentía burbujas de aire. Dejamos de bucear porque pensamos que sería lo mejor y pasamos el resto de las vacaciones en la playa. No volví a pensar en el incidente.

Cuando volvimos a casa, Stephanie sufría una tos terrible. Fue a ver al médico. Él dijo: "probablemente no sea nada malo, pero si quieres te enviaré a que te saquen unas radiografías". Esperamos un par de semanas. Su tos nunca mejoró, así que fuimos al hospital por las radiografías. Luego le recomendaron una resonancia magnética. Después de esto encontraron un tumor en el pecho. Imagínense, un tumor en mi bella esposa de 28 años de edad.

Dos semanas más tarde le hicieron una biopsia. Los resultados mostraron un tumor sumamente maligno que crecía con rapidez. Stephanie necesitaba empezar a recibir quimioterapia enseguida, si queríamos tener alguna oportunidad de recuperación. Esa semana comenzó el tratamiento de quimioterapia junto con radiaciones. Al mes de nuestras vacaciones, estábamos enfrascados en una guerra contra el cáncer de Stephanie.

Este evento que nos cambió la vida, en realidad me forzó a verme a mí mismo y a mi manera de vivir. Cuando se descubrió el tumor de Stephanie, tenía 30 años y estaba en la cúspide tratando de establecerme. Trabajaba mucho y muy duro. Mi carrera era el centro de mi vida. El tumor llegó cuando mi familia ocupaba el segundo plano en mis planes. Mi paradigma cambió cuando supe que Stephanie tenía un tumor en el pecho que le oprimía el corazón y los pulmones. Sólo podía pensar en nosotros, en nuestra familia, en qué necesitábamos hacer para combatir este mal.

Esto es lo que hicimos.

Trazamos un plan de recuperación [hábito 2: Comenzar con el fin en la mente]. Investigamos qué necesitaba Stephanie para combatir físicamente el cáncer y sentirse cómoda mientras duraban el tratamiento y sus efectos. Sin embargo, después de hablar con un amigo muy cercano, le hicimos adiciones al plan de recuperación física. Esta persona nos recomendó: "No vean esto sólo desde el lado físico, enfoquen el desafío desde los aspectos físico, mental, espiritual y socioemocional". Pronto supimos que tenía razón. El cáncer afecta en cuerpo y alma. Por ello, era necesario cuidar a Stephanie en todos los aspectos y planificar la recuperación no sólo para su cuerpo.

Enfrentamos este cáncer como una familia y una comunidad. Fui educado para no molestar a los demás con mis problemas: el enfoque macho, pero esta vez pensé que mientras más gente supiera lo de Stephanie sería mejor. Mientras más estuviéramos en la mente y las oraciones de las personas, más éxito tendríamos. Nuestras familias, vecinos y compañeros rezaban por nosotros. Y si no lo hacían, tenían pensamientos positivos. Estoy convencido que todos ayudaron a que ella mejorara.

También nos dimos cuenta que el tiempo era crucial. Debíamos pasar cada momento con una mentalidad positiva y haciendo cosas que valieran la pena. Nuestra definición de "valer la pena" cambió. Cuestionamos actividades que habíamos realizado antes sin pensar. El tamaño de nuestra casa, el dinero y las relaciones sociales ya no eran importantes. Nuestras conversaciones se transformaron en discusión de ideas. Así empezamos a vivir de acuerdo con el plan de recuperación.

Stephanie era extraordinaria. No nos permitía discutir por más de un minuto, pues no valía la pena y se desperdiciaba tiempo. Tampoco dejaba que la quimioterapia alterara su buen humor. Aunque estos tratamientos intravenosos llenaban su organismo de químicos, siempre estaba contenta y haciendo reír a todos. Estaba determinada a que el cáncer no dictaría cómo viviría. Cada mañana caminaba con un grupo de señoras del vecindario. Creo que ése era su momento para sacar todo, aunque no estoy seguro. Nunca fui invitado. A pesar de las radiaciones y la quimioterapia, nunca dejó de caminar. En realidad, creo que estas caminatas matutinas motivaban sus necesidades emocionales, físicas y sociales de una sola vez y que, literalmente, la forzaban a levantarse de la cama porque necesitaba mucho la compañía.

Nos volvimos muy selectivos para decidir cómo pasábamos el tiempo. Elegimos estar alrededor de personas y rentábamos películas que nos hacían reír. Cambié la forma de enfocar mi trabajo. Para mí, mi tiempo familiar se convirtió en algo precioso. Recuerdo haber tomado días libres después que le dieron el diagnóstico. Estuve una tarde con ella, justo en medio de mi día de trabajo, para ver *Les Misérables*. Eso nunca antes había sucedido.

No todo era risas y diversión. El cáncer golpea hasta el alma. Un momento muy difícil fue cuando Stephanie empezó a perder cabello. Ella trataba de tenerlo corto para que se cubrieran los puntos calvos, pero perdía tales cantidades que en realidad el estilo no funcionaba. Una mañana, cuando ambos estábamos casi en lágrimas, tomé un rastrillo y afeité su cabeza. Me deshice de su hermosa cabellera. El recuerdo de sus ojos mirándome a través del espejo todavía me duele.

Stephanie se recuperó. Ha estado sin cáncer por cinco años ya. Creo que se recuperó demasiado rápido, porque tomamos un enfoque holístico. Nos concentramos en su persona de manera integral y planificamos a largo plazo. Nuestra vida ha cambiado por completo. Irónicamente, hace casi dos años, nos encontramos viviendo justo igual que antes del cáncer. Tuvimos que sacudirnos y decir: "Espera, ¿acaso la lección fue en vano? ¿Qué aprendimos? ¿Por qué se nos está olvidando?" El ritmo cotidiano, sin presiones, de la vida nos envuelve en ocasiones y nos invita a pensar de nuevo en nuestra relación. Entonces tenemos que volver a comprometernos con cada uno y con ese estilo de vida.

Para hacer real dicho compromiso de poner primero lo primero, voy a tomar dos meses de descanso en abril y mayo, sin paga, aunque podrían pensar que es algo casi suicida. Compramos una casa rodante, sacaremos a los niños de la escuela y vamos a ir a Baja California a recorrer las playas. Hemos fijado algunas metas familiares para ese viaje [hábito 2: Comenzar con el fin en la mente]:

Uno, queremos acercarnos más como familia. Dos, queremos aumentar nuestra fe religiosa. Tres, queremos celebrar a Stephanie, pues ha estado libre de cáncer por cinco años. Cuatro, queremos tener la aventura de la vida. Cinco, queremos conocer una cultura diferente.

Francamente, tengo temor. Es un riesgo enorme en mi carrera. Me llevó casi tres meses convencer a mi supervisor de que esto sería bueno tanto para mí como para la compañía. No creo que nadie haya hecho algo similar. Pero pienso con toda el alma que nuestra familia es lo más importante.

---

 *Alguien que tenga una enfermedad seria puede alimentarse de seis fuentes de curación: médica, física, mental, social, emocional y espiritual.*

*La tecnología médica ha avanzado de manera sorprendente, pero también reconocemos que su papel esencial es optimizar las condiciones que permitan a las fuerzas naturales del cuerpo realizar la curación. Físicamente, nuestro cuerpo posee gran elasticidad y capacidad, pero tenemos que usar la sabiduría para hacerlo fuerte, saludable y vital lo más posible mediante la nutrición adecuada, el ejercicio y el descanso. En cuanto a lo mental, necesitamos visualizar las fuerzas corporales internas para superar una enfermedad; por ejemplo, ver el sistema inmune dando de golpes y los glóbulos destruyendo con éxito las células enfermas. También hay que asumir responsabilidad por nuestra recuperación*

*y aprender lo más posible sobre lo que está sucediendo: sobre el diagnóstico y sobre las alternativas de tratamiento. En lo* social, *requerimos rodearnos de personas cariñosas, en forma particular de seres queridos, que aporten esperanza y apoyo a nuestro corazón y mente, y con quienes podamos comunicarnos íntimamente. Por el lado* emocional, *necesitamos revisar de manera constante nuestra esperanza, porque impacta con poder a la biología, confianza en el proceso de recuperación, así como dar amor y servicio, tener una actitud extraordinaria en la cara de circunstancias muy difíciles, lo mismo que recibir amor y afirmación de otras personas. En lo* espiritual, *necesitamos construir sobre nuestra fe, sobre nuestro sistema interno de creencias y sobre aquellos aspectos de nuestra fe que pueden alimentar nuestra sed y requerimientos espirituales. También, ayudar a otros, tan sólo con mantener una actitud bella ante una enfermedad terminal. Como lo dijo Teilhard de Chardin : "No somos seres humanos que tienen experiencias espirituales; somos seres espirituales con experiencias humanas".*

# Segunda parte
## Familia

*"Yo te levanto y tú me levantas, así ambos ascendemos juntos."*

John Greenleaf Whittier

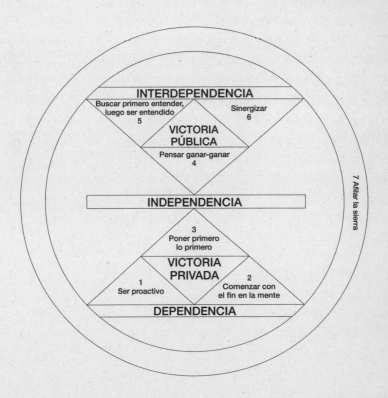

# EDUCANDO HIJOS PEQUEÑOS

- PORQUE…
- LA PELEA
- YO ELIJO MI VIDA
- EL CARTEL DE NUESTRA FAMILIA
- PAPI, TENGO QUE IR AL BAÑO
- ¡A LA CAMA!
- EL REGAZO DEL ABUELO
- EL DIARIO

*En la siguiente historia, note cómo la conciencia de uno se expande y se profundiza mediante la iniciativa proactiva y la interacción humana. Observe también la impresionante riqueza que se produjo.*

Mi hija mayor, Tina, que tenía nueve años en ese tiempo, y yo íbamos a ver a su abuela. Recuerdo haber pensado, que construir una cuenta de banco emocional era la clave en mi relación con Tina. Así que cavilé: "¿Qué puedo hacer en los 30 minutos que tenemos juntos para hacer depósitos en su cuenta de banco?" Es decir, se requiere de cierto valor. A los nueve años, un niño posee una idea bien formada de qué clase de conducta esperar de cada uno de sus padres. No suelo platicar mucho cuando estoy viajando. Podría comentar sobre el paisaje algunas veces, pero en general conduzco en silencio. Así que me puso un poco nervioso sugerir un juego que había inventado.

Al llegar a la carretera, comenté: "Cariño, por qué no jugamos algo. Se trata de decir 'me siento bien contigo porque…' o 'me gustaría que hicieras esto porque…' El 'porqué' es lo importante ya que entonces sabremos por qué le gustamos a la otra persona. ¿De acuerdo? Empezamos".

Yo empecé. Expresé algo sobre ella. Luego ella hizo una pausa y dijo algo sobre mí. Después de tres o cuatro cosas, yo debía pensar mucho. Me impresionó mucho. Adoro a mi hija, pero tenía dificultad para pensar en acciones específicas que me gustaban de ella. Realmente estaba buscando cosas que decir. Para Tina resultó más fácil. Después de cinco o seis cosas, empezó a dividir las respuestas normales. Sabía que estaba observando mi vida, viéndome y vigilando lo que hacía. Estaba agradecido por lo que hacía por ella, las caminatas por el parque, el juego de baloncesto en la calle, la manera en que la levantaba por las mañanas. Ella podía verme completo.

Yo seguía luchando todavía. Entonces, al pensar en la vida de esta pequeña, realmente la observé y pensé en lo que ella hacía cada día en nuestra familia, así comencé a ver. Vi sus abrazos, sus pequeñas palabras, sus agradecimientos. Vi lo bien que iba en la escuela y lo amable que era. Le dije que me encantaba cuando llegaba a casa de la escuela y me daba un gran abrazo. Cuando empezamos a buscar más y más, no podíamos detenernos. Era un viaje de sólo 30 minutos. Encontramos 22, 23 puntos y luego señalé que el juego había terminado. No podía pensar en nada más.

Francamente, el juego me dejó impresionado. Me sentía bien por un lado, pero desalentado por el otro. Bien de que Tina viera tantas cosas, y desalentado de que yo no podía encontrar otras. Lo que es más, el resto del viaje lo pasamos platicando muy a gusto. Creo que el juego inició un diálogo que nunca había tenido con ella.

Cuando llegamos, Tina salió del auto y corrió a la casa, ahí fue que se me rompió el corazón. "Abuela, abuela —gritaba—. Mi papi sabe muchas cosas buenas de mí. No pensé que supiera tantas cosas buenas de mí".

---

 *La palabra "respeto" viene de la raíz latina* specto, *que significa ver, ver a otro (hábito 5: Buscar primero entender, luego ser entendido). Mientras más absortos estamos, menos vemos a los demás como preciosos individuos con muchas capas de individualidad, y con muchas facetas en cada capa. Cuando salimos y verdaderamente escuchamos a otra persona, se inicia una jornada maravillosa de descubrimiento.*

LA PELEA

*Mire cómo esta madre se detuvo, se controló y esperó a que las cosas se enfriaran antes de hacer que sus dos hijos, que peleaban, intentaran practicar el hábito 5: Buscar primero entender, luego ser entendido. Asimismo, observe la rapidez con que llegaron los resultados.*

"¡Me está sangrando la nariz! ¡Él me golpeó!"

Mi hijo de nueve años, Jet, gritaba y se tapaba la nariz sangrante, por lo que dejó una mancha de sangre hasta el baño. Mi hijo de siete años, Michael, era el responsable, al hacer surgir un altercado por el control remoto del televisor.

Mi primer pensamiento, en este día de vacaciones de invierno, fue: "Son las ocho y media de la mañana y estos dos ya están peleando. No puedo soportar otro día igual".

Envié a Michael a su cuarto y limpié la herida de Jet. Luego llamé a ambos a mi recámara. No me sentía enojada con ellos, sólo decepcionada de mi liderazgo en nuestro hogar; por no poder crear las condiciones donde ellos pudieran vivir en armonía y hacer funcionar las diferencias.

Me senté entre ellos con un brazo alrededor de cada uno. "Vamos a entender esto. Ustedes se pelean y se golpean mucho y eso nos molesta a todos. Jet, ¿podrías decirle a Michael lo que sientes en este momento?"

Jet miró a su hermano y gritó: "¡Me duele la nariz! ¡Me golpeaste sin razón! ¡Me estabas pellizcando y te pedí que pararas! La única forma de distraer tu atención era tomando el control remoto y entonces me pegaste en la cara".

Michael también estaba enojado y empezó a refunfuñar: "Tú siempre me pegas".

Interrumpí a Michael y le pedí que nos comentara qué había escuchado de Jet.

Michael respondió: "Yo siempre tengo el control y nadie me quiere".

Motivé a Michael: "¿Qué más escuchaste de Jet?"

"Que le duele la nariz, que lo estaba pellizcando y que le pegué en la cara", asintió Michael.

"Jet, ¿eso fue lo que dijiste?"

Agregué: "¿Cómo ves lo que sucedió, Michael?"

"Jet siempre hace lo que quiere. Cuando estoy viendo la tele le cambia el canal. Cuando estoy jugando con algo, me lo quita y afirma que es de él".

Añadí: "Jet, ¿qué escuchaste de Michael?"

"Michael cree que yo siempre gano en todo y que siempre hago lo que quiero."

"¿Así es, Michael?"

"Sí."

Pasamos por algunas rondas más de: "¿Qué escuchaste que dijera el otro con razón?"

El ambiente en nuestro hogar cambió literalmente y se tornó positivo en cuestión de minutos. Los niños empezaron a mirarse, sonreírse y hacer bromas. La tensión se había ido y habían entendido los sentimientos del otro. Estaba bien involucrarme para resolver problemas con mis niños.

Luego pregunté: "La siguiente vez que tengan un desacuerdo por el canal de la televisión o cualquier otra cosa, ¿qué van a hacer además de golpearse?"

Jet respondió con tranquilidad: "Hacer otra cosa o hablar contigo o con papá".

Michael agregó: "Ir afuera o jugar PlayStation".

"¿Qué les parecería revisar la programación de la televisión, escoger uno o dos programas diarios y hablar con el otro con anticipación sobre lo que quieren ver?"

"¡Es una buena idea!" Ya habían terminado de hablar, sus patines los esperaban.

Me sorprendió cómo entendiendo los sentimientos y puntos de vista del otro surge su autoestima. Estaban complacidos con ellos mismos por resolver un problema de una manera nueva. Creo que se vieron de forma diferente, como más capaces y en control por las ideas a las que llegaron. Me recordó el poder de tratar a las personas como si fueran responsables y luego ver qué sucede.

 *Ésta es una buena historia de cómo las relaciones en una familia o en cualquier otro grupo suelen desarrollar un sistema inmune. Sólo use el problema, cualquiera que sea, para practicar los hábitos 4, 5 y 6 (Pensar ganar-ganar; Buscar primero entender luego ser entendido; Sinergizar). Si puede llegar a soluciones ganar-ganar, con base en respeto mutuo y entendimiento, gradualmente cultivará una elasticidad emocional dentro de la relación, de manera que el siguiente problema que se presente lo manejará en forma similar. Incluso si no se resuelve de la misma manera, las personas saben que tienen la habilidad para controlarlo. La simple conciencia de esa habilidad es vital para este sistema inmune. Es cuando los individuos se sienten sin poder, sin esperanza o sin ayuda que terminan haciendo montañas de problemas y ahogándose en un vaso de agua. Cuando no existe un sistema inmune, las pequeñas diferencias se magnifican por la falta de comunicación hasta que surgen problemas de comunicación y rompimiento de relaciones.*

YO ELIJO MI VIDA

*La siguiente historia es sobre el poder de reconocer profundamente el valor y el potencial de otra persona. Como siempre hubo guiones positivos en la vida de este niño, y como eran constantes y sinceros, se integraron a su alma y se convirtieron en agua fresca en su vida. Las circunstancias en la superficie, que de otra forma hubieran contaminado, no tuvieron impacto duradero.*

Fui criado en una familia maravillosa: nunca se insultaba, se golpeaba o se gritaba. Me enseñaron que era capaz, especial, y que estaba destinado para grandes cosas. Creo que esas afirmaciones diarias realmente me ayudaron mucho. Porque, dado lo que sucedió cuando tenía nueve años, pude haberme ido por un camino muy equivocado.

Era el más pequeño de cinco hijos cuando supe que mi madre sufría una úlcera abdominal sangrante. De repente, una mañana, tuvo un ataque cardíaco. Recuerdo que tenía seis años cuando ella murió esa mañana. Fue algo completamente inesperado. Pronto nuestra casa se llenó de gritos y mal humor. Mi familia, en especial mi padre, estaba impresionada. Pero de algún modo fui a la escuela ese día. Mi madre acababa de morir, mi padre y mi hermana estaban devastados, y a mí me enviaron a la escuela. Recuerdo que un compañero me gritó desde el otro lado del patio en el recreo: "Oye, Holbrooke, supe que murió tu mamá". Nunca olvidaré ese grito. Cientos de niños lo escucharon. Le contesté: "Sí, se murió".

Tampoco olvidaré esa respuesta. Porque me enseñó a reconocer lo que había sucedido, aceptarlo y seguir adelante. Ese enfoque probablemente no funcione para todo el mundo. Pero funcionó para mí. Aprendí, y pude aceptar y salir de una situación muy difícil.

Las cosas en realidad se pusieron peor. Mi padre era médico: curaba huesos, traía bebés al mundo y lo llamaban muchas veces por las noches, todas las noches. Tenía cinco hijos pequeños y nadie que los cuidara. Se volvió a casar muy pronto. Ella trajo a sus tres hijos, dos de ellos casi de mi misma edad. Así que de repente esa mujer extraña, a quien realmente no le importábamos ni mis hermanos ni yo, me estaba educando. Se divorciaron de forma violenta después de seis años de matrimonio. Digamos que de los 10 a los 17 años fui educado con dinámicas familiares en realidad interesantes.

Pero esos primeros años de seguridad y de reforzamiento positivo habían tenido un impacto tremendo en mí. Me negué a permitir que las experiencias negativas me destrozaran.

A pesar de ese segundo matrimonio tan terrible, cuando no tenía el amor de mamá ni su educación, todavía creía que era especial y estaba destinado para grandes cosas. Después de todo, cada noche mi papá, hasta el día que dejé mi hogar, venía a mi habitación (cuando fui pequeño él me metía en la cama, y ya más grande sólo venía a mi cuarto a despedirse). Todas las noches, me decía: "Hijo, recuerda, entre tú y yo nada más, eres un jovencito muy talentoso y especial. Hay grandes cosas esperándote". En ese momento yo respondía: "Sí, claro, ya lo había oído antes". Pero esas palabras se me grabaron con tanta intensidad en los huesos y en el alma, que se convirtieron en parte de mí.

Realmente no soy tan talentoso. Hay algunas cosas que hago bien, pero no soy un genio ni nada similar. Sin embargo, nunca dudé de mí mismo. Nunca he cuestionado si puedo lograr algo, o si soy capaz de hacer algo. Ése es quizás el regalo más grande que papá me dio: la creencia en mí mismo, que es inamovible [cuenta de banco emocional]. Me dio una sensación de valía y potencial independiente de mis circunstancias, de que no importa qué sucediera conmigo, siempre podía elegir mi vida [hábito 1: Ser proactivo].

 *De igual manera fui bendecido con unos padres que constantemente afirmaban su creencia en mí. Sabía que ellos confiaban en que haría las cosas correctas y que seguro haría algo con mi vida. Dos breves experiencias para ilustrar: una es el recuerdo de despertar de vez en cuando a la mitad de la noche y encontrar a mi madre murmurando en mi oído mientras yo dormía. Era como si estuviera tratando de meter cosas en mi subconsciente como: "Mañana vas a presentar tu examen de la mejor manera. Tú puedes hacer cualquier cosa con tu mente". Un anoche recuerdo despertarme al oír esa conversación y un poco asombrado le pregunté:*

*"Mamá, ¿qué estás haciendo?" Ella tiernamente contestó: "Sólo estaba diciéndote cuánto te quiero y que creo en ti", y salió de mi cuarto. Otra experiencia involucró algunos hermanos de la fraternidad en la universidad que bebían por las noches, pero que les avergonzaba aceptarlo ante sus familias. Una vez, después de un viaje, tenían una botella con un poco de whisky que les había sobrado y me la dieron. Yo la puse arriba en mi vestidor, donde se quedó durante meses. Mis padres nunca me lo mencionaron ni me preguntaron nada. Sólo sabían que yo no bebía. Honestamente creo que la forma más poderosa, penetrante y trascendente de amar que un padre puede transmitir es con la afirmación constante y repetitiva del valor y el potencial esenciales del hijo, incluso cuando la conducta actual de éste indique lo opuesto. Nunca se dé por vencido.*

## EL CARTEL DE NUESTRA FAMILIA

*Muchas veces cuando se discute el hábito 2: Comenzar con el fin en la mente, en la forma de desarrollar un enunciado de misión personal, familiar u organizacional, se ven muchas miradas perdidas. Muchas personas han estado involucradas en talleres de visión que en realidad nunca aportaron nada porque se hacían con prisa, enunciaban frases muy elegantes y luego se olvidaban. Hecho eso, crean mucho cinismo. Aquí está la historia de un padre creativo que trabajó dentro del marco de referencia de su hijo para desarrollar un enunciado de misión familiar.*

Durante años he tratado de saber cómo desarrollar un enunciado de misión con mi familia. Mis cuatro hijos tienen diez, siete, cuatro y un años, así que no es exactamente fácil sentarlos a discutir con seriedad usando toda la terminología. Incluso mi esposa es un poco ajena a las discusiones teóricas. Le encantan las ideas, pero en ocasiones no quiere que sea el entrenador de la familia. Leímos los *7 hábitos* de las familias juntos, disfrutamos las ideas y luego, cuando nos sentamos a crear en realidad un enunciado de misión, nuestro hijo de cuatro años, Jordán, terminó brincando encima de la cabeza de su hermano.

En ocasiones he intentado enfoques diferentes, haciendo preguntas como: "¿Qué tiene de especial nuestra familia?" o "¿Qué clase de familia creen que deberíamos ser?" Mis hijos mayores giran los ojos y Jordán grita: "Deberíamos comer *pizza* todas las noches". Me siento atorado.

Entonces decidí intentar algo que estuviera más a nivel de los niños. Conseguí una plataforma para carteles, muchas revistas y catálogos, tijeras y pegamento, y a todos los niños. Les dije que íbamos a crear una ilustración de la familia y que teníamos que encontrar fotografías que se parecieran a lo que es nuestra familia. Les encantó.

En minutos mi hija encontró una familia caminando por el bosque con tres niños. "Oye, papi, ¿recuerdas cuando fuimos a Silver Lake antes de que naciera Trevor? Sería divertido hacerlo de nuevo." Luego Tanner, de siete años, encontró una fotografía de una canasta llena de comida. "Papá, papá, mira. Es igual a la que usas cuando vamos a esquiar." El sábado es nuestro día familiar para esquiar y yo llevo una canasta llena con fruta y barras de chocolate. Cuando tenemos hambre, dejamos los esquís, hacemos sillas con la nieve y comemos algo. Sé que Tanner estaba relacionando esta fotografía tan tangible con el sentimiento de cercanía y amistad que sentimos cuando esquiamos juntos. Así que esa fotografía fue otro cartel.

Los otros dos niños fácilmente encontraron sus fotografías. Jordán luchó un poco. No encontraba lo que quería. Entonces vio una fotografía de un oso polar, un lobo y un venado. No vivimos para nada cerca del polo norte. Pero la vida salvaje le recordó cuando salimos a caminar juntos por las tardes. Vivimos en un área boscosa y en ocasiones nos encontramos con un venado hambriento. Entonces me preguntó: "Papá, papá, papá, ¿recuerdas esa vez que se nos acercó un venado y se puso frente a ti, y tenía cuernos y no se quitaba del camino?" Había encontrado su fotografía. Puedo decir que mientras mis hijos buscaban, decidían, cortaban y pegaban, estaban empezando a sentir que nuestra familia era especial, que pertenecían a algo importante. Ni siquiera hemos terminado la ilustración, pero el marco ya está ahí. De hecho, Tanner está tan emocionado que desea hacer su fotografía personal de lo que quiere poner. ¿Se imagina? Un niño de siete años con su enunciado de misión. Por supuesto, él no sabe que eso es lo que está haciendo. Y no voy a decírselo hasta que haya terminado. No quiero que vuelva a girar los ojos.

---

 *Todos tenemos enunciados de misión, pero pocos los han escrito. Todavía menos los han desarrollado conscientemente. Pero todos tienen enunciados de misión en forma de valores arraigados que guían sus decisiones. Sin duda, la decisión más importante que tomamos es la que gobierna todas las demás. Algunos le llaman enunciado de misión, otros una filosofía, un credo, una serie de valores, o simplemente metas. Pero cualquiera que sea su nombre, representa los criterios que de manera consciente o inconsciente guían todas las decisiones que tomamos.*

*Dicho enunciado puede ponerse en forma de cartel, canción, icono, fotografía, pocas palabras o muchas palabras. La clave es el involucramiento profundo y sincero durante un periodo suficiente para que haya armonía entre las emociones, los valores, las motivaciones, los deseos, las esperanzas, los temores y las dudas. Los astro-*

*nautas tienen una expresión para ello: todos los sistemas van. Cuando un enunciado de misión ha sido desarrollado y se usa constantemente como el criterio central para todas las decisiones, se vuelve una fuente poderosa de valor para decir no a las cosas que no encajan dentro de él, y sí a aquellas que sí lo hacen.*

## No quiero volver a la escuela nunca

*Escuchar profundamente es en realidad como pelar una cebolla, una capa tras otra, hasta que de manera eventual se llega al corazón. La siguiente historia ilustra primero un intento vano de escuchar y luego uno sincero. Escuchar empático, que es escuchar dentro del marco de referencia de la otra persona hasta que se libera el poder de sentirse entendido, renovó el espíritu y la confianza de este chico.*

Danny tiene ocho años. De mis hijos, es el que más energía tiene, y todos quieren ser sus amigos. Le encanta la escuela, adora a sus maestros, le gustan sus tareas; tiene que ser el mejor, hacer lo mejor. La mayoría del tiempo lo logra. El trabajo de escuela lo realiza muy fácilmente.

Una tarde, llegué a casa del trabajo, como a las seis treinta. Él me estaba esperando en la entrada. Antes de siquiera apagar el auto, me abrió la puerta.

"Papá, odio la escuela. No voy a regresar, nunca, nunca jamás. No voy a volver a la escuela. Odio mis clases. Mis maestros son tontos. Nunca volveré a la escuela."

"Hola Danny, debes haber tenido un día difícil, ¿eh?"

"Sí, y no voy a volver a la escuela. Es una estupidez."

"Pero mañana tendrás un buen día, hijo", le dije mientras tomaba mi portafolios y mi saco. Ni siquiera lo había visto. Estaba dando mis respuestas preestablecidas para un niño de ocho años. Cuando volteé para salir del auto, vi su cara. Estaba muy roja. Entonces le indiqué: "Vamos, ya sabes, cálmate, mañana será otro día, déjalo ir, bla, bla, bla". Esa clase de palabras que pensé que podrían calmarlo.

Llegó la hora de ir a la cama y empezó de nuevo: "No voy a ir a la escuela mañana. En serio no voy a ir". No tenía la menor intención. Así que le pregunté por qué estaba tan enojado. Diez o quince minutos después resultó que odia al señor Bisset, su maestro de arte: "No me gusta el señor Bisset. Es muy tonto. Es demasiado tonto".

Muy bien, así que no le gusta su maestro. Pero eso no significa que no deba ir a la escuela mañana. Así que le dije: "Sobrevivirás. Mañana te irá mucho mejor".

"No voy a ir a la escuela mañana. Nunca voy a volver a ese estúpido lugar mientras viva." Obviamente, no lograba llegar al meollo de lo que él trataba de expresarme con sus lágrimas y sus gritos.

Pensé practicar escuchar con empatía. No escuchar las palabras; enfocarme en sus sentimientos. Escuchar con los ojos y con el corazón.

Y eso hice:

"Debes estar realmente muy enojado, Dan."

"Estoy muy enojado. Y el señor Bisset es muy malo conmigo."

"En serio. Debes sentirte horrible porque es malo contigo. ¿Qué hace para que digas que es tan malo contigo?"

"Pues, hace llorar a los niños. Y nos da a todos esas estúpidas tareas. Y no nos enseña nada. Y ayer hizo llorar a Jessica. Debes hablar con él, papá, y decirle que no lo vuelva a hacer. Tienes que hacerlo, papi, de otro modo no puedo volver a la escuela."

Siguió y siguió. La mayoría de lo que expresaba ni siquiera tenía sentido. Pero sólo escuché y reflexioné sus sentimientos, hasta que llegamos al verdadero meollo del asunto unos

15 minutos después: el señor Bisset había dado a Danny una tarea para terminar en dos días. Danny no sabía cómo hacerla.

Se había envuelto tanto en su temor de no poder hacer la tarea que casi explotó. Después de probablemente 20 minutos de estar escuchándolo, ya era un niño diferente: "Papi, tal vez no necesites ir a ver al señor Bisset. Voy a estar bien. Él es bueno, en serio. Es un maestro divertido, no importa".

Bueno, sí fui a ver al señor Bisset porque prometí a Danny que lo haría, pero lo importante es que cuando mis hijos están molestos, tengo la tendencia de darles un discurso para animarlos y hacerlos reír. Por lo general, ésta es mi primera reacción. Probablemente nunca identifico la mayoría de las razones fundamentales de sus emociones cuando hago eso. Sólo escuchar a Danny me ayudó a entender su pequeño corazón mucho más que antes. Pude ayudarle porque dediqué tiempo a escucharlo.

 *Aprendí de mis hijos que si están expresando una preocupación, haciendo algunas preguntas o sintiéndose mal, por lo general hay una razón fundamental para ello. Encuentro que la manera más rápida de ayudar, aunque en el momento parezca lenta, es en forma literal detenerse y escuchar (hábito 5: Buscar primero entender, luego ser entendido). Es mirarlos a los ojos, meterse en su mente y en su corazón, y escuchar. En ocasiones no se dicen palabras, pero se establece una relación. Sencillamente está presente. Sólo está ahí. Tal vez el niño en lo interno está diciendo: "¿Se quedará aquí conmigo aunque no le diga nada? ¿Le importa en realidad? ¿Puedo arriesgarme a ser abierto y ponerme tan vulnerable? Haré la prueba por un minuto". Y cuando uno se queda ahí, incluso cuando lo ponen a prueba, se lleva a cabo el pelar la cebolla, y casi de manera inevitable se llega al meollo. Escuchar da oxígeno emocional a todos los invo-*

*lucrados. Cuando no escuchamos, no damos las respuestas y soluciones específicas para problemas específicos que quizá sólo sean la necesidad de ser escuchados.*

## PAPI, TENGO QUE IR AL BAÑO

*Observe tres cosas en esta maravillosa historia: primero, el poder de cambiar la manera en que se define el fin en la mente; segundo, el efecto instantáneo de autoconciencia sobre el padre; tercero, el efecto inmediato que el cambio en la actitud del padre tuvo sobre una niña de cuatro años.*

Un sábado por la tarde, decidí llevar a mi hija de cuatro años, Lauren, a esquiar. Pensé que teníamos que darle confianza en su manera de esquiar. Una tarde con papá era lo necesario. Mi idea era pasar una tarde divertida y productiva esquiando todo el tiempo posible. Mientras estábamos en la fila para subir a la montaña, ella murmuró: "Papi, tengo que ir al baño".

"Ay, cariño, ¿puedes esperar un minuto? Hemos estado en la fila mucho tiempo."

"Sí, me puedo esperar un minuto."

Después de un minuto me insistió: "Papi, todavía tengo que ir al baño".

Apretando los dientes de frustración, le quité los esquís (ustedes saben cuánto tiempo lleva eso), luego nos dirigimos hacia la cabaña. Las filas para los sanitarios llegaban hasta la puerta. "Vaya" pensé. "No quiero esperar tanto tiempo en la fila. Eso me llevará cuando menos 15 minutos. Tenemos boleto sólo para mediodía". Así que caminamos por toda el área de la montaña hasta el otro lado del área de esquí y encontramos otro baño.

Cuando ella se dio cuenta de que intentaba meterla al baño de hombres conmigo, casi se desmaya. Me tomó cinco minutos rogarle para que finalmente entrara conmigo. Luego, otros cinco minutos para quitarle todas las capas de ropa: una chamarra, una bufanda, dos sudaderas y un par de pantalones térmicos. Otros cinco minutos para ponerle de nuevo todo una vez que estuvo lista. Luego el camino de regreso hasta el final de la fila, por supuesto.

En este momento, mi idea original estaba completamente arruinada. Habíamos estado ahí más de una hora y todavía nos faltaba más de media hora para llegar a la cima de la montaña. Así que aquí estoy: "Vamos, cariño. Tenemos que seguir adelante. No te detengas. Anda, Lauren, vamos". Y Lauren decía: "Papi, no tan rápido. Papi, no puedo caminar igual que tú. Los pies me duelen mucho. Papi, no quiero esquiar. Estoy cansada. ¿Podemos ir a casa?" Me puse serio con ella. "Vamos Lauren, nos vamos a divertir mucho. Vamos a esquiar. Así que deja de quejarte y sigue moviéndote."

De repente me detuve y pensé: "Espera un minuto. Tengo una tarde para pasarla con mi pequeña y ella se siente miserable, yo me siento miserable. No me estoy divirtiendo porque estoy muy preocupado de pasar una tarde muy productiva. ¿Cuál es el propósito de esto? Se supone que Lauren y yo debemos divertirnos juntos. A quién le importa si no esquiamos". Cambié por completo mi modo de pensar en cuestión de segundos. Decidí que no importaba cuántas veces esquiábamos, teníamos que divertirnos. De inmediato empecé a comunicar eso. Instantáneamente se podía ver el cambio en Lauren. En cuanto sintió ese cambio en mí, se relajó. No subimos a la montaña, esquiamos muy duro y nos divertimos muchísimo juntos. Al final del día ella estaba esquiando sola. Además, subimos y bajamos muchas veces.

Esa tarde viví una experiencia profunda. Con mucha frecuencia nos envolvemos en el suceso o en la meta; perdemos de vista la relación. Si lo piensa, las salidas y las vacaciones con frecuencia son desastres en términos de lograr lo que se quiere hacer. Los padres tienen todas estas expectativas ya formadas: qué van a hacer, todos los sitios que quieren ver y tomar fotografías. Es mejor que digamos: "Voy por la relación, y si se puede hacer esto, perfecto; si no, perfecto también". Una vez que decidimos esto, todos se relajan. La otra cosa fascinante fue que Lauren sintió un cambio en mí. Cuando cambié mi modo de pensar, cuando dejé de angustiarme, ella respondió también. Su nueva conducta fue un derivado de mi cambio de actitud. En ocasiones, es en realidad así de sencillo.

 *Hasta la edad de siete u ocho años, cuando la autoconciencia empieza a desarrollarse, la mentalidad de un niño es en gran medida producto de su ambiente. La actitud y las acciones de sus padres ejercen una influencia particularmente fuerte en ellos. Son como el $H_2O$, la cual se manifiesta a sí misma como vapor, agua o hielo, dependiendo de la temperatura y la presión que la rodea. La experiencia de este joven papá ilustra cómo nuestras expectativas mentales no sólo gobiernan nuestra conducta, sino también nuestra satisfacción. En forma constante comparamos lo que en realidad sucede con lo que esperamos que suceda, y eso es lo que nos satisface o no. Tenemos control sobre nuestras expectativas, pero no sobre nuestras satisfacciones.*

¡A LA CAMA!

> *Este hombre oprimió el botón de pausa, se arrodilló para estar al nivel de su hijo, reprimió el impulso físico y cultural de reaccionar, y empáticamente escuchó (hábito 5: Buscar primero entender, luego ser entendido). Y se hizo magia.*

Impartía un seminario en Hong Kong para una corporación multinacional, que incluía un módulo breve sobre habilidades para escuchar. Terminamos el día con un desafío para los participantes, ir a casa y tratar de poner en marcha la manera de escuchar. El día siguiente, un caballero chino, probablemente de entre 45 y 50 años, alto ejecutivo de la compañía, compartió su experiencia:

Eran cerca de las ocho de la noche. Le dije a mi hijo que fuera a la a la cama. Él contestó: "No quiero ir a la cama". Agregué: "Es hora de que te vayas a la cama. Mañana tienes que ir a la escuela temprano. Así que ve a la cama". No lo convencí. Intenté usar la lógica con él. No me escuchaba. Luego me encontré moviéndome hacia él para cargarlo y llevarlo a su cuarto. Iba a forzarlo físicamente a ir a la cama.

Mientras caminaba hacia él para tomarlo de los brazos, recordé: "Ésta es una experiencia emocional. Debo escuchar empáticamente". Así que me detuve, me arrodillé y le dije a mi hijo. "Pareces frustrado por tener que ir a la cama". Mi hijo me miró durante un rato. Me miraba como si pensara: "¿Qué estás haciendo? ¿Por qué me hablas? ¿Qué te pasa?" Me di cuenta de que mi hijo no esperaba que yo hablara con él. Esperaba que usara mi fuerza física para obligarlo a obedecerme.

Seguí hablando con él y él continuó sólo mirándome, casi sospechosamente, como si no fuera el papá que conoce. "Vamos a tu cuarto. Hablaré contigo mientras te preparas para ir a la cama. Podemos hablar sobre esto", le dije. Se preparó para la cama mientras hablamos. Es probable que ya era casi media noche cuando salí de su cuarto. Habíamos hablado todo el tiempo: sobre la escuela, sobre sentimientos, sobre experiencias.

Dejé su cuarto con la sensación de que por primera vez realmente conocía a mi hijo. Tiene 11 años y sólo ahora siento que conozco a mi hijo. Nunca antes lo había escuchado.

---

 *La sed más grande del cuerpo humano es el aire. La sed más grande del corazón humano es sentirse entendido, valorado y respetado. Escuchar con empatía sincera ali-*

*menta y satisface esa sed. Recuerde que con las personas, en asuntos difíciles, rápido es lento y lento es rápido.*

## EL REGAZO DEL ABUELO

> *Es impresionante lo que sucede en lo cotidiano de la vida cuando un valor recién y profundamente arraigado empieza a hacer conflicto con un antiguo hábito.*

Mi enunciado de misión consiste en construir mejores relaciones con mi familia a través de pasar tiempo con ellos, escucharlos e involucrarme en actividades que valgan la pena. Cada tarde, llego a casa, leo el periódico y escucho las noticias. Hace cerca de tres meses, mi hija y su hijo vinieron a vivir con nosotros mientras ella empezaba a estudiar en la universidad. Invariablemente, cada vez que llegaba a casa, Conor, mi pequeño nieto, trataba de treparse en mi regazo. De la misma forma respondía: "Espera, primero déjame leer mi periódico".

Cuando había terminado de leer el periódico él ya estaba en la cama. Nunca podía subirse al regazo del abuelo a jugar. Con mi enunciado de misión en la mente decidí una cosa pequeña. No importa en qué estoy involucrado, ya sean las noticias en la televisión o cualquier otro programa, si Conor quiere subirse en mi regazo, en ese momento, claro que puede subirse [hábito 3: Poner primero lo primero].

---

 *Una de las formas más poderosas de crear un puente entre la mente consciente y la subconsciente es visualizar. Es como poner cosas en los ojos de la mente usando todos los sentidos posibles: tocar, escuchar, oler, saborear, así como ver. Verse uno mismo viviendo fiel a un enunciado de misión que fue el producto de pensamiento profundo y se desarrolló de una manera muy equilibrada que envuelve todos los roles importantes de tu vida. Esta*

*historia del regazo del abuelo puede duplicarse en más de mil maneras.*

El diario

> *Mientras lee la siguiente historia, trate de poner énfasis en la manera en que este padre describe su mundo de dolor. Intente ponerse en ese mundo y sentir su desesperación, confusión y miedo. Luego note qué sucede cuando este hombre empieza a hacer la única cosa sobre la cual tiene control. Vea si no empieza a afectarle en la misma manera; le dará sensación de poder, libertad y esperanza.*

Durante el receso para comer, el último día de un programa de capacitación que dirigía y que duraba una semana, se me acercó este apuesto joven de alrededor de 27 años de edad. Había escuchado toda la sesión. Empezó a compartir sus luchas conmigo: "Mire, en los dos últimos días, hemos hablado de lo que es importante para nosotros, cómo queremos vivir nuestra vida. Pero, ¿qué tal si lo que queremos y cómo queremos vivir están totalmente fuera de control? ¿Qué hacemos entonces?"

Entre lágrimas agregó: "Tengo un hijo de tres años, pero mi esposa y yo estamos a punto de divorciarnos. Hemos estado en trámites durante 18 meses ya y se ha vuelto muy complicado. Yo tengo mi abogado, ella tiene su abogado. Es que ella me odia. Incluso se llevó a mi hijo a Chicago para que yo tuviera que volar especialmente desde Nueva Jersey para verlo. Le escribo y le mando cosas, pero sé que ella no lo deja verlas. Creo que su propósito en la vida es asegurar que mi hijo ni siquiera sepa que soy su padre". Empezó a llorar todavía más. "Ésta es mi vida. Quiero vivir estos principios. Quiero ser lo que he aprendido estos días. Pero no puedo hacerlo. En ocasiones siento como si estuviera empezando a ser una gran bola de odio. La odio, odio a su abogado, odio nuestro matrimonio. Pero quiero amar a mi hijo; quiero ser parte de su vida. Y no puede ser. ¿Qué debo hacer?"

No sé qué los llevó al divorcio, pero podía ver que él estaba profundamente afectado por ello. Al principio era como: "Vaya, esto está fuera de mi área de experiencia". Pero luego empecé a pensar: ¿Qué hace uno cuando hay cosas en su círculo de preocupación sobre las que no puede hacer nada? [Hábito 1: Ser proactivo]. Él no podía controlar a su esposa, ni al proceso legal. No podía controlar el acceso a su hijo, y estaba paralizado con esta incapacidad para ejercer una influencia. También estaba tan concentrado en lo que su esposa no le permitía hacer, que se olvidaba de las cosas que podía hacer para influir.

De repente me di cuenta que había algo que todavía podía hacer para compartir su amor con su hijo y tener una manera de influir en él, tal vez no en este momento, pero con los años, incluso cuando el niño fuera mayor. Después de todo, la madre no podría realmente eliminar el deseo del niño de conocer a su padre. Cuando llegara el momento de una relación más cercana, este joven padre tendría algo que dar a su hijo y demostrarle que lo había amado todo este tiempo.

Compartí con él algo que había estado haciendo por mis hijos durante un tiempo: llevo un registro de la vida de mis hijos. En este diario, él registraría las experiencias que habían tenido juntos, o los sentimientos que el padre posee respecto de su hijo, o sus esperanzas y sueños para él. Lo mejor que podía hacer en estos momentos en su círculo de influencia era perseguir sus opciones legales, pero también, mientras la madre del niño estuviera interceptando las cartas y el no estuviera ahí, podía empezar a capturar sus pensamientos y sentimientos sobre su hijo.

Aunque ésta es una idea muy sencilla, fue liberadora para él. Cuando se sentía reprimido en lo que él percibía como su único círculo de preocupación, estaba emocionalmente paralizado, bloqueado y atorado. Pero cuando empezó a ver las posibilidades de la idea de este diario, de repente recuperó su energía, se descongeló, estaba emocionado, estaba exaltado y empezó a ver que podía hacer algo al respecto.

Esto es lo que le dije sobre llevar un diario, aunque son sólo algunos detalles que lo pueden mejorar:

1. *Asegúrese de poner fecha a todas las anotaciones.*
2. *Comparta realmente experiencias específicas que podrán recordar.* Los sentimientos tienden a dominar la escritura. Pero se vuelve muy general: eres maravilloso, te adoro, me gusta estar contigo. Después de un tiempo, tienden sólo a correr juntos. Así que las experiencias específicas funcionan mejor.
3. *Separe un tiempo regular para escribir el diario.* Tengo cuatro hijos, así que aparto un domingo al mes para escribir en el diario de cada niño. Solía tratar de hacerlo en el avión, pero me involucraba tanto con uno de los niños en un momento dado, que pronto pasaban cuatro o cinco meses sin que completara el ciclo.
4. *Empiece lo antes posible con cada uno de sus hijos.* Comencé el diario de nuestro tercer hijo el día que supimos que mi esposa estaba embarazada de él. Así, cuando le dé esto el día de su boda, él sabrá que fue amado incluso antes de nacer. (Y también sabrá que su mamá se sintió bastante mal con ese embarazo.)
5. *Anote todo tipo de historias diferentes.* Momentos tiernos, divertidos, fracasos, logros, motivos de orgullo.
6. *Use la tecnología.* Si tiene acceso a un escáner para copiar fotografías, hágalo y colóquelas junto a experiencias importantes.
7. *Mantenga un recordatorio de las experiencias en su computadora o en algún otro lugar.* En mi computadora

hago anotaciones de frases o momentos divertidos en la sección de mis hijos. A veces pasan un par de semanas antes de que pueda escribir en el diario real, así que un recordatorio es una buena herramienta para ayudar a capturar la experiencia en su totalidad.

8. *Mantenga el diario en secreto.* Lo más maravilloso de estos diarios es que mis hijos no saben que los llevo. Estoy ansioso de que llegue el día de poder leerlos con ellos y conocer sus sentimientos al respecto.

El joven padre me escribió unos tres meses después de esa sesión. Dijo que aunque las cosas todavía no iban bien entre su esposa y él, estaban mejorando. Sentía que estaba haciendo cierto progreso. Llevaba el diario de su hijo y se sentía mucho más cerca de él que como se había sentido hacía tres meses. No creo que siga pensando en él mismo como una víctima. Está haciendo lo que puede en su círculo de influencia, y eso lo hace sentir que tiene el control en lo posible.

 *Recuerdo que una vez salí de un discurso corriendo para tomar un avión, cuando un alma desesperada me preguntó si podía ir conmigo en el taxi al aeropuerto. Quería hablarme de su reciente divorcio. Su esposa había ganado la custodia de sus hijos y él se sentía desesperanzado, indefenso y suicida. Así que nos fuimos. Después de escuchar su historia durante unos minutos, empezamos a discutir la idea de que se enfocara en el círculo de influencia (aquellas cosas en nuestra vida que podemos influir o controlar directamente) más que en el círculo de preocupación (aquellas cosas sobre las cuales no tenemos control). Gradualmente se dio cuenta de que todos sus esfuerzos por defender su matrimonio y a sus hijos eran en realidad retiros de su cuenta de banco emocional con ellos y que empeoraban las*

*cosas. Sin embargo, también empezó a ver que había un número de asuntos que él podía hacer dentro de su círculo de influencia que se pudieran percibir como depósitos. Uno de ellos era llevar un diario, justo como el del hombre descrito en esta historia.*

*Escribir diarios es una de las formas más poderosas que conozco para aumentar la autoconciencia, simplemente porque se puede observar la propia participación en la vida. Tengo una hija que ha creado más de 70 diarios y ha desarrollado una capacidad muy asombrosa para reinventar su vida en cualquier momento y en cualquier forma en que se sienta cómoda. Eso me inspira. No estoy sugiriendo que ésta sea la mejor manera para todas las personas. Sino que sugiero que es una poderosa forma de enfocarse en el círculo de influencia de uno, de tomar un enfoque de dentro hacia fuera para mejorar la vida y las circunstancias de uno.*

## EDUCANDO ADOLESCENTES
## (¿O SER EDUCADO POR ELLOS?)

- MI PRIMER CORAZÓN ROTO
- AFICIÓN POR LAS LUCHAS
- EL SILENCIO ES ORO
- ¡EL PEOR JUEGO DE MI VIDA!
- ZAPATOS DE GOLF CON *SPIKES* SUAVES
- EL ADOLESCENTE DESTRUCTIVO
- LA CONVERSACIÓN SINCERA QUE CASI ME PIERDO
- ¡*SIEMPRE* DICES "NO"!
- ¿HA INTENTADO COMUNICARSE CON UN ADOLESCENTE DE DIECISÉIS AÑOS QUE SÓLO USA MONOSÍLABOS?
- EDUCANDO NIÑOS SOBRE EL PASTO
- ¿REALMENTE QUIERES ESO PARA MÍ, PAPÁ?

> *Igual que como el aire es el mayor alimento del cuerpo humano, ser entendido (hábito 5: Buscar primero entender, luego ser entendido) es el alimento más profundo del corazón humano. Note en esta historia el poder del amor incondicional y cómo simplemente entender puede curar.*

Cuando tenía 17 años, sufrí mi primer decepción amorosa. Nunca olvidaré el dolor de esa experiencia. La chica que era mi novia, sin advertencia y sin piedad, rompió nuestra relación e inmediatamente empezó a salir con un amigo mío. En ese momento, mi mundo se derrumbó. Recuerdo que conducía mi *jeep* 1952 por las colinas arriba de mi casa en California, resuelto a nunca volver a la escuela o a la vida. Por último, al ponerse el sol, el hambre y el dolor me devolvieron a mi hogar. Decía muy poco, pero la mirada en mis ojos debe haber expresado a mis padres lo que sucedía. No podía comer, así que me iba a mi recámara, me acostaba en la cama y empezaba a llorar. Lloraba y lloraba. Después de un tiempo, la puerta de mi recámara se abrió con suavidad y sentí la presencia de mi padre parado en silencio a la orilla de mi cama. Con delicadeza, jaló los cobertores de mi cama y se metió a mi lado. Me cubrió con sus brazos fuertes y cálidos, y me apretó más fuerte de lo que nunca había hecho. Acercó mi corazón, mi cuerpo y mi espíritu hacia él. Sentía su calidez y fortaleza, mientras seguía llorando. Y luego, mi papá empezó a llorar junto conmigo. Sentía su pecho temblar con mis propios sollozos. Su cara estaba presionada en un lado de la mía y sentía sus lágrimas calientes que se mezclaban con las mías y corrían por mis mejillas. No me dijo nada. Sólo lloraba. Lloraba porque tenía un problema. Lloraba porque me amaba y sentía mi dolor. Mi padre se levantó, acomodó los cobertores alrededor de mi barbilla y descansó su mano sobre mi hombro. Luego comentó: "Hijo mío, te prometo que el sol volverá a salir. Te quiero mucho". Entonces se fue con la misma delicadeza con que había llegado. Él tenía razón. El sol volvió a salir. Me levanté, me vestí lo mejor que pude, pulí mi *jeep* y me dirigí a la escuela.

La vida continuó, más rica que antes de alguna manera porque sabía que era amado, incondicionalmente, por un padre que me enseñó lo que significa la empatía. Recién cerré la tapa del ataúd de mi padre. Antes de ello, hice una pausa, una vez más, para tocar sus mejillas y recordar esa noche, hacía ya tanto tiempo.

---

 *Experiencias tan profundamente emotivas duran toda la vida y son guías poderosas para la siguiente generación. Supongo que esta persona hace con sus hijos lo mismo que su padre hizo con él.*

Afición por las luchas

> *Mire cómo el tremendo discernimiento que este padre obtuvo le permitió no rendirse en su esfuerzo por negociar un convenio ganar-ganar con su hijo, ni darse por vencido ante sus condiciones una vez que se llegó al acuerdo.*

Regresé de una sesión de capacitación con la frase: "Si haces lo que siempre has hecho, vas a obtener lo que siempre has obtenido" sonando en mis oídos. No pasó mucho tiempo antes de tener la oportunidad de ver si realmente era verdad.

Mi hijo Jake contaba con 13 años en ese momento, y realmente tenía una manía por las luchas. Cierto día, nos preguntó a mi esposa Rebecca y a mí si podía ir a la fiesta de las luchas en casa de un amigo el miércoles anterior al día de Acción de Gracias. La fiesta terminaría cerca de las 11 de la noche y este chico tenía una ruta que cumplir para entregar diarios a las cinco de la mañana. Además, vendrían familiares a la celebración del día de gracias el día siguiente. Si Jake no dormía cuando menos 10 horas, no sería un chico muy agradable con quien se pudiera hablar. Todos estos pensamientos me vinieron a la mente cuando nos pidió permiso.

Sí quería que fuera, y no deseaba ser el malo del cuento. Así que decidí empezar una discusión: "Jake, las 11 de la noche es muy tarde. Hablemos de cómo podríamos hacer que esto sucediera [hábito 4: Pensar ganar-ganar]". Empezó a levantar la voz y le dije: "Espera un minuto, espera. Por qué no hablamos de algunas reglas básicas para esta conversación. Me quedaré aquí todo el tiempo hasta que lleguemos a una solución para que vayas a esa fiesta. Me comprometo a hacerlo. Pero tenemos que trabajar juntos hacia esa solución. Trataré de entender cómo te sientes sobre esto [hábito 5: Buscar primero entender, luego ser entendido]. Necesitas tratar de entender mi perspectiva. Necesitas respetar mis ideas. Si gritas y te enojas, va a ser muy poco agradable. Los dos trataremos de encontrar algo que funcione para todos. ¿De acuerdo? Sé que es difícil para ti controlar tu temperamento; sí, eres muy desesperado y te pones a gritar, pero si lo haces tres veces, terminamos la conversación. Tú no podrás ir a la fiesta y yo me iré a la cama".

Contestó: "Está bien, tendré tres advertencias". (Creo que llegará a ser un negociador sindical cuando crezca.)

"No, tienes dos advertencias. La tercera vez, se acabó."

"Está bien", concedió con una sonrisa.

Así que empezamos. Vamos a tratar de crear una forma para que esto suceda para él. Sugerí que él fuera a la fiesta, cenara con sus amigos luego y alrededor de las nueve treinta podría ir a recogerlo para que descansara bien toda la noche.

"Estás bromeando. Me pondrías en un gran ridículo. Estás bromeando. Tienes que estar bromeando. Oh, eso sería lo peor..." Y empezó a gritar.

"Oye, espera un minuto, no grites. Nos sentaremos hasta que haya una solución. Tienes mi compromiso real de que no me voy a ir. No iré a ninguna parte. Pero no puedes gritarme. Primera llamada."

En ese momento Rebecca se aclaró la garganta y me pidió que saliera al pasillo un segundo. Se me quedó viendo como si estuviera un poco loco. Así que me disculpé con Jake para hablar con Rebecca en las escaleras. Con una mirada extraña en los ojos expresó: "Dale, no sé qué te ha hecho tan diferente desde que volviste de ese seminario en las montañas. Pero no puedo manejarlo. Sólo di al niño 'no' y ven a la cama".

De repente, estas palabras salieron de mi boca, casi sin pensarlo: "Rebecca, si hacemos lo que siempre hemos hecho, obtendremos lo que siempre hemos obtenido. Tengo que intentar algo diferente".

Ella sacudió sus brazos. "No entiendo esto. Voy a la cama. Lo dejo en tus manos. Buena suerte." Con eso me pasó la batuta y me dejó solo para que terminara la carrera. Regresé con Jake y le comenté: "Mamá está cansada. Se va a dormir. Pero tú y yo nos quedaremos aquí todo el tiempo que quieras. Así que si te entiendo correctamente, las nueve treinta no es en realidad una opción. ¿Quieres quedarte en la fiesta hasta las 11?"

"Sí."

"Bueno, ¿qué tal si te quedas en la fiesta hasta las 11 de la noche? Luego te recojo como a las 11:30 y te traigo a casa. Lo que necesito que hagas es que te quedes en la cama en la mañana para que estés de buen humor en la tarde. Me levantaré y repartiré los diarios por ti. ¿Te parece bien?"

Jake parecía asombrado. "¿Te vas a levantar para repartir los diarios en mi ruta mientras me quedo en la cama?"

Respondí: "Tú quieres ir a esa fiesta, ¿verdad?"

"Sí."

"Entonces me levantaré a repartir los diarios. ¿Te parece bien? De acuerdo, ¿podrías traer papel y lápiz y anotar con lo que estás contribuyendo a este arreglo?" Entonces él empezó a escribir lo que quiere hacer.

De repente grita sobre las repeticiones; qué tal si hay repeticiones y no las ve porque son después de las 11 y ya lo recogí. Se podrán imaginar mi asombro. Pensé que tenía todo lo que quería. Le expresé: "Vaya, Jake, ese fue *strike* dos. Volvamos de nuevo. Dijiste que querías estar ahí hasta las 11. Yo añadí que te recogería a las 11:15. ¿No es eso lo que querías? Piénsalo desde mi perspectiva: voy a acostarme entre las 11:30 y las 12 de la noche, luego me levantaré a las cinco para repartir a tiempo tus diarios. Voy a hacer todo esto por ti, para que puedas realmente hacer lo que quieres. ¿Y estás gritando de nuevo? ¿Acaso no tienes exactamente lo que quieres?"

"Bueno, sí" —contestó—. "Sí quería estar hasta las 11. Tú vas a recogerme; vas a repartir los diarios; voy a dormirme. Sí, tienes razón, realmente tengo lo que quiero". Empezó a escribir de nuevo. Está firmando su nombre y cuando va en la 'e' de Jake, empieza a gritar de nuevo. "No es justo. Quiero quedarme a las repeticiones." Un segundo después de eso, comenzó a llorar.

Lo miré y le pregunté: "Jake, ¿por qué lloras?"

"Porque acabo de gritar por tercera vez", respondió.

Mi respuesta era difícil pero tenía que hacerlo. Asentí: "Así es. Sé que es muy difícil para ti en estos momentos entenderlo, pero necesitas ir al teléfono y llamar a Dan. Avísale que no vas a ir a su fiesta. Me voy a la cama. Quiero que sepas que te quiero mucho y que intenté todo lo posible para que tuvieras lo que querías. ¿Te puedo ayudar en alguna otra cosa?"

"Supongo que no considerarías… No, ni siquiera te lo pediría." Se quedó ahí sentado con la cabeza entre las manos.

Me levanté y fui a la cama. Mientras me ponía la pijama, mi esposa preguntó: "¿Qué pasó?" Le conté. "Debe estar tan enojado contigo." No lo creía así.

"Bueno, no lo sé. Podría ser, pero creo que está más enojado consigo mismo. Apuesto a que antes de dormir va a venir a darnos un fuerte abrazo."

Ella se rió: "Dale, estás loco".

"Realmente no, puedo sentirlo." Y me metí en la cama. 15 o 20 minutos después alguien tocó en la puerta de la recámara. Era nuestro adolescente de uno ochenta metros de estatura y 70 kilos de peso. Brincó en la cama en medio de los dos y expresó: "Los quiero mucho. Lo arruiné. Llamé a Dan, no voy a ir. Pero papá, ¿podrías de cualquier forma repartir mis diarios para que pueda dormir el jueves en la mañana? Me gustaría dormir el jueves en la mañana".

Sí, le repartí los diarios. Estos principios funcionan. No sólo en seminarios. Sino también con adolescentes de la vida real que tienen afición por las luchas.

---

 *La mayoría de los niños y adolescentes crecen en un mundo de dicotomías: todo es o esto o lo otro. O eres malo, o eres bueno. O se hace a mi manera, o a la tuya. Sencillamente todavía no están conscientes del concepto de sinergia o de terceras alternativas. No están conscientes del concepto ganar-ganar en asuntos emocionales difíciles, en particular tratando con padres firmes cuya tendencia es ceder o de manera arbitraria imponer su autoridad y luego manipular a todos para ese fin. Aquí el padre sabe cómo ir por una tercera alternativa ganar-ganar; resuelve hacerlo y luego lo hace. Cuando el hijo viola el acuerdo de la negociación, el padre se mantiene firme, y el hijo se eleva a un nuevo nivel, asume responsabilidad y expresa su amor.*

*Aunque todo el tiempo enseño este material, a menudo me encuentro en situaciones con mis hijos adolescentes donde, con mucha frecuencia, tiendo a ir por perder-ganar en asuntos secundarios y ganar-perder*

*en asuntos importantes. Lo hago simplemente porque no dedico el tiempo ni tengo la madurez emocional, la fortaleza y la sabiduría que este padre manifestó.*

*Mi profesor de administración de empresas de Harvard, Rhand Saxenian, me dio la definición más fina y práctica de madurez emocional que he escuchado jamás. Él enseñaba que madurez emocional es la capacidad de expresar tus sentimientos y convicciones con valor, y poder equilibrar con consideración los sentimientos y las convicciones de otros sin sentirse amenazado en lo personal por esas expresiones. Esta clase de madurez emocional no puede fingirse debido al tercer elemento de la definición. Una persona que tiene valor pero carece de consideración, irá por ganar-perder. Alguien muy considerado, pero que carece de valor, irá por perder-ganar. O quien finge valor y consideración terminará desecho en su interior. La clave es el equilibrio.*

## El silencio es oro

*Observe cómo el papá en esta historia sinceramente acordó con su hija y, sin presionarla o hacerla sentir culpable, reflejó su deseo de comunicarse.*

Hace más o menos un año mi hija Nell y yo habíamos caído en una rutina problemática.

Ella llegaba a casa después de la escuela y yo le preguntaba cómo le iba. Ella contestaba: "Bien". Eso era todo. No podía arrancarle más palabras. Se había convertido en una rutina de no comunicación. Hacerle preguntas cada día cuando llegaba a casa parecía como si aumentara todavía más la tensión.

Recuerdo que una vez leí que una forma de tratar con alguien que no quiere comunicarse es romper la rutina. Entonces, un día cuando Nell llegó a casa le pregunté cómo estaba.

Pero me dio la respuesta estándar de una sola palabra. Antes de dirigirse a su habitación, expresé: "No quieres hablar conmigo, ¿verdad?"

Se detuvo en el instante, me miró con extrañeza y añadió: "No" y se fue a su habitación. Eso fue el final de la historia, pero sabía que había tocado sus sentimientos.

El día siguiente repetí la nueva rutina. Esta vez cuando le pregunté si quería hablar conmigo, Nell contestó "ahora no, papá".

Esto continuó igual por unos cuantos días antes de que lentamente y con sus propios términos, Nell empezó a hablar más conmigo. Luego un día yo estaba sentado en la mesa de la cocina pensando en algo, en una especie de trance, mientras ella lavaba los platos. Estaba callado, no hablaba con ella aunque me encontraba a sólo unos cuantos pasos de distancia. Debe haberle molestado que no le hiciera las preguntas usuales, porque de repente empezó a hablar sobre su día y me sacó de mi trance. Me impresionó que de manera espontánea estuviera compartiendo sus sentimientos conmigo; fue tan maravilloso que había lágrimas en mis ojos.

En ocasiones pienso que la herramienta más valiosa para la comunicación con adolescentes es el silencio.

 *¿Que sucedería si usted fuera a un bosque a cazar y empezara por lanzar tiros al aire? A menudo es lo mismo que hacer preguntas; a veces son tan autobiográficas y controladoras que las personas simplemente se niegan a hablar de sus asuntos más profundos y más vulnerables. La clave es ir al bosque y estar callado; entonces los animales empezarán a aparecer. Lo mismo sucede cuando uno va a la playa. Si camina de un lado a otro nunca verá a los cangrejos, pero si se sienta en la playa en silencio, pronto aparecerán por todos lados.*

*Los adolescentes quieren hablar; en realidad lo desean. Quieren abrirse, pero desean hacerlo sintién-*

*dose seguros. Quieren hacerlo con sus términos y en su momento, por lo que los padres deben simplemente tener la paciencia para permitir que se dé; estar presentes, disponibles, accesibles y callados. Tenemos dos oídos y una boca, y debemos usarlos de acuerdo con su número. De manera interesante, los oídos nunca se cierran, pero la boca sí.*

*En mi vida con mis hijos adolescentes, he encontrado que nada más con estar presente, haciendo nada en particular, sino sólo estar atento y alerta, en unos minutos empiezan a abrirse. El silencio es verdaderamente oro.*

## ¡EL PEOR JUEGO DE MI VIDA!

*Experimente en esta historia el poder de enfocarse en el esfuerzo y en la relación, más que en las expectativas y los resultados.*

Era jugador de fútbol americano del equipo de la universidad a la que asistía. La semana anterior habíamos tenido un gran juego. Corrí casi 500 yardas, hice cuatro o cinco anotaciones y en los medios de comunicación empezaron a hablar de mí como el siguiente gran mariscal de campo.

La siguiente semana íbamos a jugar con uno de los mejores equipos de la nación. Contaban con un mariscal de campo de defensiva que pesaba 125 kilos y era como una máquina.

Jugaríamos este gran partido en nuestro campo. Por supuesto, quería jugar bien frente a toda la ciudad. Y mi papá voló desde donde estaba sólo para verme participar. No pensé que lo hiciera, pero ahí estaba justo antes de empezar el encuentro.

Fue el peor juego de mi vida. El monstruo defensivo estuvo todo el tiempo sobre mí. Se pasó más tiempo en nuestro campo que yo. Me estrellé la cabeza tantas veces contra el campo, que me sentía hasta mareado. Juro que no podía ponerme de pie tras los golpes, hasta unos tres segundos después. Claro, no hice ni una anotación. Sin embargo, tuve un número impresionante de pases interceptados. Perdimos por casi treinta puntos.

Durante el juego debo haberme visto patético. Después, estaba avergonzado. Nadie me hablaba. Ustedes saben lo que pasa cuando uno juega terrible. En el vestidor, todo el mundo me evitaba. Así que me di una ducha y me vestí en silencio. Cuando salí de los vestidores, mi papá estaba esperándome. Me tomó en sus brazos, me abrazó, me miró a los ojos y comentó: "Es el mejor juego que te he visto. No porque hayas ganado o hayas anotado mucho. Sino porque nunca te he visto jugar tan comprometido como hoy. Estuviste muy bien. Te golpearon y seguiste poniéndote de pie. Nunca había estado tan orgulloso de ti". Y lo decía en serio.

Me sentí muy bien. Bien porque mi papá estaba orgulloso de mí, pero también porque lo que dijo afirmaba lo que yo sentía. Muy profundo en mi mente, a pesar de los raspones y moretones, había estado pensando: "Sigue jugando. Aguanta. Estás jugando bien hoy". Mi papá fue la única persona que lo reconoció. Cuando él me expresó eso cambió toda mi perspectiva sobre ese horrible juego. Fue un momento que nunca olvidaré y una experiencia de verdadero acercamiento entre mi papá y yo.

---

 *La confirmación psicológica se lleva a cabo cuando uno está de acuerdo con lo que la otra persona está sintiendo. Este joven sintió que había jugado duro y había aguantado mucho, aunque los resultados fueron desastrosos. Cuando el padre confirmó el estado psicológico del muchacho, éste se sintió entendido y apreciado [hábito 5: Buscar primero entender, luego ser entendido]. Al padre*

*no le preocupaban las expectativas sociales, sino la relación y el valor intrínseco del esfuerzo.*

*Tuve una experiencia similar durante el cumpleaños 22 de mi hijo Sean. Había dado todo lo humanamente posible durante la primera mitad del partido en un juego de fútbol americano colegial, pero no estaba funcionando y lo sacaron en la segunda mitad. Le había regalado una placa grabada ese día por su cumpleaños, porque tenía la premonición de que algo así podía suceder. Me platicó que había sido uno de los mejores regalos que había recibido en su vida. Era una cita que capta el espíritu del credo olímpico y dice así: "No te pidas victoria, sino valor, porque si lo haces te honras a ti mismo; y lo que es más, nos honras a todos nosotros".*

## ZAPATOS DE GOLF CON *SPIKES* SUAVES

*Esta historia ilustra cómo debemos escuchar con el corazón y no sólo con la mente y los oídos; podríamos llamar al corazón el tercer oído.*

Mi hija más pequeña, Amy, empezó a tomar clases de golf. Demostró tener tal talento, que en poco tiempo ya estaba en el equipo de golf de la escuela, aunque todavía estaba en secundaria y tenía casi 18 meses de experiencia.

Una tarde en el trabajo, recibí una llamada frenética de ella. Casi no tenía aliento y describió lo que parecía ser una situación de vida o muerte. "Mamá, acabo de enterarme que tengo que usar *spikes* suaves mañana para el torneo. *Spikes* suaves, mamá. Sólo tengo duros. No me van a dejar jugar con *spikes* duros, mamá. Mamá, ¿qué voy a hacer?" Estaba desesperada.

Quería subirme a un helicóptero y volar a su rescate. Por otra parte, no podía entender por qué estaba ella tan enojada. Así que traté de profundizar: "Cariño, tú y yo usamos la misma talla de zapatos y yo tengo *spikes* suaves. Puedes usar los míos".

"Ay, mamá, no creo que funcione. No va a funcionar. No puedo jugar con tus zapatos."

Algo en su voz me dio la clave. Me di cuenta de que había algo más que sólo unos zapatos de golf con *spikes* suaves. Traté de resolver el problema incluso antes de saber cuál era el verdadero problema. Así que lo intenté de nuevo: "Cariño, te oyes muy agitada".

De repente, rompió en llanto. "Mamá, es mi primer torneo de 18 hoyos. ¡Tengo mucho miedo!" Ah, ahora la llamada se me hizo muy clara. Estaba usando los zapatos de golf como pretexto para hablar conmigo sobre cómo se sentía. Con suerte, más que tratar de resolver su "problema", pude detenerme y escuchar. Permití a Amy compartir su ansiedad de manera segura. Y sí, ella usó mis zapatos, le fue muy bien en el torneo y siguió jugando golf durante tres años más.

---

 *Esta situación es muy común. A menudo hay algo mucho más profundo dentro de las personas de lo que dicen inicialmente. Cuando es así, hay quienes con frecuencia hacen preguntas. Si usted realmente escucha con el corazón por lo general sentirá una necesidad más profunda detrás de la pregunta (hábito 5: Buscar primero entender, luego ser entendido). Si intenta reflejar ese sentimiento o necesidad lo mejor que pueda mientras hace la pregunta, su interlocutor se sentirá entendido y valorado de manera tal que por lo común se abrirá. Es como darle oxígeno a alguien.*

EL ADOLESCENTE DESTRUCTIVO

*Esta historia maravillosa enseña el poder de la comunicación con todos los miembros de la familia mientras*

*trata con el estilo destructivo de uno de ellos. En cuanto*
*los padres retomaron los principios de empatía, amor,*
*entendimiento y respeto, y construyeron una cuenta*
*de banco emocional fuerte, con cada uno de sus hijos,*
*entonces pudieron manejar el desafío del adolescente*
*destructivo. Note también el tremendo poder del ejemplo.*

Soy madre de varios chicos. Uno de mis hijos se desarrolló en una conducta destructiva cuando era adolescente, cuando todavía teníamos otros dos pequeños en casa. De ser un muchacho guapo, limpio y bien arreglado, se convirtió en un jovencito sucio, con cabello largo mal arreglado que dejaba sin cepillar por semanas y sin lavarlo. Se perforó las orejas y el cuerpo en varios lugares, llegaba a casa con tatuajes, casi no comía (probablemente porque consumía drogas), siempre tenía los ojos rojos, su ropa apestaba a cigarrillo. No sólo se veía oscuro y daba miedo, sino que su estilo de vida había cambiado por completo su personalidad. Se volvió perverso, no comunicativo y nunca nos miraba a los ojos. Evitaba todas las funciones familiares y nunca nos contestaba o lo hacía rezongando. Sus hermanos menores estaban tan molestos por su conducta que a menudo gritaban: "Córrelo de la casa, no lo queremos aquí, está arruinando todo". Sus nuevos amigos eran iguales y algunos incluso eran miembros de bandas.

Al principio estuvimos impresionados por tener de repente este tipo de niño en la casa. Analizamos nuestra conducta de padres para ver si había algunas carencias en la forma en que lo educamos, nos pusimos en contacto con profesionales, hablamos con otros padres para que nos aconsejaran y tratamos de platicar con él. Le rogamos y lo amenazamos. ¡Nada ayudó!

Mientras tanto, empezamos a tener en las manos otro problema enorme: los dos pequeños, que veían nuestras confrontaciones diarias, estaban obviamente afectados. Se volvió evidente que toda la situación que observaban les lastimaba.

Nuestra conducta inconsistente hacia su hermano (porque a veces éramos amables con él cuando no se lo merecía) los confundía mucho. Empezaron a decir cosas como: "Bueno, si Darren puede hacer esto y esto, y ustedes ni siquiera se enojan con él, entonces yo también voy a... etc." Recuerdo haber discutido la posibilidad de enviar a Darren lejos porque ya no soportaba ver cómo estaba destruyendo a los otros dos niños inocentes.

Nuestra familia se estaba deteriorando a causa de este niño. Toda nuestra energía, conversaciones y trabajo se centraban en él. No podíamos siquiera salir a cenar sin dedicar todo el tiempo a hablar de él. Y aquí estábamos tratando de educar a otros dos niños que desesperadamente necesitaban padres sanos y felices. Sabíamos que debíamos cambiar nuestro enfoque.

Entonces decidimos sentarnos con cada uno de estos dos hijos individualmente y decirles cuánto adorábamos a todos nuestros hijos, incluyendo a Darren. Les recordamos que antes era un chico maravilloso y ahora estaba pasando por una etapa muy difícil en su vida, de la cual era posible que se avergonzara más adelante. Incluso, les mostramos fotografías que presentaban a Darren como era antes.

Les pedimos su ayuda y una actitud de caridad hacia él. Les expresamos que las cosas podrían no parecer justas, pero que era necesario que mostráramos paciencia, perdón y fe en Darren para que él superara su problema. Les explicamos cómo las drogas alteran por completo la conducta y que lo que veían ahora en realidad no era Darren completo, sino sólo parte de él, que había elegido ser destructivo. Hablamos sobre todas las buenas cosas que él se perdía en la escuela y en su vida social, así como de la terrible vergüenza que era. Por primera vez en verdad empezaron a sentir un poco de pena por él, en vez de sólo enojarse y tenerle miedo.

Durante el siguiente año repetimos esta plática varias veces con los dos pequeños, conforme se presentaba la necesidad. No fue fácil para ellos, pero pudieron enviarnos pequeñas señales cuando Darren estaba presente de que sí eran testigos de lo que todos deberíamos hacer. Cuando llegamos lo suficientemente lejos en este proceso de entender, perdonar y no hacer juicios, e hicimos cosas especiales y amables para Darren (incluso cuando no lo merecía), los dos más pequeños siguieron el ejemplo.

¡A veces quería matar a Darren! ¿Por qué éramos todos tan amables con él cuando se portaba tan mal? El siguiente año, Darren se enderezó solo, por sí mismo. Todavía tenemos repercusiones de sus años malos. Los pequeños usan como ejemplo a Darren y su comportamiento pésimo cuando quieren algo: "En realidad nos merecemos el permiso para hacer esto o esto nunca les hemos dado problemas como Darren", pero con todo y todo han sobrevivido la odisea de tres años con Darren y prometieron nunca hacernos pasar por lo que pasamos por su hermano. En realidad tienen carácteres mucho más compasivos y mayor entendimiento hacia las personas y sus problemas. No creo que haya algo en nuestras vidas que nos haya desafiado tanto y nos haya hecho crecer tanto como familia, que Darren y su terrible época destructiva.

Por encima de todo, Darren se enamoró de una chica que tiene problemas de conducta muy serios. Ella ha pasado por varios abusos y muchas cosas más. Pero Darren ha podido superar todo eso y todavía quererla. Y lo más alentador es que está usando con ella el mismo proceso amoroso y de paciencia que usamos con él. Él sabe que hay bases buenas y está determinado a llegar a ellas.

*La clave de los muchos es el uno. Tratando a Darren con amor, empatía y buen ejemplo, salvaron a este muchacho. En el proceso también establecieron una relación con los otros hijos. Pusieron el problema en perspectiva*

*y ninguno de los dos exageró ni dejó de reaccionar. El poder radica en el esfuerzo constante para comunicarse mediante el entendimiento y dando comprensión (hábito 5: Buscar primero entender, luego ser entendido). Fue como un aceite que lubricó todas las interacciones. La clave es no rendirse ni darse por vencido.*

*Cuando se preguntó a Albert Schweitzer en una ocasión cómo se debía educar a los hijos, su respuesta fue que había tres principios: primero el ejemplo; segundo el ejemplo, y tercero el ejemplo. Lo que somos comunica mucho más elocuentemente que nada lo que decimos o incluso hacemos. La esencia innata de quiénes somos en realidad, lo que nuestro carácter comunica serena, silenciosa y de manera imperceptible. Y los niños son muy sensibles, conscientes y alertas a todo esto. Cuando son muy pequeños y están sujetos a los padres y otras figuras importantes de autoridad, captan todo a pesar de nuestros esfuerzos por ocultar, disfrazar, esconder, pretender o guardar posturas.*

## La conversación sincera que casi me pierdo

*Vea en esta historia cómo un valiente acto de dar prioridades (hábito 3: Poner primero lo primero) creó una experiencia inolvidable que vivirá por muchas generaciones.*

Mi esposa y yo educamos a nuestros hijos en un rancho. Entonces mi hijo Cody y yo pasábamos la mayoría del tiempo juntos. Montábamos a caballo, recogíamos la paja y cuidábamos a las vacas. Durante todo ese tiempo, creamos una relación muy buena. Para Cody y para mí, nuestra relación se basaba en estar en el campo, trabajando juntos, montando y realizando otras actividades similares.

Luego nos cambiamos a la ciudad cuando acepté un empleo con una compañía grande. El movimiento fue difícil para mi hijo. Pasó de tener a los vecinos más cercanos a 10 kilómetros de distancia y asistir a una escuela rural, a tener vecinos en todas las direcciones que viera. Sabía que había sacado a mi hijo del ambiente que adoraba, pero estaba orgulloso de él por manejar la nueva situación lo mejor que podía.

Durante el verano anterior a que se fuera a la universidad, Cody y yo planeamos un viaje juntos, sólo los dos. Decidimos ir a las montañas Wind River en Wyoming. Mi padre y yo habíamos hecho ese viaje hacía aproximadamente 30 años, cuando yo tenía 19 o 20. Me encantaba la idea de regresar ahí con mi hijo antes de que dejara la casa. Supusimos que el viaje duraría cinco días: un día para llegar, tres para acampar y uno para regresar. Pensamos en un fin de semana de cinco días para hacer el viaje.

Como mi trabajo implica capacitación de educadores, el verano es una época en que estoy muy ocupado. Nos gusta enseñarles cuando ellos no están enseñando. Como me pagan sólo cuando estoy capacitando, trato de programar todas las conferencias posibles durante el verano. Por ello, cuando llegaban trabajos de capacitación, los tomaba y posponía el viaje con mi hijo.

De repente, un día me di cuenta con asombro y horror que había eliminado completamente el fin de semana con mi hijo. Sólo quedaban cuatro semanas y estaba programado para dar capacitación en cada una de ellas. Me había saturado; o iba a decepcionar por completo a mi hijo, o iba a tener que hacer retiros importantes de mis socios de trabajo para que me cubrieran, además tendría que sacar dinero de mi cuenta de cheques.

Estando invadido con toda mi energía nerviosa por casi arruinar los planes de verano y tratar de remediar los problemas de programación en el trabajo, me detuve. Escuché mi propia voz dentro de la cabeza: "Yo enseño esto. ¿Por qué no estoy viviéndolo?" Para hacer la historia más corta, efectué unos retiros masivos de mis compañeros, reprogramé algunos trabajos de capacitación y empaqué mi maleta para el viaje [hábito 3: Poner primero lo primero].

Nos fuimos y acampamos exactamente en el mismo punto donde mi padre y yo habíamos estado hacía 30 años. La mañana siguiente mi hijo, después del día anterior que fue agotador, me preguntó: "¿Quieres subir la montaña?" Así que escalamos esta montaña, bastante alta, muy arriba de la línea de árboles. Ya en la cima, encontramos un claro del tamaño de tres campos de fútbol. Nos sentamos a comer algo y una manada de cientos de cabras salvajes nos rodearon. No creo que hubieran visto humanos antes; ciertamente no nos tenían miedo. Nunca había vivido una experiencia tan asombrosa: sentarse en un claro en la cima de una montaña de Wyoming con mi hijo de 19 años, comiendo sándwiches de mantequilla de maní, mientras que unas cabras salvajes nos rodeaban y nos miraban, frente y detrás de nosotros. Nunca olvidaré ese momento: cielo azul hasta donde podía verse, cimas de montañas a nuestros lados, mi hijo y esas cabras.

El día siguiente, después del desayuno, Cody quería escalar otra montaña. Como yo estaba exhausto y él había tenido que ayudarme a bajar de la montaña número uno, le comenté que ese día sólo quería relajarme. Sugerí que fuéramos a pescar en el lago alpino junto a nuestro campamento.

Lo que siguió fue la parte más maravillosa del viaje, casi agridulce para mí. No estoy seguro si sonreír o llorar cuando pienso en ello. En realidad, hago ambas cosas. Pasamos todo el día sólo relajándonos y pescando. En algún punto del día, Cody empezó a preguntarme cómo era la vida cuando yo era joven. Estaba muy interesado en mí. Ese interés me conmovió profundamente. Comencé a hablar de cosas que no había hablado con él: mi niñez, mis sueños espirituales y mis fracasos, las esperanzas que todavía tenía, mis temores sobre el futuro, mis esperanzas para mis hijos, mis sueños para el futuro. Ésa fue la parte dulce. La parte amarga fue que casi pierdo esa oportunidad. Por poco dejo que el trabajo me consuma. Amarga también porque había dejado esas cosas para ya muy tarde. Mi tiempo con Cody casi había terminado. Ojalá las hubiera expresado antes. No hay manera, en cuatro horas, de decir lo que se debió haber dicho en 17 años de conversaciones que no se habían producido. Pero tengo suerte de que finalmente las externé.

Cody se fue a la universidad dos días después de nuestro regreso a casa.

---

 *La clave para hacer momentos tan inolvidables es planificar con anticipación y ser fuerte. La segunda es permitir a la otra persona participar o incluso dominar totalmente la agenda, porque lo que es importante para el otro debe ser tan importante para usted. Otra es tener tiempo suficiente para espontaneidad de expresión y acción. Tal vez no haya nada tan poderoso en educar a un hijo como vivir experiencias íntimas de este tipo. Las personas no pueden decir que no tienen tiempo. Simplemente deben planificar con anticipación y ser fuertes. El padre promedio pasa cinco minutos al día con su hijo y dos horas frente al televisor. No es cuestión de tiempo, es cuestión de analizar prioridades y comprometerse. Pero tanto las prioridades como el compromiso están basados en lo que es más importante. Recuerde que es fácil decir no a lo no importante cuando tiene un sí quemándole por dentro respecto de lo importante. Lo principal es mantener lo principal en el lugar principal.*

*El elemento vital en la siguiente historia de transfor-
mación de relaciones fue cuando la madre actuó sobre
su autoconciencia y trató de entender. No escuchó con
la intención de contestar, sinceramente escuchó con la
intención de entender y eso hizo toda la diferencia
(hábito 5: Buscar primero entender, luego ser entendido).*

Un poco de antecedentes antes de contar mi historia: toda mi
familia, excepto mi hija, Alex, se cambió de Boston a Filadelfia a causa de mi empleo. Ella se quedó después de su graduación de preparatoria, entró a una pequeña universidad y
se endeudó de una manera impresionante. Tuvo que irse de
vuelta con mamá y papá. Cuando llegó a casa, le dimos algunas reglas básicas: encontrar un empleo, pagar tu transporte,
no puedes solicitar crédito en ninguna parte ni pedir prestados
nuestros autos, y tendrás que ayudar con el trabajo de la casa.

Un día, cuando llegué a casa del trabajo, Alex me encontró
en la puerta. Preguntó si le prestaría mi auto para ir a Boston.
Ella sabía que la respuesta a esa pregunta era, es y seguiría
siendo "no". No sé por qué siquiera lo pedía. Por supuesto,
respondí que "no" sin pensar en ello. Ese "no" la molestó más
que todos mis "no" en el pasado. Alex se enojó tanto que
ni siquiera me hablaba. Estuvo así durante días. Cuando yo
entraba en su habitación, ella se levantaba y se salía. Si le
pedía algo directamente, contestaba con monosílabos. Pensé
que estaba enojada porque había dicho que "no" le prestaba
mi auto y que las cosas mejorarían en unos cuantos días.

Después de pensarlo varios días, finalmente me di cuenta de
que quizás algo no era normal. Me preguntaba: "¿Por qué está
tan molesta por un 'no' que ha escuchado muchas veces antes?
¿Qué está sucediendo aquí?" Decidí que tal vez debería aplicar el
hábito 5 para tratar de averiguar qué estaba molestando a Alex.

Cuando llegué a casa, le pedí que viniera a la cocina. Al principio se negó. (Me dijo después que pensó que la iba a regañar por algo que había hecho mal.) Fui a su cuarto y le pedí: "Alex, por favor siéntate. Quiero entender por qué estas tan enojada". Ella seguía en silencio. Después de un poco de persuasión, creo que sintió que realmente quería entender por qué estaba enojada. Al fin empezó a hablar.

Todo salió de un solo golpe, con lágrimas y sollozos:

"Mamá, sé que me equivoqué en Boston. Pero he estado tratando de demostrarte que puedo cambiar. Cada vez que me pides algo, lo hago. Si quieres que vaya por leche, a la tintorería, a la tienda, lo hago. Siempre digo sí. Todo lo que me pides que haga, digo sí; limpio el refrigerador, recojo la sala de televisión, lavo la ropa. Hago todo, mamá. Ni siquiera me quejo. Lo hago por ti.

"Pero cuando te pido algo, tú siempre respondes no. No te pido demasiado. Me siento como una estúpida porque estoy graduada y todavía tengo que vivir en casa. Así que no te pido mucho. Pero cuando lo hago, siempre es demasiado tarde, o estás demasiado cómoda, o es inconveniente, o no está en tu camino. Sólo una vez, mamá, quiero que me contestes 'sí'. Sólo una vez".

Tenía razón. Alex tenía razón. En cuanto empezó a hablar, pude verlo. Ella decía "sí", yo decía "no". Ella me estaba dando esta retroalimentación directa, nombrando ejemplos específicos. No me era posible siquiera negar lo que ella afirmaba. Al principio lo único que pude agregar fue: "Tienes razón. Alex, tienes toda la razón. Yo lo hago. Tú tienes la razón". Luego me disculpé por mi insensibilidad, por mi rudeza. Prometí que haría un esfuerzo consciente para decir "sí" con más frecuencia. Le agradecí las veces que ella había accedido a mis peticiones. Aunque todavía no era tiempo de pedir el auto prestado por nuestro acuerdo, esa conversación cambió por completo nuestra relación. Sólo hablamos durante 45 minutos, pero toda nuestra relación se modificó. Nuestras líneas de comunicación se abrieron y nuestra confianza aumentó.

Más adelante discutimos por qué esa conversación había sido transformadora en nuestra vida. Alex aseguró que cuando finalmente se dio cuenta de que en realidad yo quería escuchar sus sentimientos y pensamientos, supo que deseaba expresarlo todo. Quería y necesitaba a alguien con quien hablar honestamente, alguien que la escuchara y la apoyara, no alguien que la juzgara y la evaluara. Esa conversación le demostró que en realidad la valoro y que quería estar ahí para ella. Desde ese día (hace casi cinco años) viene a mí cuando necesita a alguien que la escuche.

---

 *La tendencia humana es juzgar a los demás por su conducta y a nosotros por nuestros motivos. El motivo detrás de la conducta de la hija era sincero, bien intencionado y merecía respeto. Al no recibir respeto la relación se deterioró. Cuando alguien siente empatía genuina cambia su modo de pensar y manifiesta su deseo y capacidad para resolver asuntos difíciles.*

¿Ha intentado comunicarse con un adolescente de dieciséis años que sólo usa monosílabos?

> *El punto crítico de esta historia ocurrió cuando el hijo de 19 años dio retroalimentación a su padre sobre Caitlin. Note cómo esto reorganizó las expectativas mentales del padre. Luego observe la voluntad del padre para simplemente estar disponible.*

Pensé que tenía una gran relación con mi hija, Caitlin, cuando ella estaba creciendo. Luego llegó a los 16 años. Súbitamente me sentí como los accesorios de moda del año anterior: algo que solía tener valor, pero ya no encajaba. Ella tenía 16 años, su propio auto, su propio empleo. Pagaba su gasolina y su ropa. Yo me había convertido en el gerente del hotel Caitlin. Nuestras conversaciones eran más o menos así:

"¿Cómo estuvo la escuela?"

"Bien."

"¿Cómo va tu trabajo?"

"Bien."

"¿Cómo está el chico nuevo con el que estás saliendo?"

"Papá…"

Empecé a preocuparme que no iba a poder hablar con ella nunca más. Así que llamé a mi hijo de 19 años, que estaba en la universidad. "Greg, soy papá —le dije—. Estoy preocupado por Caitlin. No habla conmigo."

Empezó a reírse. "Papá, tiene 16 años. Nadie quiere hablar con sus padres a los 16 años." Luego agregó: "No la presiones. Espera. Debes estar ahí para ella. No te preocupes, ella te adora".

A partir de esa semana, escribí en mi computadora, bajo mi rol de padre, "tener un momento con Caitlin". No sabía cuándo llegarían los momentos. No podía programarlos, pero tenía la antena arriba para cuando llegaran esos momentos. Sólo había que esperar.

A veces viajaba hasta cinco días a la semana. Cuando estoy fuera de casa, por lo general no duermo bien. Entonces, cuando llego a casa, normalmente entre nueve y diez de la noche, tomo el control remoto, me recuesto en un sillón reclinable frente al televisor y veo cualquier cosa durante una hora. A veces, al entrar por la puerta, grito: "Hola a todos". Pero dentro de cinco minutos, estoy en ese sillón en mi ritual de relajamiento. El día siguiente, después de haber dormido bien, en general puedo dar a todos la atención que necesitan.

Llegué una noche del aeropuerto, sintiendo que en realidad quería interactuar con alguien. Y no lo van a creer, pero ésa fue la noche que Caitlin me necesitó. Al ir subiendo la escalera con mis maletas, me preguntó: "Oye papá, ¿tienes un minuto?"

Empecé a pensar: "Bueno, quizás un minuto sí". Luego me vino otro pensamiento: "Aquí está el estímulo, ahora detente. ¿Qué es aquí lo más importante? ¿Necesito algo de espacio? Aquí está el momento de Caitlin que he estado esperando". En un milisegundo decidí: "Haz lo que sea más importante". [Hábito 3: Poner primero lo primero]. Dejé mis maletas y me senté en un mueble. Caitlin empezó a hablar. Yo no tuve que expresar nada. Sólo me quedé ahí los siguientes 45 minutos, escuchando y filtrando la conversación de vez en cuando.

Casi tres semanas después, un tablero de ajedrez, todo listo para jugar, apareció misteriosamente en la mesa del comedor. Nadie de nuestra familia juega ajedrez. Así que se quedó ahí un par de días. Un día, paso por la mesa del comedor y escucho una voz que me llama: "Papi, ¿quieres jugar ajedrez?"

"Cariño, no sé jugar ajedrez. Vas a tener que enseñarme."

"¡Perfecto!" respondió, y durante la siguiente semana tuve una lección diaria de ajedrez.

Un mes después empezaron a surgir crucigramas por toda la casa. Un día escuché: "Papi, ¿conoces una palabra de tres letras para esto y esto?" Empezamos a hacer crucigramas juntos en el desayuno. De repente Caitlin y yo éramos compañeros de juego. Nuestra relación empezó a ser muy profunda.

La ocasión que supe que mis momentos con Caitlin estaban teniendo su recompensa sucedió cuando fui a visitarla en el trabajo. Caitlin laboraba en un pequeño café haciendo capuchinos. Es el lugar de moda para los adolescentes, y me encanta ir a visitarla los domingos en la tarde.

Un día, Caitlin me miró en cuanto crucé la puerta. Espontáneamente corrió a mi lado y me abrazó. Ese momento valió un millón de dólares para mí. Luego me hizo un capuchino especial. Tiene cierta manera de verter la espuma: la mueve de la parte de arriba de la leche, luego la quita del centro con una cuchara. El resultado es maravilloso: puedo poner dos paquetes de azúcar encima de la espuma y no se derrumba.

Es quien mejor prepara capuchinos que he tenido el placer de conocer.

Otro día cuando ya me iba, me detuve en la puerta para ver qué había en el tablero de avisos. Seguro ella pensó que ya me había ido y que no podía escucharla, pero la escuché comentar a la persona con la que trabaja: "¡Ésa es la mejor parte de mi domingo!" Se me llenaron los ojos de lágrimas.

Ha pasado más de un año desde que empecé a escribir sobre los momentos con Caitlin en mi computadora. Al principio tuve que parar conscientemente, pensar y elegir [hábito 1: Ser proactivo]; fue algo difícil. Ahora, después de muchos meses, las recompensas han sido enormes, profundas y satisfactorias, no hay pausa entre el estímulo y la respuesta. Atrapar los momentos de Caitlin se ha vuelto algo habitual.

Nuestra relación se ha profundizado. Nuestras conversaciones por lo general las comienza ella. Hablamos de todo, desde filosofía y biología, hasta religión, ética, valores y moral. He podido expresar las cosas más importantes que he querido, pero lo más importante es que he llegado a conocerla. Lo que empezó como "Buscar primero entender…" se convirtió en gratitud por conocer el espíritu del otro, por ser capaz de estar con mi hija.

---

 *Durante años las personas han hablado de la importancia de la calidad de tiempo. Sugiero que el tiempo de calidad nunca tome el lugar de la cantidad de tiempo. Ambos son necesarios. Los padres simplemente tienen que estar presentes y disponibles. Éste es un verdadero desafío en el mundo actual donde ambos padres trabajan y luchan mil batallas más. La clave es decidir prioridades (qué es lo más importante, hábito 3: Poner primero lo primero), luego programar tiempo no estructurado para espontaneidad y disponibilidad alrededor de los adolescentes.*

*Esta madre trató de construir una relación con su hijastro, pero se sintió descarrilada en sus esfuerzos debido al rechazo y la pasividad del niño. Note entonces cómo por medio de la autoconciencia ella se volvió proactiva y se enfocó en el cariño sincero, no en los resultados.*

La primera esposa de mi marido lo dejó con su hijo de tres años, Ty. La mayoría de sus parientes dijeron que les daba gusto haberse deshecho de ella. Pero no creo que a un niño le dé nunca gusto estar sin su madre. Ty realmente sufrió. Cuando me casé con su padre, él tenía cinco años. Creo que no podía articular sus sentimientos en ese momento, pero sé que luchaba con la idea completa de la madre: natural o adoptiva.

No ayudó que su madre no lo visitara regularmente. Desaparecía por seis meses o más. Luego un día se presentaba en la puerta: "Quiero estar un tiempo con Ty, también es mi hijo". Sabía el dolor que le causaría, pero se emocionaba mucho de verla. ¿Qué podía hacer? Creo que Ty percibía mi resentimiento. Lo malinterpretaba y pensaba que quería reemplazar a su madre. Sólo deseaba protegerlo. Él me rechazaba. Así fue por años.

Al principio traté de hacer sus cosas favoritas para ganármelo. Soy maestra. No ha habido un solo niño que no me gane en cuando menos seis meses. Pero no Ty. Él era el único pequeño con el que no podía encontrar la forma de entablar una relación. Íbamos al zoológico, a juegos de pelota. Rentábamos botes para ir de pesca. Hacíamos todas sus actividades favoritas. Pero nada. Aunque esencialmente lo estaba educando, no existía una relación cercana entre ambos.

Al principio, me esforcé realmente sin ningún éxito, así que me di por vencida. Yo no era para él. Lo amaba, pero no podía llegar a él. Así que concentré mis esfuerzos en otra parte. Tuve un gran éxito en el trabajo y en la iglesia. En casa, era amable y cortés. Esperaba que él limpiara su cuarto, hiciera sus obligaciones, terminara su tarea. A cambio, yo cocinaba sus comidas, lavaba su ropa, cambiaba las sábanas de su cama. Es todo lo que realmente podía hacer por él.

De adolescente, Ty se metió en muchos problemas. Bebía, usaba drogas. Pasó un tiempo en prisión. Le ayudamos en todo lo que pudimos. Encontramos a un psiquiatra que le ayudara con algunas cosas, especialmente con el hecho de que su madre lo había abandonado. Nuestra relación, si es posible llamarla así, seguía muy distante. Para ser honesta, yo no pasaba mucho tiempo en casa. No me era factible manejar la tensión cuando él y yo estábamos en el mismo lugar.

Después de 16 años de matrimonio y educar a un niño, a quien realmente veía como mi hijo, escuche la historia "Verde y limpio" en *Los 7 hábitos*. Y se hizo la luz. "Oh, Dios mío, —pensé—. Eso es. Eso es. Hay que educar niños sobre el pasto". Sabía que ahí es donde estaba perdiendo el punto. Durante un tiempo, tener el pasto verde y limpio fue más importante que el niño. En mi vida, veía cómo mis demandas hacia Ty (limpia tu cuarto, recoge tu ropa, talla la tina) se interpusieron en nuestro camino. Pensé: "Ajá, no, ya no puedo hacer esto. Él es más importante que nada. Tengo que intentarlo, cuando menos debo hacerlo".

Ty ya tenía entonces 22 años. Fue entonces que dejé de hacer demandas y decidí construir mi relación con él. Primero, concluí que no desaprobaría automáticamente las estupideces que él decía. Me mordería la lengua y escucharía su intención. Luego, respondería de manera que no lo amenazara. Segundo, sabía que necesitaba pasar más tiempo con él. El problema era que él no quería pasar tiempo conmigo. Lo dejó muy claro en una conversación cuando empecé a tocar el tema: "Bueno —dije—, ¿cuando menos podrías cenar conmigo una vez al mes?" Se detuvo, volteó y me respondió: "Sí, tal vez eso sí es posible". Ése fue nuestro fructífero inicio.

Durante seis meses me dediqué a hacer depósitos en su cuenta de banco emocional. Lo escuché con intención y detenidamente. Salimos a cenar juntos una vez al mes. No lo forcé a convertirse en lo que yo creía que debía ser. Después de ese tiempo, me di cuenta de que somos personas muy diferentes. En realidad empecé a aceptar que siempre tendríamos puntos de vista diferentes sobre la vida. Después de seis meses pude ver a Ty, el verdadero Ty, mucho mejor que nunca antes. Creo que él también lo hizo.

Han pasado cuatro años desde que empecé a hacer esos depósitos. Ty ya vive solo ahora. Esta mañana pasó a visitarme. Sólo vino a platicar un rato. Me da mucho gusto verlo. Nuestra relación mejoró tanto que nunca soñé que sería así. Tenemos una relación bella que atribuyo por completo a finalmente haber puesto primero lo primero.

***

 *Cuando las personas tienen experiencias de rechazo, con frecuencia se retraen en una especie de concha para protegerse de un nuevo rechazo. Cuando hacemos del amor un verbo, y no sólo un sentimiento; cuando lo hacemos un valor para realizar, no sólo un sentimiento; y cuando somos consistentes y sinceros, quienes han sido emocionalmente golpeadas y se han vuelto cínicas, en forma gradual empiezan a creer de nuevo. La tendencia de los adolescentes al rechazo viene del temor a ser rechazados. Es también una profecía que se auto-cumple.*

*Recuerdo una vez que le comenté a mi hija, quien había tenido una experiencia de rechazo: "Cariño, sigue siendo vulnerable". Ella contestó: "Pero duele, papá". Yo añadí: "La seguridad se obtiene de la congruencia con tus creencias y sistema de valores, no de cómo te tratan otras personas; entonces puedes darte el lujo de ser vulnerable en la superficie de tu vida, porque*

*muy en lo profundo no lo eres". Una de las cosas más amorosas de alguien es su vulnerabilidad. Otros se identifican con ella y a menudo se nutren suficientemente para exponer su vulnerabilidad. El vínculo más grande en las relaciones se da cuando ambas partes traslapan sus vulnerabilidades. Es por ello que la clave para seguir enamorado es compartir sentimientos, no sólo experiencias y pensamientos.*

¿REALMENTE QUIERES ESO PARA MÍ, PAPÁ?

*Mire cómo en esta historia, el padre no se rindió ante su hijo ni hizo lo que él quería. Note también el hambre tremenda del hijo por ser valorado, y su asombro al ver que su papá realmente le daba ese valor.*

Fui a casa una tarde y encontré a mi hijo de 15 años, estudiante de secundaria, muy molesto por tener que volver a presentar el examen escrito de inglés. Estaba sentado en el piso de la cocina, poniéndose cada vez más y más enojado. Llegó a enojarse tanto que empezó a llorar. Ésta no era una conducta normal en él. Me repetía a mí mismo: "¿Qué sucede aquí? Tengo que saber qué es. Debo ponerme a escuchar. Muy bien, ¿cuáles son esas preguntas que debo hacerle? Ahora recuerdo, el escuchar de forma empática es como dar aire psicológico".

Después de probar un poco entre lágrimas y enojos, resultó que Mike estaba preocupado porque le iba a llevar mucho tiempo terminar el examen. Una de sus manos estaba enyesada, por lo que no podía escribir tan rápido como lo hacía normalmente. En su temor, había imaginado este examen hasta que se vio empezando a las dos de la tarde y terminar a las 12 de la noche. También entre llantos dejó escapar: "No quiero hacerlo, papá. No quiero hacerlo. No me hagas hacerlo, papá. Escríbeme una nota para que no tenga que hacerlo".

Como había estado tratando de lograr empatía, pude repetirle sus preocupaciones. "Mike, estás preocupado por tomar este examen y cuánto tiempo tendrás que estar ahí."

"Sí."

"Qué tal si llamo mañana a la asistente del director y le digo que estás preocupado por la duración del examen. Tal vez sea posible pedirle que después de 30 minutos te pregunte si no estás cansado. Luego cada 15 minutos tras eso. De esa manera puedes empezar el examen. Luego irás viendo cómo te sientes. ¿Te parece bien?"

Vi cómo le volvía el color a la cara. Se me quedó mirando. "¿Harías eso por mí? ¿Realmente lo harías?"

"Lo haría. Si eso te ayudara."

"Bueno, cuando llames, ¿podrías preguntarle si tengo que presentarlo?" Tenía una mirada de súplica en los ojos.

"Mike, sabes que no puedo hacer eso. Tienes que presentar el examen y pasarlo. Pero ¿realmente estás preocupado por no tomarlo? ¿O es más que tienes miedo de sentirte cansado?" Traté de recordarle lo que yo creí que era su temor.

"Sí, sí, tienes razón. Realmente eso es lo que me da miedo", admitió.

"Muy bien, entonces la llamaré en la mañana. Luego te avisaré."

Mike no podía darse por vencido. Lo intentó de nuevo. "Entonces, vas a llamarle y decirle lo de mi mano rota. Ella te contestará que no tengo que presentar el examen..."

"No. Lo que expresé fue que la llamaré y le avisaré de tu preocupación sobre el tiempo. Entonces ella agregará que va a verte cada 30 minutos para asegurar que no estés demasiado cansado."

"Pero papá. Me va a dar hambre. No se permite comer ahí. No puedo estar más de seis horas sin comer. ¿Qué voy a hacer? La cafetería está cerrada y no es posible llevar comida al salón." Podía decir que todavía tenía miedo y ahora estaba buscando cualquier forma de escaparse para no presentar este examen.

"Pero, Mike, estás preocupado de que te dé hambre."

"Sí, sí. No puedo estar tanto tiempo sin comer. Me desmayo."

"Muy bien. Le preguntaré también sobre comida. Veremos si es factible hacer un arreglo para que lleves comida si es necesario." Sabía que sólo requería paciencia mientras se salía del embrollo en que él mismo se había metido. También que tomaría tiempo, así que seguí mostrándole que podía ayudarle a arreglar los problemas que estaba enfrentando.

"Bueno, sí, si le preguntas sobre la comida también estaría bien", me concedió.

"Muy bien" —dijo—, "ése es nuestro trato. Ahora vas a subir a prepararte para la cama, termina la tarea y duérmete temprano. Así estarás listo en la mañana para repetir el examen. Y yo llamaré a la asistente del director para comunicarle tus inquietudes."

"Está bien. Suena bien. Gracias, papá."

Me despedí en la mañana, le di un fuerte abrazo, lo puse en el autobús, luego llamé a la asistente desde mi oficina. Cuando hablé con ella, le externé las preocupaciones de Mike. Al principio no comentó nada, pero luego: "Señor Hofmeyer, Mike no lo sabe, pero vamos a tener una fiesta con pizza a la una de la tarde para que se relajen los chicos; habrá sodas y bocadillos en el salón donde estén realizando el examen; sólo lleva aproximadamente 90 minutos repetirlo; y cuando menos noventa chicos de 140 van a volver a presentarlo. Tendrá mucha compañía. Le apuesto que piensa que estará ahí él solo. Pero no será así. Puede indicarle esto si lo desea. O dejarlo para que sea una sorpresa". Para cuando ella terminó con esto, yo estaba sonriendo.

Le agradecí su tiempo y colgué. En unos minutos sonó el teléfono. Era Mike.

"Papá, ¿hablaste con ella?"

"Sí, Mike. Me aseguró que estarás bien, que nunca ha visto a nadie tardarse más de dos horas. Está muy feliz de verificar contigo cada media hora. Y si realmente tienes mucha hambre para escribir, hará que te traigan algo de comer. Si hay más preguntas, estará feliz de contestarte lo que sea."

"¿Realmente la llamaste, papá?"

"Sí, Mike, realmente la llamé."

"Perfecto. Adiós."

Esa tarde, Mike entró en mi oficina. Había tomado el tren para llegar ahí e ir a casa conmigo. Era todo sonrisas. "¿Adivina qué, papá? Sólo me llevó una hora y media. Y había pizzas..." Qué cambio. Menos de 24 horas antes estaba pateando el piso de la cocina bañado en lágrimas. Y ahora estaba aquí caminando entre nubes con su padre. Esa experiencia me enseñó dos cosas: una, que cuando soy el padre de mi hijo sólo en la forma en que él necesita que sea, hay logro. Dos, que la paciencia, buscar primero entender, y hacer y honrar compromisos son la base para construir confianza en cualquier relación.

---

 *Creo que si una persona ama a otra en cinco maneras resulta sinergia, el amor se recibe y se crean lazos. La primera forma es entender, sobre todo los sentimientos y los significados más profundos. La segunda es buscar ser entendido, también en particular sentimientos y significados más profundos. La tercera es afirmar explícitamente la valía del otro con palabras; lo que siente por ellos y afirmar su potencial, que ellos "pueden hacerlo". La cuarta es rezar con ellos y para ellos si creen en esto. Y la quinta es sacrificarse por ellos, hacer algo para ellos que estaría fuera de lo que por lo común pensarían que usted haría. Dicho*

*sacrificio era la clave real de la relación en esta historia; el padre estaba dispuesto a sacrificar la percepción del chico de la zona de comodidad de su padre, lo cual marcó toda la diferencia.*

# MATRIMONIO: VALORAR LAS DIFERENCIAS

- CELEBRANDO LAS DIFERENCIAS
- CENTRO DEPORTIVO
- AMOR ES UN VERBO
- EL INVERNADERO
- MI ESPOSO DE ESPÍRITU LIBRE
- FUSIONANDO MISIONES
- SEÑORITA SUPERLAVADORA

> *Ésta es una historia absolutamente extraordinaria sobre la sinergia que surgió de la diversidad dentro de una familia. Enseña cómo un valor más alto de amor familiar y respeto por las diferencias, gradualmente evolucionó por medio de dificultades y problemas muy serios. Note qué profunda felicidad y paz se produjo dentro de esta familia intergeneracional.*

El matrimonio es una experiencia maravillosa, pero desafiante, especialmente cuando se trata de diferentes culturas, costumbres, religiones y grupos étnicos. Hace 15 años, cuando me casé, aprendí muchas lecciones difíciles pero valiosas. Soy de origen hindú, nací en una pequeña isla del otro lado del mundo. Crecí en Washington, D.C., en una comunidad fascinante y cosmopolita debido a la posición de mi padre en los cuerpos diplomáticos.

Al crecer en Estados Unidos, mi familia adoptó muchos estilos occidentales, pero había también muchas actitudes culturales y prácticas que eran tradicionalmente hindúes. Cuando conocí al que sería mi esposo, surgieron muchas preguntas porque él tenía antecedentes muy diferentes: estadounidense blanco del oeste y de una familia cristiana extremadamente religiosa. Por supuesto, empezaron los conflictos, sobre todo de nuestras familias, las cuales tenían diferentes puntos de vista.

Siempre recordaré el día en que casi termino mi relación simplemente porque me sentí presionada por ambas partes. Por un lado, mi familia tenía reservas sólidas sobre dicho matrimonio debido a las diferencias, en especial a la luz de mi deseo de adoptar la religión de mi prometido y de nuestros planes de vivir en un pueblo remoto y no cosmopolita del oeste. Por otro lado, la familia de él tenía reservas por las expectativas de que su hijo se casara dentro de su comunidad religiosa y en una familia con tradiciones similares.

Rápidamente me di cuenta de que mientras entendía de dónde venía cada familia, también sabía que tenía que encontrar valor para decidir mi propio camino. No le di la espalda al desafío; de hecho, mi esposo y yo decidimos tomar las riendas de nuestras vidas. Con amor y respeto por nuestras familias, decidimos seguir adelante y construir nuestras relaciones familiares con amor y amabilidad.

Después de terminar mi educación universitaria, regresé a casa con muchos temores, porque sabía que sería difícil hacer lo que quería. Crecí en una cultura donde los niños se ven, pero no se escuchan. Por primera vez en mi vida, debía hacer que me escucharan. Mi papá es autoritario por tradición y yo representaba el papel de pacifista y tenía que aceptar cualquier cosa que se presentara en mi camino, buena o mala. Ahora, por primera vez en la vida, estaba tratando de ser yo misma.

La reacción de mi padre a mis planes fue exactamente la que esperaba. Se enojó y lo prohibió, diciéndome que el hombre con el que quería casarme no era bienvenido en nuestro hogar. Con todo el valor que reuní, pero con gran calma y seguridad, contesté: "Entonces yo tampoco puedo estar aquí".

Después de esto, entramos en una guerra fría al grado de no hablar de ello hasta el siguiente día, cuando algo extraño sucedió: ¡Finalmente me habían escuchado! Mi papá me pidió que fuera con él a la ciudad y acepté, como siempre lo había hecho cuando me invitaba a ir con él. Es un hombre muy reservado y no comparte mucha conversación, pero estar en su compañía significaba algo.

Habíamos estado en silencio un tiempo cuando mi papá, con cierta tristeza, me dijo que invitara a mi prometido a la casa. Cuando expresó esto me quedé en silencio y sólo escuché. No siempre estoy segura de qué contestarle, así que sólo escuché. También me pidió que planificáramos una fiesta con amigos y asociados para anunciar formalmente mi compromiso. ¡Me quedé petrificada! Hacía sólo 24 horas había prohibido esta relación y ahora me estaba dando sus bendiciones. Me sentía aliviada y agradecida, sabiendo lo difícil que había sido para mi padre llegar a ese punto.

Poco tiempo después, mi novio vino a visitar a mi familia. Fue maravilloso tenerlo ahí y le presentamos muchas cosas desconocidas para él: nuestra cultura, nuestra comida y música, así como también nuestras costumbres hindúes. Para esta fiesta, usé el sari de mi madre, un vestido tradicional de la India. También hubo una oración hindú tradicional para mi prometido y yo, que bendecía nuestra relación y nuestra futura boda. Fue maravilloso ver a mi novio aceptar todo lo que era extraño para él. Creo que esto también debe haber sido un alivio para mi familia.

La ceremonia de nuestra boda era el principio de una hermosa mezcla de dos hermosas familias. Mi vestido era un sari rosa hindú, con brocado plateado, y mi esposo traía puesto un traje. Intercambiamos guirnaldas florales, que es una costumbre hindú en las bodas, y nuestro pastor realizó una ceremonia sencilla, pero memorable, en la cual ambas familias participaron.

En los años siguientes, mi hermano y mi hermana fueron un gran apoyo como siempre; sin embargo, los sentimientos de mis padres eran diferentes, sentían que habían perdido a su hija. Con el tiempo, los sentimientos empezaron a suavizarse. Un punto crucial fue cuando tuve a mi primer hijo, una hermosa bebita. Era la primera y única nieta de mis padres. Tener esta bebé para compartir entre nosotros nos acercó mucho; además, empezó a surgir una sensación de aceptación.

Nunca olvidaré el día, durante una visita a casa, cuando mi madre me ofreció con amabilidad hacerse cargo de mi hija si algo sucedía a mi esposo o a mí. Me conmovió profundamente no sólo por su amor hacia mí y su nieta, sino porque ofreció educar a mi hija de acuerdo con mi nueva religión. Me imaginé lo que debió haberle tomado llegar a un punto así en su corazón. Fue en ese momento que sentí su aceptación y paz. Esta experiencia está para siempre grabada en mi corazón.

Durante estos años, mi padre también mostró su amor y aceptación en formas peculiares pero significativas. Muchas veces usaba su influencia en la comunidad diplomática para ayudar los esfuerzos de mi nueva religión. Con frecuencia mi papá hacía un esfuerzo extra por el bien de esta institución religiosa y siempre me preguntaba a mí misma por qué lo haría, considerando sus sentimientos. Fue también una experiencia inolvidable.

Hace tres años sentí aceptación total. Cuando mi querido hermano murió, mi familia estaba regada por todo el mundo. Al reunimos con amor y dolor, encontramos una manera de conectarnos como nunca antes. Mi madre me pidió que ofreciera una oración en el funeral de mi hermano. Me sorprendió porque mamá sabía que sería una oración cristiana, y no le importó. Fue un honor tan grande que me pidiera hacer esto, entonces supe que estaba aceptando mi práctica religiosa y mi fe. Durante este glorioso servicio de diversas creencias, mis oraciones se unieron a las de muchas otras religiones: hindúes, musulmanes, budistas, cristianas y judías. Ahí sentí la belleza y el poder de los principios divinos y universales que gobiernan todas las creencias. Estoy segura de que mi hermano estaba muy complacido ese día, porque su vida fue un ejemplo extraordinario de cómo celebrar las diferencias de personas de todas partes.

Hoy, estoy educando a mis tres hermosos hijos que están muy orgullosos de la herencia hindú que tienen de su madre, y de la herencia danesa, inglesa y americana de su padre. Con el valor y el apoyo de mi esposo, hago lo mejor que puedo para volver mi cultura y antecedentes hindúes parte de nuestra familia. Mis hijos saben que todavía me considero hindú, al igual que vivo mi religión cristiana recién adoptada. Por medio de todo, mi esposo y yo estamos tratando de enseñar a nuestros hijos a apreciar los lazos comunes que nos unen a todos, así como a celebrar nuestras diferencias.

Con amor, valor, fe y esperanza, el círculo de mi familia creció, mi familia y la familia de mi esposo están orgullosos de nosotros, y todos compartimos algo común: un amor poderoso por los demás… y el amor lo conquista todo.

---

 *El lema nacional francés rodea tres valores básicos. Los primeros dos, igualdad y libertad, si se llevan a extremos, son divergentes entre sí. Pero cuando se adhieren al tercero, fraternidad, se vuelven convergentes y se dan servicio entre sí. Estos momentos vitales que ayudan a producir dichos valores trascendentes y que permiten que los valores divergentes se conviertan en convergentes por lo general llegan cuando hay evidencia de gran valor y amabilidad.*

*Es muy sencillo ser amable cuando no se necesita tener valor; también es relativamente fácil tener valor sin ser amable. La esencia de la verdadera integridad y madurez, como mi profesor de Harvard, Rhand Saxenian, me enseñó, es ser valiente y amable simultáneamente.*

Centro deportivo

> *Observe en esta historia la conciencia creciente de lo difícil que es escuchar sinceramente, y cómo refleja el valor que uno pone en otra persona. La calidad de las relaciones se refleja en la calidad de la comunicación.*

Durante la temporada de fútbol hace un par de años, mi pasión eran Steve Young y los 49 de San Francisco. Un sábado en la mañana durante los *playoffs*, mi esposa Angie y yo estábamos hablando de este asunto. Ella tenía mucha energía. Los dos estábamos sentados en la mesa, frente a frente. Sobre el hombro de Angie yo podía ver la televisión. Estaba el programa *Centro deportivo* y empecé a pretender que la escuchaba, aunque volteaba con frecuencia a ver el televisor. Pensé que lo estaba haciendo muy bien y que ella creía que realmente la estaba escuchando.

Luego de repente, pasan un video de Steve Young y me quedo absorto en la pantalla. Antes de darme cuenta, Angie se enojó conmigo y estaba en todo su derecho. La conversación cambió a lo mal educado de mi parte por pretender que la estaba escuchando cuando en realidad estaba mirando el aparato.

No resolvimos algo así muy fácil. Pasamos varias horas discutiendo. Todo mi día se arruinó porque sentía lo enojada e infeliz que estaba mi esposa.

Llegó el sábado por la noche. Angie ya no está enojada por el asunto que estábamos discutiendo antes. Se acabó. Ahora está molesta porque no tengo la decencia de escucharla. "Después de todo —dijo—, estoy todo el día en casa con los niños, necesito un adulto con quien hablar y mi esposo, que se supone me valora más que a nadie, ni siquiera tiene la cortesía de realmente escucharme."

Son las 10 o 10:30 de la noche, estamos arriba en la recámara y el programa deportivo está de nuevo en la tele. Estamos hablando de que veo la televisión mientras pretendo escucharla. Estoy justo disculpándome con ella, aceptando lo grosero que fui y ¿qué hago? Estoy otra vez mirando a Steve Young. ¡Ay!

No es necesario decir que no resolvimos eso hasta el día siguiente.

En realidad buscar primero entender no es fácil. En ocasiones *creo* estar practicando el hábito 5, cuando en realidad estoy sólo yendo por las mociones de la técnica mientras que mi corazón está en otra parte. Cuando lo hago, Angie siente que estoy ausente y le duele mucho. Las personas saben cuando uno no es sincero. Claro que lo saben.

Afortunadamente, Angie conoce lo suficiente de los 7 hábitos para ser peligrosa. A veces incluso me reta: "No practiques esas cosas de Covey *conmigo*". Pero cuando mi corazón tiene razón, cuando realmente estoy enfocado en mi esposa, ella nunca piensa, siente o cree eso. Las cosas van bien.

Estoy aprendiendo.

---

 *He encontrado que el hábito 5 es una prueba tornasol de nuestro carácter. Si estamos dentro de nosotros mismos, de nuestro pensamiento, de nuestro propio mundo, simplemente no escuchamos. Incluso si intentamos practicar escuchar, sólo lo estamos pretendiendo. Practicar la técnica de empatía reflejando lo que la otra persona comentó es manipulador y de seguro será contraproducente. Como el proverbio del* iceberg, *la técnica es la punta, en tanto que el motivo y la actitud de querer en verdad entender es la gran masa debajo del agua. Es por ello que la victoria privada de los primeros tres hábitos es tan fundamental y también por ello el espíritu de respeto que se encuentra en el hábito 4: Pensar ganar-ganar es trascedente para el hábito 5: Buscar primero entender, luego ser entendido. Cuando la victoria privada se gana, las personas se sienten seguras y en paz con ellas mismas. Pueden darse el lujo de aventurarse fuera de su mundo y entrar en el mundo de otro.*

## Amor es un verbo

*Mire la cantidad de paciencia y persistencia que requirió esta mujer para practicar actos específicos de amor hasta que regresó ese sentimiento por su esposo.*

"Amor es un verbo", me repito una y otra vez en la mente. Aprendí esta frase en una historia de *Los 7 hábitos* de un

137

esposo que ya no sentía amor por su esposa. El consejo que recibió era "¡Ámala!"

"Pero, ¿cómo amas cuando ya no sientes amor?", expresó el esposo. La historia continúa explicando que el amor, el sentimiento, es el resultado de acciones amorosas.

Creo que es cierto y decidí que iba a vivirlo. Mis sentimientos de amor habían desaparecido de nuestro matrimonio y dejaron una relación gastada. Pensé que si hacía cosas amorosas y trataba a mi esposo con cortesía, los sentimientos regresarían.

Un día, mientras caminaba sola por el pasillo de un supermercado, me sentía desalentada por algunos conflictos recientes entre nosotros y empecé a repetir en mi mente: "Amor es un verbo, amor es un verbo…" Seguí haciéndolo un tiempo, pero después de varios meses no me sentía mucho mejor. Fui con unas amigas muy cercanas que me escuchaban cuando necesitaba ventilar mis frustraciones y ellas apoyaron mis esfuerzos. Recordé que si no se ven resultados de inmediato, hay que persistir.

Recordé una cita de Rainer María Rilke: "El amor de un ser humano hacia otro es quizá la tarea más difícil de todas… el trabajo para el cual todo el trabajo es preparación". Debo admitir que no siempre sentía amor cuando escuchaba el punto de vista de mi esposo o lo besaba cuando llegábamos a casa después del trabajo. Aunque me di cuenta de que ahora era difícil, en un momento mis sentimientos de amor habían sido reales y nuestra relación había sido dulce y adorable. Quería volver a sentir lo mismo.

Así que empecé a buscar pequeñas cosas que él hacía por mí y expresar mi apreciación por su ayuda, como cuando aspiraba la sala después de una noche de rosetas de maíz y videos. Le compraba sus dulces favoritos en la farmacia. Le alababa cómo se vestía cuando salíamos y le mostré mi orgullo cuando remodeló el sótano. Buscaba lo bueno para apreciarlo, y criticaba menos [cuenta de banco emocional].

Han pasado ocho años desde que leí esa historia y tomé la decisión consciente de "amar" a mi esposo. Me tomó un poco más de lo esperado. Todavía tenemos altas y bajas, pero cuando digo: "Te amo" hay un sentimiento muy dulce en mi interior. Estoy "enamorada" de nuevo y feliz junto a mi esposo. Amor es un verbo. Lo comprobé y valió la pena el trabajo.

 *Con los años, desde que empecé a enseñar que el amor es un verbo, han sucedido cosas sorprendentes. Las personas me han dicho que encuentran que la envidia es un verbo, que el perdón es un verbo, que la ira es un verbo, que el valor es un verbo y así sucesivamente. Como la distancia entre el estímulo y la respuesta se convierte en parte de la conciencia de uno, cuando actuamos dentro de ella sobre la base de valores, más que de sentimientos o eventos, ganamos más y más control sobre nuestras actitudes y acciones. El resultado neto es que nuestra vida se vuelve un producto de nuestras decisiones, no de nuestras condiciones.*

### El invernadero

> *Dos cosas maravillosas sucedieron cuando esta mujer intentó sinceramente entender a su esposo. Primero, redefinió qué era para ella ganar y perder. Segundo, una nueva sensación de significado y propósito se extendió a la vida de su esposo.*

Mi padre había sido un excelente dentista por 30 años cuando se le diagnóstico amiloidosis, una rara enfermedad similar al cáncer. Los médicos le dieron seis meses de vida. Debido a los efectos de la enfermedad, tuvo que dejar su práctica. Así que este hombre que había sido siempre en extremo activo, se sentía sin nada qué hacer todo el día excepto pensar en su fatal mal.

Decidió que quería alejar su mente de todo esto y puso un invernadero en el patio de atrás, donde pudiera cultivar sus plantas favoritas. No era un invernadero elegante de vidrio de los que se ven en las mansiones victorianas. Éste era uno de esos invernaderos que vienen completos en una caja, con plástico corrugado como techo y plástico negro en los lados. Mi madre no quería esa monstruosidad en su patio. Aseveró que se moriría si los vecinos la veían. El tema del invernadero llegó a un punto donde no podían siquiera hablarse de manera civilizada. Creo que el asunto se convirtió en su manera de sacar la ira que tenían por la enfermedad.

Un día mi mamá me dijo que estaba pensando en tratar de entender realmente el punto de vista de papá. Quería resolver la situación para que ambos estuvieran felices. Sabía que no quería un invernadero en su patio. Prefería tener la gloria matutina en todas sus camas con flores perennes que ese invernadero. Pero también sabía que quería que papá fuera feliz y productivo. Decidió ceder y dejar que lo hiciera. Algunas personas podrían decir que ella fue por perder-ganar. Pero desde su perspectiva fue un ganar. Ella determinó que la felicidad de papá significaba más que el patio y los vecinos.

Como se esperaba, el invernadero mantuvo a papá activo mucho más tiempo del que los médicos habían pronosticado. Vivió dos años y medio más. Por la noche, cuando no podía dormir a causa de la quimioterapia, salía al invernadero para ver cómo iban sus plantas. En la mañana, regar esas plantas le dio una razón para levantarse. Su invernadero le dio trabajo que hacer, algo en qué concentrarse mientras su cuerpo se colapsaba. Recuerdo a mamá comentando que apoyar el deseo de papá de construir el invernadero fue una de las cosas más sabias que ha hecho en su vida.

---

 *Inicialmente el invernadero fue un "perder" para la esposa hasta que subordinó su juicio a la felicidad y el*

*bienestar de su esposo. Esto enseña que cuando entende-*
*mos (hábito 5), redefinimos qué es ganar-ganar (hábito*
*4). Sin embargo, si ella al principio no hubiera sentido*
*respeto suficiente (hábito 4) como para querer enten-*
*der lo que era importante para su esposo (hábito 5), no*
*hubiera podido lograr un cambio. Es interesante ver*
*que la energía que resultó no era una solución de ter-*
*cera alternativa, era una actitud de tercera alternativa.*
*La primera era no tener el invernadero. La segunda era*
*dejarlo poner el invernadero contra su voluntad. La ter-*
*cera era entenderlo verdaderamente, para encontrar su*
*felicidad con amor y alegría en su satisfacción. Esto con*
*frecuencia es la forma en que funciona la sinergia. Un*
*observador externo podría decir que era un compromiso,*
*pero si hablara con esta mujer ella con seguridad nega-*
*ría haberlo hecho por compromiso. Se integró a sí misma*
*la felicidad y el bienestar de su esposo. Dicha sinergia de*
*actitud es una expresión magnífica de amor maduro.*

MI ESPOSO, DE ESPÍRITU LIBRE

*El poder de la autoconciencia es en lo absoluto asom-*
*broso; es tan exclusivamente humano. En esta pequeña*
*historia esta mujer reflexionó sobre su enunciado de*
*misión y permitió que sus palabras la desafiaran a*
*vivirla: valorar las diferencias en su esposo. Estudie*
*cómo llegó a ver a su esposo de manera diferente una*
*vez que tuvo su propia Epifanía. Aunque su cambio de*
*paradigma era evolutivo, resultó en una consecuencia*
*revolucionaria.*

Siempre luché con asumir responsabilidad personal [hábito 1:
Ser proactivo]. Encuentro mucho más fácil y reconfortante culpar a alguien o algo por como son las cosas. Alguien o algo

que no sea yo, por supuesto. Entonces, después de escribir mi enunciado de misión, lo puse en el rincón más recóndito de mi escritorio y lo dejé ahí. Durante seis meses. Mientras viajaba, leí un artículo en la revista *USA Today* que atrajo mi interés de dar a los hábitos otra oportunidad. Al revisar los principios, me fue evidente que lo que me hacía falta era la experiencia de la victoria privada.

La ocasión estaba a la vuelta de la esquina. Saqué mi enunciado de misión y lo leí. Justo en el centro estaba esta oración sobre festejar lo bueno de mi esposo. Una pequeña voz interior me desafió: "¿Y lo haces?" Me encogí de hombros e hice el compromiso de leer este enunciado de misión todos los lunes para recordarme de qué se trataba. Entonces escuchaba esa voz interior todos los lunes en la mañana. Ya sea que revisara mi enunciado de misión en un avión o sólo la visualizara pensando en él, estas pocas líneas me golpeaban en la cara. Escuchaba: "¿Y lo haces?" Y pensaba: "¿Estoy realmente viviendo esto?" Empecé a examinarme.

Mi esposo y yo somos muy diferentes. Yo soy estructurada, organizada e incluso de buen temperamento. Él es justo lo opuesto. Es desorganizado y muy testarudo. Supongo que algunas personas lo llamarían intuitivo o emocionalmente liberado. En mi intento por hacerme sentir bien y señalar culpas, siempre pensé en sus cualidades de manera negativa. Así podía culparlo por los problemas que encontrábamos juntos. También llegué a creer que no había nada que pudiéramos hacer para resolver estos asuntos; Larry era como era. Yo no iba a cambiarlo.

Mientras más pensaba en este hombre con quien me había casado hacía 23 años, empecé a verlo con una luz diferente. Me di cuenta que no se trataba de su sensación de aventura libre de espíritu. Todas nuestras vacaciones habían sido organizadas en el último momento y mal. Nunca habíamos descubierto los pingüinos en la playa en Cape Town, o ese restaurante a la orilla del canal en Amsterdam. Cuando yo planeaba las vacaciones, sabíamos exactamente a dónde íbamos, dónde nos quedaríamos, cómo llegaríamos ahí, y a qué hora esperábamos hacerlo. También vi que lo que yo siempre había contemplado como sus rasgos negativos eran negativos sólo porque eran diferentes a los míos [hábito 6: Sinergizar]. Siempre había rechazado aceptar las cosas que son diferentes, incluso de mi esposo. De alguna manera, lo había mantenido en la raya durante 20 años.

Ahora tenía una nueva apreciación por Larry. Podía verlo en una forma completamente diferente. Este cambio de paradigma también me dio una de mis victorias privadas. Me las arreglé para reemplazar percepciones falsas con datos exactos sobre mí misma. Me sentí acertada para hacerlo por esa transformación.

---

 *Las dos maneras más poderosas que conozco de conectar la mente consciente con el subconsciente, donde se llevan a cabo los guiones y la programación más profundos de la vida, son primero visualizar y afirmar las cosas que tienen gran significado para nosotros, y segundo escribir, lo cual es una actividad psiconeuromuscular que puede literalmente imprimir el cerebro.*

*Estas dos poderosas actividades van juntas en la preparación de un enunciado de misión (hábito 2: Comenzar con el fin en la mente). Optimiza la probabilidad de poder eclipsar y tal vez incluso borrar la programación negativa anterior.*

## Fusionando misiones

*Probablemente hay pocas experiencias tan íntimas como cuando las personas comparten su enunciado de misión. Observe esta historia del aprendizaje mutuo que se llevó a cabo bastante antes de que esta pareja compar-*

*tiera sus misiones. Luego note también el impacto que tuvo este acto de compartir.*

Trabajo como capacitador en una gran corporación en Illinois. Como parte de la capacitación, estoy certificado como facilitador de los 7 hábitos. Capacito a los empleados de nuestra planta y también ofrezco programas a la comunidad. Mi esposa y yo hemos estado casados 30 años. Ha sido un matrimonio muy bueno. Ella es maestra de educación especial, tenemos tres hijas y vivimos en una de esas calles anchas en el centro de la ciudad.

En mis años de dictar seminarios a la comunidad, mi esposa nunca había tomado uno. Hablábamos mucho del tema y ella lo conocía muy bien. A veces, cuando salíamos, yo actuaba como si no tuviera el servicio que creía merecer. Ella me daba un codazo en las costillas y decía: "Oye, voy a llamar a tu jefe para que te revoquen la licencia de facilitador".

Luego una semana, hace unos dos años, mi esposa llegó a una sesión con el grupo de maestros de su distrito. Hablaban de intimidación. Cada vez que yo explicaba un concepto, los escuchaba murmurar: "Oye Kris, ¿realmente lo hace? ¿De verdad Dave actúa así en casa?" Podía escuchar su risa. A pesar de mis problemas de credibilidad, la sesión resultó muy buena. Y nuestra relación llegó a un nivel más alto.

Ahora que compartimos entendimiento del material, de repente obtuvimos una manera de hablar sobre lo que queríamos de la vida. Mientras Kris escribía su enunciado de misión, vi que nunca había compartido mi misión con ella. No porque fuera secreta, sólo porque nunca había pensado en hacerlo. Entonces compartimos nuestros enunciados. Creo que siempre supe que sería importante para ella. Pero leer lo que ella había escrito me aclaró bastante sus metas.

Como leí el enunciado de misión de Kris, entiendo lo que siente sobre la educación. Y me aseguro de hacer todo lo posible para apoyarla en sus metas. Ella empezó un poco tarde en la vida. Somos parte de la vieja generación donde las mujeres casi siempre se quedaban en casa a educar a los hijos. Le llevó 20 años conseguir su diploma de bachiller. Luego hizo una maestría y ahora está trabajando en su doctorado. En este punto, para mí su carrera es más importante que la mía. Tengo 60 años y me estoy aproximando al retiro. Ella piensa en su carrera, en lo que quiere hacer con el tiempo que le queda. Yo trato de apoyarla. Cuando llega a casa por la noche (les comenté que ya no doy clases por las tardes), me ayuda saber por qué ella está haciendo lo que está haciendo.

En realidad siento que cada uno de nosotros conoce el corazón del otro; por medio de nuestros enunciados de misión, nuestro matrimonio y especialmente nuestra comunicación son cada vez mejores, aunque ya antes eran buenos.

---

 *Desde mi observación y experiencia existe sólo otra actividad que es más poderosa que fusionar misiones y es la creación de una nueva misión entre esposo y esposa o dentro de una familia (hábito 2: Comenzar con el fin en la mente). Si en realidad sale del corazón, de la mente y de las partes más profundas de los involucrados, si se hace con gran paciencia y con la participación de todos, y si todos saben qué se usará como criterio con el cual se tomarán todas las decisiones, nada acerca más profundamente que dar origen a una misión.*

Señorita superlavadora

> *Vea aquí la razón impresionante de por qué entender a la otra persona debe ser siempre el primer depósito en la cuenta de banco emocional.*

Cuando supe de los depósitos en la cuenta de banco emocional decidí intentarlo. Pensé en hacer algo especial por mi esposo para mejorar nuestra relación. Me imaginé que tener a los niños con ropa muy limpia cuando él llegara a casa y en general toda la ropa limpia más rápido realmente lo haría más feliz.

Después de dos semanas de ser la señorita superlavadora no hubo ningún comentario de su parte; en serio, no hubo nada, no creo que siquiera lo hubiera notado, y yo empecé a molestarme. "Esto no vale la pena", pensaba. Luego, de repente, una noche cuando él se había ido a acostar entre sábanas súper limpias sin decir nada, se me prendió el foco.

"¡Ay!, Dios mío. A él no le importa que Zac tenga la cara limpia o que sus *jeans* estén impecables. Eso me hace feliz a mí. El preferiría que le rascara la espalda o que organizara una reunión para el viernes en la noche." Hubiera podido golpearme sola. Aquí estaba matándome lavando la ropa y haciendo todos esos depósitos que él ni siquiera notaba.

Aprendí una simple verdad en una forma muy laboriosa: un depósito debe significar algo para la otra persona.

---

 *La razón de por qué entender a los demás es siempre el primer depósito en la cuenta de banco emocional, ya que no sabemos qué es un depósito para la otra persona hasta que la entendamos a ella y su forma de ver las cosas. Tome cualquier depósito que desee realizar, ya sea amabilidad, cumplir promesas, tratar a la gente con justicia y respeto, disculparse o cualquier cosa, pero siempre dentro del marco de referencia de la otra parte. De otro modo, lo que consideramos un depósito valioso puede muy bien no tener significado o incluso ser un retiro.*

# TERCERA PARTE
## COMUNIDAD Y EDUCACIÓN

*"Solos podemos hacer muy poco; juntos podemos hacer mucho."*

HELLEN KELLER

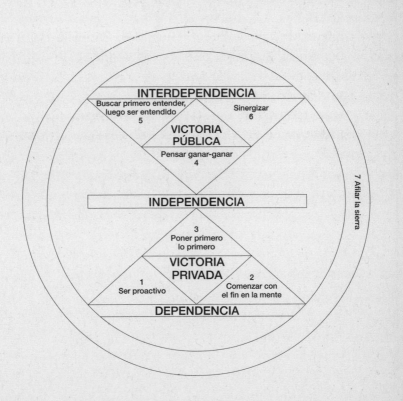

# CONSTRUYENDO UNA COMUNIDAD

- BRENDA KRAUSE EHEART, FUNDADORA, FUNDACIÓN ESPERANZA PARA NIÑOS
- STONE
- EL RABINO
- DEJANDO UN LEGADO DE SERVICIO Y HUMILDAD
- SINERGIA DE UN ENTRENADOR
- SALVANDO UN TESORO HISTÓRICO
- SOUTH BEND, INDIANA: LLEGAR A DIFERENTES GENERACIONES PARA LOGRAR UNA MEJOR COMUNIDAD

BRENDA KRAUSE EHEART, INICIADORA,
FUNDACIÓN ESPERANZA PARA NIÑOS

*Una de las cosas que me encantan de esta historia es
que esta mujer no tenía conocimiento de los 7 hábitos,
aunque se puede ver cada uno de ellos bellamente ilus-
trado en su vida y esfuerzos. No inventé estos principios
y no puedo tomar crédito por ellos. Sólo los organicé y les
di secuencia en un marco. Esta historia muestra que los
hábitos son autoevidentes, universales y eternos; que son
aplicables en la práctica en todas las personas, familias,
comunidades, organizaciones y sociedades efectivas.*

Durante siete años trabajé con un colega en el departamento
de psicología clínica de la Universidad de Illinois en Urbana,
profundizando en algunos de los aspectos más conmovedores
del sistema de adopción. Queríamos saber qué sucedía con los
individuos "no adoptables", los niños, adolescentes y jóvenes
que pasaban toda su juventud yendo y viniendo de un hogar
adoptivo a otro. Había bebes enfermos, niños con SIDA, víctimas de abuso mental, físico y sexual, o afligidos con paráli-
sis cerebral, anemia u otra enfermedad del cuerpo o la mente.

Encontramos que incluso aquellos que corrían con suerte y
eran adoptados, con frecuencia regresaban al sistema de hogares adoptivos porque los padres que se los llevaban no estaban
listos para tratar a estos chicos tan profundamente traumados y enfermos. Un número aterrador de ellos pasaba de un
hogar adoptivo a prisión o a centros de salud mental, y muy
a menudo cometían suicidio. Nuestros hallazgos respaldados
por otros estudios mostraban que, a los 18 años de edad, 46
por ciento de los niños en hogares adoptivos no terminaban
la secundaria, 38 por ciento no tenían empleo, 25 por ciento
había estado sin hogar cuando menos por una noche, y 50 por
ciento terminaba en los albergues de beneficencia. Por otro

lado, 70 por ciento de las chicas en hogares adoptivos daban a luz a la edad de 18 años.

Al final de los años 1980 y al principio de los 1990, se incorporaban mil niños al mes al sistema de hogares adoptivos en Illinois y casi al mismo tiempo los líderes del Congreso de Estados Unidos hablaban de construir más orfanatos. Pensé que teníamos que llegar a una idea mejor que ésa. Entonces escuché una estadística que realmente me puso en el límite. Decía que un tercio de los pequeños en hogares adoptivos nunca volvían con sus padres biológicos ni eran adoptados. Decidí: "Ya basta".

Al término de nuestro proyecto de investigación sobre el sistema de hogares adoptivos y sus miembros más problemáticos, reuní a un grupo de colegas y amigos, muchos de los cuales también eran padres adoptivos, para formar la Fundación Esperanza para Niños [hábito 1: Ser proactivo]. Juntos creamos un modelo que identificaba lo que creíamos eran las necesidades más vitales de los pequeños: "Cuando menos una persona que siempre los cuide, sensación de seguridad y sensación de comunidad".

Visualicé la creación de la clase de lugar que querría para mis hijos si mi esposo y yo no pudiéramos cuidar de ellos [hábito 2: Comenzar con el fin en la mente]. Poseía experiencia considerable trabajando con familias de escasos recursos y chicos no deseados. Antes de eso, trabajé en el campo del servicio social ayudando en proyectos de vivienda para residentes de Chicago. También había estado en Filadelfia como voluntaria.

Mi sueño era fundar un lugar donde los niños "no adoptables" fueran adoptados por padres cariñosos quienes a su vez fueran apoyados por terapeutas profesionales y psicólogos, así como guardianes adultos para proporcionar alivio en la tensión de tratar con niños extremadamente problemáticos o enfermos.

Ese sueño se estaba todavía formando cuando asistí a una conferencia dada por Maggie Kuhn, fundadora de las Panteras Grises, un grupo de voluntarios para la senectud. Ahí habló del concepto general de no considerar a los ciudadanos mayores de 65 años y cómo debería permitírseles trabajar en el servicio público más allá que sólo "apilando basura". El mensaje de Kuhn casi estaba dirigido a mí. Crecí en el rancho lechero de mi familia en las afueras de Nueva York. Mi abuelo y mi padre trabajaban juntos en la granja. Mi hermano, mi hermana y yo nos sentíamos muy seguros con nuestros padres y abuelos mirándonos y apoyándonos. Del mensaje de Kuhn y los recuerdos que activó, llegué a la idea de involucrar a los ciudadanos mayores como parte vital de la "aldea" que quería fundar para niños con hogares adoptivos. Deseaba que esos pequeños conocieran la seguridad y tuvieran el apoyo que disfruté cuando niña.

Una vez que desarrollamos un modelo básico para nuestra aldea y todos sus elementos, empezamos a buscar un sitio [hábito 3: Poner primero lo primero]. Fue una experiencia que me abrió los ojos. Después de más de un año, parecía que nuestro modelo de comunidad para niños no deseados nunca se llevaría a cabo. Entonces, en 1992, supe que el gobierno federal estaba tratando de vender propiedades y casas en una base de capacitación abandonada de la fuerza aérea en Rantoul, a sólo 25 kilómetros al norte de Urbana, en el centro de Illinois.

Cuando visité el lugar de la antigua base de la fuerza aérea de Chanute, no podía contener mi emoción. Era perfecto. Había cientos de hogares espaciosos y bien cuidados, con calles amplias y llenas de árboles. También había parques, canchas de béisbol, piscinas, incluso un campo de golf. Algunas porciones ya habían sido vendidas para desarrollo residencial o comercial a fraccionadores privados. Así que regresé a Urbana pensando que no sería problema convencer al Pentágono de donarnos o vendernos parte del lugar para nuestra aldea planificada para niños no deseados en el sistema de hogares adoptivos. Fui bastante ingenua.

El establecimiento militar tenía un proceso para vender su propiedad a negocios con utilidades, pero no contaba con experiencia en tratar con entidades no lucrativas. Nuestra propuesta de adquirir una porción de la antigua base aérea en Rantoul se atoró en la burocracia durante dos años. Desesperados, enviamos un telegrama a la Casa Blanca, implorando nuevamente al presidente electo Bill Clinton que se encargara de nuestra causa. Nuestro llamado desesperado funcionó. De repente, el Pentágono encontró una manera.

En el otoño de 1993 ganamos la aprobación para comprar 63 casas dúplex en 22 acres. Nuestra fundación pagó 215 000 dólares como parte del millón de dólares que costó la propiedad. Para el resto obtuvimos financiamiento por medio de la ayuda de una coalición política sin igual, que incluía demócratas y republicanos, liberales y conservadores, todos ellos volvieron realidad nuestro sueño.

Un año después, el primer niño "no deseado" del sistema de hogares adoptivos del estado encontró un hogar permanente en una cómoda casa con dos padres cariñosos en Hope Meadows. Hoy, la población de nuestra aldea incluye más de 40 chicos adoptivos que han sido aceptados por las familias que residen ahí gratuitamente a cambio de recibir hasta cuatro pequeños [hábito 4: Pensar ganar-ganar]. Muchos también vienen a Hope Meadows con sus hijos biológicos. Cada familia recibe un subsidio anual de 19,500 dólares, así cuando menos un adulto puede funcionar como padre de tiempo completo en el hogar.

Los padres también están apoyados por una red sorprendente de 53 ancianos a quienes se les permite rentar hogares por 325 dólares al mes a cambio de funcionar cuando menos seis horas a la semana como abuelos voluntarios. La mayoría aportan cuando menos el doble de tiempo porque vienen aquí por amor a los niños y por su deseo de contribuir.

Irene Bohn es una viuda de 73 años, maestra retirada, y fue de los primeros abuelos adoptivos que se mudaron a Hope

Meadows. Ella me dice que hemos creado "el mejor de todos los mundos para estos niños y para nosotros. Mis dos hijos ya son grandes y mi esposo murió hace tiempo, pero después de que me retiré conseguí un pequeño departamento y me la pasaba caminando por el centro comercial, cuando de pronto decidí que tenía que haber algo más en mi vida en esta etapa".

Irene agregó que ella y los otros ancianos de Hope Meadows dan mucho a estos niños, pero también reciben mucho: "Una mañana hace tiempo, desperté sintiéndome mal. Acababa de morir uno de mis hermanos y me sentía muy sola", me comentó recientemente. "Entonces caminé por el patio y de repente alguien gritó: ¡Buenos días, abuela!' hasta me dio escalofrío de gusto. Eso me hizo sentir alegría".

Los abuelos voluntarios cuidan, ayudan, sirven como guardias y vigilan los campos de juego en Hope Meadows. También arreglan bicicletas, juegan pelota, trabajan en la biblioteca y el laboratorio de computación y, en el caso de Irene, incluso tienen "citas".

Uno de sus nietos adoptivos favoritos es Tabian, un niño de ocho años que llegó a Hope Meadows después de que su madre drogadicta renunció a la patria potestad de él y de su hermana de 10 años, Shamon. Los pequeños seguido despertaban gritando y maldiciendo. Tabian nunca había aprendido a leer antes de que Irene trabajara con él. Ahora le lee casi todos los días y él mismo se asignó como su escolta personal.

"Una tarde llegó a mi puerta con un billete de un dólar todo arrugado en la mano y unos centavitos todos sudados", recuerda ella.

"Abuela, ¿te puedo invitar al cine?" —preguntó.

"Fue mi primera cita desde no sé cuándo" —aseguraba Irene.

Las familias adoptivas de Hope Meadows están también apoyadas por un equipo de terapeutas y psicólogos infantiles, quienes proporcionan guía profesional y reducen en gran medida la tensión que en el pasado causaron que muchos padres adoptivos bien intencionados se dieran por vencidos.

Definiría a Hope Meadows como una comunidad, no por sus dimensiones físicas sino por la red de relaciones cariñosas. Y esas relaciones son muy, muy poderosas. Todos trabajan duro para ver que haya adopciones exitosas.

Nuestro modelo para el cuidado de niños ha sido adoptado por la Fundación Ronald McDonald de la Corporación McDonald's, basada en Chicago, 200 kilómetros al norte. En 1998, la fundación altruista de la cadena de hamburguesas proporcionó un gran predio a nuestra fundación para desarrollar una aldea similar en un vecindario rehabilitado de Cleveland.

Cualquier persona sin conocimiento previo de las historias conflictivas que acompañan a los jóvenes residentes de Hope Meadows tendrían dificultad para distinguirlo de cualquier otro vecindario de una pequeña ciudad. Niños de todas las razas pedalean bicicletas, patinan, juegan baloncesto o pasean en las banquetas de las calles bajo los ojos vigilantes de sus padres y "abuelos" sentados en sillas de jardín y frente a sus pórticos.

La normalidad de todo es mucho el fin que teníamos en la mente cuando decidimos que ya era suficiente. Lo normal es bueno. Lo normal es que lo queremos aquí. Sólo tenemos una señal y es como designar cualquier subdivisión. Nuestra oficina no está marcada. Queremos que parezca un vecindario regular. No deseamos que estos niños se sientan diferentes a los demás. Ya tuvieron suficiente en su vida.

Todavía nos esperan muchos desafíos. No hay garantías de que traumas profundamente arraigados, ya sea mentales o físicos, sufridos por estos niños, no los llevarán a tener serios problemas de conducta cuando se conviertan en adolescentes y jóvenes. Éste es un resultado social que llevará años y años medir.

Pero todos estamos de acuerdo con que es un inicio, un buen inicio, para dirigir los problemas sociales. En verdad creo que estamos haciendo todo lo humanamente posible para satisfacer las necesidades de estos niños traumatizados. En muchas maneras es una utopía para ellos, pero sin duda va a haber algunos niños que todavía no consigan lo suficiente aquí. Mi mayor recompensa es saber que estamos ayudando a personas, no sólo a estos pequeños sino también a ancianos y padres de familia. En realidad es muy gratificante ahora, y aunque mi corazón siempre estará ahí, será todavía más gratificante ver que se expande por todo el país.

Recientemente hablé con Jeanette Laws, una madre dedicada de Hope Meadows que adoptó a dos niños con pasados problemáticos. Me dio un gran regalo cuando me dijo que los chicos de nuestra aldea habían aprendido una lección muy importante: "Mis hijos ahora saben que no importa qué les haya sucedido en el pasado, o qué les pueda suceder en el futuro, siempre hay una manera mejor, una vida mejor".

 *Imagine qué sucedería en cada comunidad o sociedad que trabajara dentro de su círculo de influencia y siguiera la clase de visión, pasión y disciplina de Brenda Krausse Eheart. Es una visión común que crea la magnanimidad del espíritu, así como la grandeza de alma que trasciende y subordina el autointerés y la pequeñez del alma. Cuando uno desafía a las personas con una visión más grande, se sienten consumidas por un propósito mayor que trasciende los pequeños malos entendidos y los asuntos sin importancia. Esto podría suceder en toda nuestra nación, en todo nuestro mundo.*

*Creo que si toda familia funcional sana en forma relativa adoptara psicológicamente un niño que esté en grave riesgo e hiciera lo necesario para ayudarle a volverse funcional, exitoso y aportador de algo, acabaríamos con las raíces de casi todos los problemas sociales de todo el mundo. Esto es posible, se puede lograr, es fac-*

*tible. Se nombrarían coordinadores de vecindario para que dieran capacitación y alguna clase sobre responsabilidad.*

*A menos que como familias tomemos este tipo de acción, nuestros problemas sociales podrían profundizarse, expandirse y volverse tan graves que deteriorarían toda nuestra sociedad, y minarían nuestra economía hasta convertirnos en comunidades infestadas de bandas con confusión y caos. Las bandas son, en forma simple, sustitutos de familias. Todos debemos convertirnos en padres sustitutos, tutores cariñosos para niños inocentes y vulnerables, quienes de otro modo tendrán poca esperanza de sobrevivir.*

Stone

*La siguiente historia verdadera es el guión de un video corto hecho por Franklin Covey Co. Ha ganado muchos premios y lo uso continuamente para enseñar. Es una de las narraciones más motivadoras, inspiradoras y desafiantes que jamás haya escuchado. Note la cantidad de músculos proactivos y cariño sincero, así como la clase de liderazgo que en verdad se desarrolla, misma que faculta a otros a hacer lo mismo.*

Mi esposa y yo llegamos a Uganda hace cinco años. Nuestro plan original era tomar un año de descanso antes de ir a la escuela de leyes. Vimos mucho sufrimiento a nuestro alrededor y también mucha pobreza. Lentamente nos fuimos involucrando en una cosa tras otra y así decidimos quedarnos.

Hace casi tres años, mientras trabajábamos juntos en Kampala, una de las cosas que más nos impactó fue el número de jóvenes que estaban desempleados. Tenían aproximadamente 16 años, pero no había dinero para continuar estudiando. No había ninguna orientación para ellos. Conocimos a un par y les preguntamos qué les gustaría hacer. Contestaron que querían un equipo de fútbol soccer.

Así que empezamos el equipo de fútbol con esos jovencitos; les pedimos que trajeran a sus amigos, pues practicaríamos todos los días de tal a tal hora, en cierto campo. Eso sucedió durante un tiempo. Pronto los niños comenzaron a decir que habían encontrado un entrenador y que querían que lo conociéramos. Este hombre básicamente nos manifestó que le gustaría entrenar a este equipo y que no nos preocupáramos por pagarle, lo haría sólo por gusto. Desde ese momento nos hicimos amigos de Stone y empezamos a trabajar juntos.

Stone empezó a jugar fútbol en la secundaria y fue reconocido como un jugador realmente talentoso. Cuando tenía casi 18 años, fue contratado por primera vez por un equipo profesional. Jugó a nivel profesional durante 10 años. Para ese entonces ya había sido elegido para estar en la selección nacional, que es la meta de todos los jugadores de Uganda; sólo así se tiene la oportunidad de jugar en Europa. Se puede ser visto por buscadores de los clubes europeos.

Poco antes de empezar su carrera internacional, tuvo un obstáculo en su meta. Antes de tirar a gol, un hombre lo interceptó por atrás y le rompió los ligamentos de la rodilla. No fue un accidente, fue intencional. Esto puso fin a la carrera profesional de Stone.

En un país donde la venganza es muy común, donde 16 años de guerra y corrupción han estado centrados en la venganza, Stone sólo expresó a este hombre: "No te preocupes. Hiciste lo que tenías que hacer [hábito 1: Ser proactivo]". La habilidad de Stone para perdonar a este hombre, después de perseguir una carrera por tanto tiempo, fue en realidad extraordinaria. Sabíamos que la clase de integridad que él tenía en su interior era lo que estos niños iban a necesitar para recibir dirección en sus vidas. Stone lo explicaba de esta manera:

"Algunos de estos niños son drogadictos. Otros son rateros. Hay algunos salvajes que sólo caminan por las calles sin dirección alguna. Vemos a estos pequeños y les transmitimos la sensación de seguridad. Y también tratamos de despertarles algunas habilidades, algunos recursos y luego una meta en la mente, algo que pueda realmente ayudarles en el futuro [hábito 2: Comenzar con el fin en la mente]. No sólo los vemos como futbolistas. Deseamos que sean buenos ciudadanos. Queremos que sean confiables, que utilicen esas habilidades para buscar un mejor futuro".

Los niños que entrenaba Stone eran básicamente rechazados por sus familias y comunidades por ser revoltosos y problemáticos. Stone en realidad los adoraba y demostraba tenerles mucha confianza. El decía que el amor era la clave para el éxito del equipo.

"Mantenemos a esos muchachos sólo con el amor que les damos. No les damos dinero, no les damos cosas. Vienen aquí sólo porque se sienten en casa con el equipo. Es el amor lo que hace todo. Nunca se puede ser feliz a menos que se reciba amor. Así que en verdad trabajábamos en esto. La base del equipo son el amor y el perdón."

Cuando Stone habla sobre amor y perdón, los chicos pueden llevarlo a sus familias. También aprenden a amar a las personas inmediatamente a su alrededor y a perdonarlas.

Muchas de las enseñanzas de este principio se muestran en la vida de Stone. El vive en la misma zona de los muchachos. Ellos conocen a su esposa, a sus hijos, la forma en que interactúa con su familia. Ven que está realmente viviendo todo lo que enseña. Ésa es la parte más poderosa de lo que hace, incluso más importante que lo que dice. Su ejemplo desafía a los muchachos para motivarlos a ser como él.

El liderazgo no es sobre ser famoso. Aunque Stone puede estar llegando a sólo unas 200 personas en su comunidad, esas personas llegarán a aldeas y éstas últimas llegarán a otras aldeas. Stone pone énfasis en que la importancia de su trabajo es como esto:

"Estamos tratando de enseñarles cómo dirigirse a sí mismos, cómo tener responsabilidad. No que yo estaré ahí siempre. Porque la mayoría de estos chicos serán padres. ¿Qué tipo de familias tendrán si se les deja como están? Tratamos de decir a estos chicos que no hay nada que no se pueda hacer. Es por medio del trabajo arduo que todas las cosas son posibles. La vida depende enteramente de uno mismo. Lo que tenga en la mente es lo que formará su futuro, es lo que le dará forma a usted mismo".

---

 *Stone es una persona sorprendente, totalmente dedicada a los jóvenes de su país. Ha bendecido sin duda, directa e indirectamente, a miles de ellos. Qué tan fácil hubiera sido para Stone haberse hundido en la autocompasión, el victimismo y la venganza. Él eligió un camino diferente: un camino de contribución más grande que sólo convertirse en un jugador de soccer. Stone es pobre, aunque en verdad rico. Es como una Madre Teresa, cuyo motor era "El fruto del silencio es la oración; el fruto de la oración es la fe; el fruto de la fe es el amor; el fruto del amor es el servicio; el fruto del servicio es la paz".*

*El camino a la clase de autoridad moral de un Stone es siempre de sacrificio. El sacrificio debe definirse como dar algo bueno por algo mejor. Stone lo hizo. Lo sigue haciendo. ¡Qué alma tan noble e inspiradora!*

EL RABINO

*Note en esta historia cómo las personas involucradas se movían de un lado a otro entre la independencia y la interdependencia, entre escasez y abundancia, entre ganar-perder y ganar-ganar. También cómo aumentar la autoconciencia creó suficiente libertad para actuar con sabiduría durante las luchas para lograr los tremendos beneficios de interdependencia. Finalmente cómo si sólo la mente y el corazón de una persona están llenos con la idea de pensar ganar-ganar (hábito 4), los otros caen en ese espíritu de abundancia, con lo cual por lo general resulta la sinergia (hábito 6).*

Entre congregaciones, hay a veces una sensación de competencia. Desafortunadamente, la competencia por lo general disminuye la membresía, lo cual baja los fondos tan necesarios. Como resultado de esta disminución de miembros, las sinagogas a menudo duplican programas y servicios de forma innecesaria.

Hemos tenido un grupo con mucho éxito en nuestra sinagoga llamado el Grupo Juvenil Israel. Ha vivido años buenos y años malos, pero últimamente la ha pasado muy bien. De hecho, el año anterior pudimos emplear a un consejero de medio tiempo, quien ha involucrado no sólo a nuestros miembros, sino también a adolescentes de otras congregaciones.

Otra congregación aquí en la ciudad, que ha logrado éxito muy limitado para establecer un grupo juvenil, decidió que quería fundar uno afiliado con la misma organización. En otras palabras, duplicar por completo nuestro servicio. Se acercaron al director regional y le dijeron: "Vamos a abrir nuestro propio Grupo Juvenil Israel, por lo que en nuestra ciudad habrá dos grupos juveniles Israel".

Pensé: "¿Por qué están haciendo esto?" Un chico de mi congregación estará en la misma clase que su amigo de la otra, y hasta ahora han estado yendo juntos a las actividades de los grupos juveniles. De repente tendrán el problema de lealtad y competencia entre ellos. ¿Y se pueden imaginar que haya premios al final del año? Los muchachos estarán compitiendo constantemente. Si nuestra comunidad representara un área metropolitana mayor entendería que hubiera más de un grupo, pero nuestra ciudad no es suficientemente grande para eso.

"No tiene sentido", consideré. Sabía que podía imaginar una forma de volver esta situación en un ganar-ganar, así que me comuniqué con el rabino. "Entiendo que solicitó a la oficina regional permiso para establecer un grupo juvenil en su sinagoga —le expuse—. Hablemos de un esfuerzo de colaboración, de un capítulo conjunto". Él escuchó todo lo que dije. Cuando menos pensé que sí lo hacía.

El mes siguiente, en la primera plana del diario interno, anunciaba que su sinagoga había solicitado y esperaba recibir permiso para establecer su propio Grupo Juvenil Israel. "Habrá dos grupos juveniles Israel —expresaba—. Uno en la congregación tal y tal, y otro en la nuestra."

Me quedé pálido. No podía creerlo. Pedí al director regional que viniera a la ciudad para una reunión. Estableció una junta con los líderes de ambas congregaciones. Llegué a la cita con mi consejero juvenil. El otro rabino trajo a todo un ejército de representantes. Nos sentamos y empezamos a discutir qué significaría un grupo juvenil patrocinado por ambas congregaciones.

Primero, compartir un nombre. Segundo, que el consejero de capítulo que habíamos contratado trabajaría por el bien de ambos grupos y dividiríamos los costos. Tercero, que algunas actividades se llevarían a cabo en nuestra sinagoga y otras en la suya. Cuarto, que si había eventos regionales, también alternaríamos las sinagogas. Quinto, que ambos cumpliríamos con los mismos estándares establecidos por la organización regional.

En el proceso de arreglar todo, incluyendo algunas preocupaciones técnicas, todos los involucrados parecían satisfechos. Entonces, uno de sus representantes volteó hacia mí y comentó: "No entiendo. ¿Qué puede usted ganar? Me parece que como lo estamos describiendo, nosotros vamos a ganar. Usted tiene mucho que perder".

"¿A qué se refiere?" —pregunté—. Bueno —contestó—, usted tiene un grupo juvenil establecido y nosotros no. Así que compartiendo esto, su grupo no será tan único como lo ha sido hasta ahora."

Procedí a explicarle: "Mire, es necesario entender que ésta no es una situación ganar-perder. Es un ganar-ganar. Cuánto puedo ganar haciendo esto. El grupo tendrá números mucho más grandes. Como los números serán más grandes, los niños estarán más emocionados y querrán involucrarse más. Y si ellos están más emocionados, entonces finalmente viajaremos a las convenciones y estarán más inspirados. Si están más inspirados, volverán a la sinagoga y compartiremos esa inspiración. Entonces, la pregunta es ¿qué podemos perder?"

Esas palabras fueron como una epifanía para él porque nunca lo había pensado de ese modo. Toda su mente, su entrenamiento como persona y como líder decían que él tenía que ser el mejor. Si somos los mejores tenemos que ser mejores que el otro grupo para atraer más miembros de los que ellos atraen. De otro modo, ellos tomarán a nuestros miembros. Pero la realidad es que si trabajamos juntos se reflejará positivamente en ambas organizaciones.

Ése fue el primer paso. Después de eso, decidí dar un paso hacia otro asunto. Por cuatro o cinco años hemos tratado de crear un programa de escuela dominical para niños de nuestra congregación, pero nunca conseguimos el número de alumnos que necesitamos.

La otra sinagoga tiene un número sustancial de niños, pero también necesitan más. Y están teniendo problemas financieros. Habían empezado a idear diferentes incentivos para atraer estudiantes no afiliados, pero todavía requerían ayuda.

Llamé al rabino y le comenté: "Mire, lo hicimos con el grupo juvenil. ¿Por qué no creamos un esfuerzo conjunto con este programa escolar? Podría resultar otro ganar-ganar para ambos". El rabino expresó: "¡Qué gran idea!"

Lo siguiente fue convocar a otra reunión. Pero ésta era diferente. En contraste con la primera, las únicas personas que asistimos fuimos el rabino y su presidente, el director de la escuela, uno de mis maestros, mi presidente y yo. Sólo seis personas. Una pequeña junta muy agradable. Hablamos, arreglamos las cosas y todo resultó muy amable. Tanto de hecho, que magnánimamente concluyeron: "Ofreceremos a todos sus niños la tarifa de miembros, aunque no sean parte de nuestra congregación. Si son miembros de su sinagoga, les daremos el mismo precio".

Y al retirarnos agregaron: "No les cobraremos ninguna cantidad por participar". En ocasiones cuando las sinagogas trabajan juntas, la anfitriona cobra a la otra una tarifa anual, pero en esta ocasión acordaron: "No lo haremos. Y hasta donde nos concierne, pueden venir cuando gusten".

Me imagino que la lección es que ganar-ganar engendra ganar-ganar. Una vez que la gente piensa de esa manera, se da cuenta de que puede continuar por el mismo camino y que habrá mucho más para ella. Es un esfuerzo conjunto, no se está pidiendo a ninguna de las partes que abdique sus estándares personales. Eso no es ganar-ganar. Las personas creen eso. Piensan en un compromiso, que tienen que ceder. Pero eso no es ganar-ganar. Ganar-ganar se basa en lo que ya somos y en que hay suficiente espacio para esfuerzos mutuos.

Creo que lo aprendimos. No les pedimos ser algo que no eran y ellos no nos solicitaron que seamos algo que no somos. Al trabajar juntos en el futuro, ninguno de los dos abandonará su identidad, sino que se beneficiará mutuamente del otro y proporcionará a nuestra juventud la mejor experiencia inspiradora y social posible.

 *La independencia es mucho más fácil que la interdependencia. Supongo que requiere cerca de un décimo del esfuerzo y la energía emocional. Las personas con frecuencia resisten trabajar en una base interdependiente,*

*así que el precio sencillamente debe pagarse. Esta historia es una ilustración hermosa de que ganar-ganar genera más ganar-ganar. Una espiral ascendente de la mentalidad de abundancia crea una especie de sistema inmune, con el cual trascienden esas pequeñas diferencias, se enfrentan nuevos desafíos y se sirve a propósitos más y más altos.*

## DEJANDO UN LEGADO DE SERVICIO Y HUMILDAD

*La siguiente historia ilustra bellamente el impacto intergeneracional del servicio anónimo.*

Mi bisabuela fue una niña francesa capturada durante un ataque indio que creció con la tribu Choctaw. Su hijo, mi abuelo, creció en Oklahoma hablando sólo choctaw y algunas palabras en inglés. A principios de siglo, recibió un llamado para ser ministro. Aunque no hablaba inglés y siguió así hasta el día que murió en 1974, contestó el llamado.

Trabajó donde sintió que se requería. Nunca tuvo un hogar sino que vivía en cualquier iglesia que le proporcionaban. Cuando empecé a conocerlo en los años 1950, me acostumbré a sus extrañas horas y apariciones. Era pastor en una iglesia en la mañana y otra en la tarde, a 100 kilómetros de la primera. Pensaba en él como un hombre sencillo sin educación que trabajaba duro para ayudar a los demás a su alrededor. Después de todo, difícilmente podía articular una frase en inglés.

De vez en cuando sucedían algunas cosas extrañas. A veces él desaparecía. La abuela decía: "Se fue a Washington". Yo pensaba que se refería a la costa oeste. En otras ocasiones, llegaban cheques por correo. Y él regalaba el dinero a quien pensaba que lo necesitaba más.

Fue hasta después de su muerte, cuando revisamos sus papeles y correspondencia, que me di cuenta del hombre tan fenomenal que era mi sencillo y sereno abuelo. Al Washington que mi abuela se refería era realmente Washington D.C. En sus papeles, encontramos cartas de gobernadores, senadores, representantes de Estados Unidos. Algunas felicitándolo por su aniversario de bodas número 50; otras agradeciéndole su ayuda con los asuntos de la legislación y por su servicio a la comunidad. Me senté ahí pensando: "¿Conocían ellos al mismo hombre que yo?" No era elocuente, no era millonario, ni siquiera tenía una casa propia. Aun así había personas famosas y poderosas que le escribían. Me di cuenta que no había vivido para adquirir cosas para él mismo, sino para ayudar a otras personas. Había llevado una vida de integridad, honestidad y dedicación a la familia y la comunidad siempre desde una relativa oscuridad y humildad.

Con frecuencia reflexiono sobre la vida de mi abuelo y las elecciones de vivir como lo hizo. Una vez, antes de morir, me dijo que había dos sistemas de recompensas: las personas que son retribuidas aquí y las que lo serán después. "No son las mismas personas —me dijo—, todo lo que no ves en un sistema de recompensas ahora, lo verás en otro tiempo".

Un incidente resume su filosofía de pensamiento sobre el impacto en los demás, de no buscar sólo nuestra recompensa sino trabajar para aportar algo bueno a la vida de los demás:

Al revisar sus papeles después de su muerte, descubrimos un título de propiedad de tierra para todos los estadounidenses nativos en Oklahoma. Cada familia recibió 160 acres de tierra, algunas parcelas cerca, otras no. La propiedad de mi abuelo estaba a 270 kilómetros del pueblo en el que vivió. Su pedazo de tierra era rico en petróleo, por casualidad. Las compañías petroleras negociaron con él perforar su tierra. A cambio, él recibía cheques de bonos, a veces de miles de dólares al mes. Esos eran los cheques que recordaba que repartía entre sus feligreses. Casi no se quedaba con nada para él. Supongo que creía que su galardón llegaría más tarde.

Cuando visitamos la tierra, descubrimos algo que nos dio la opción de actuar como mi abuelo lo hubiera hecho o como nosotros queríamos. Cuando él murió, sólo quedaban 20 de los 160 acres. Los otros 140 habían sido tomados por la oficina de impuestos. Cuando investigamos a quién pertenecía la propiedad, descubrimos que el asesor de impuestos, el mismo hombre que había embargado la propiedad, la había comprado para pagar los impuestos vencidos.

Aparentemente, lo que sucedió fue que, aunque la ley establecía que no tienen que pagarse impuestos sobre propiedades de tierra durante 40 años, el asesor empezó las demandas mucho antes que terminara ese lapso. Cuando los impuestos no requeridos supuestamente no se habían pagado, colocó una notificación en la corte local para dar aviso al propietario. Por supuesto, mi abuelo vivía a 270 kilómetros de distancia y era difícil que se enterara. Nunca vio el aviso a tiempo para pagar los impuestos. Entonces el asesor compró la propiedad cuando mi abuelo no pagó los impuestos que se suponía no debía pagar en primer lugar. Cuando visitamos la propiedad, Sinclair Oil había construido una enorme refinería en los 140 acres arrebatados a mi abuelo. Junto, el asesor de impuestos vivía en un hogar opulento, construido sobre la tierra que el gobierno había dado a mi abuelo.

Debatimos mucho sobre qué hacer respecto de la situación. ¿Debíamos demandarlo? ¿Debíamos dejarlo pasar? ¿Tenía que pagar por sus malas acciones? Entonces pensamos en qué hubiera hecho mi abuelo. Él era muy firme en cuanto a honestidad e integridad, sobre no tener crédito por sus logros. Nunca decía quién le había dado el dinero, sólo lo enviaba o depositaba a nombre de las personas y pedía a alguien que se les notificara sin decir más. Sabíamos lo que él haría. Lo dejaría pasar y permitiría al asesor de impuestos cosechar las recompensas que su conducta le permitieran, ya sea en este tiempo o más tarde.

Mi abuelo tal vez no nos dejó 160 acres de tierra infestada de petróleo en Oklahoma, pero nos heredó algo mucho más importante. Su insistencia en la humildad, en la compasión, en dedicar su vida a tratar de ayudar a los que vivían a su alrededor sin pensar en alguna recompensa es el legado de nuestra familia. Él cambió generaciones de personas con lo que les dio. ¿Puede usted ponerle un precio a eso? Absolutamente no. Ahora tenemos un valor que trato de transmitir a los míos para continuar el camino que inició el predicador Choctaw quien nunca tuvo siquiera casa propia.

---

 *Hay pocas ocasiones de ganar una sensación intrínseca de valía y valor. Una de esas oportunidades está en dar servicio anónimo. Me recuerda a mi padre. Era humilde, modesto y trabajó durante años en proyectos de gran importancia de los que nadie tenía conocimiento. De hecho, el día posterior a su muerte fue la primera vez que alguno de nosotros entró en sus habitaciones privadas en el sótano. Ahí descubrimos la naturaleza del trabajo de su vida, el interés que perseguía, la profundidad y la extensión de su dedicación, los libros y los diseños de los que fue autor, así como la fuente de las contribuciones que hacía. Explícitamente, lo recuerdo diciéndome que nunca hablara de cosas que pudieran hacer sentir menos a alguien, que nunca mencionara nombres o lugares que conocía y que nunca platicara de mis posesiones.*

*Estoy sumamente convencido de que cuando buscamos "vivir, amar, aprender y dejar un legado" no sólo tendremos sensación de logro y paz en la mente, sino que nuestra vida será sinérgica y producirá energías, discernimientos, oportunidades, responsabilidades y recursos más grandes que lo que nunca imaginamos.*

*En esta historia las metas o expectativas mentales rede-
finidas sencillamente se convirtieron en el fundamento
de una temporada sinérgica de "campeonato" para estos
pequeños.*

Como hombre de negocios viajé mucho cuando mis hijos eran
pequeños. Cuando mi hijo menor estaba en quinto grado decidí
que no importaba lo ocupado que estuviera, me ofrecería como
entrenador para el equipo de baloncesto de la comunidad para
el grupo de su edad. Dado que había sido jugador universitario, así cómo entrenador en secundaria durante muchos años, y
había pertenecido al equipo olímpico europeo, me sentía muy
confiado de que podría poner en forma a estos niños y producir un súper equipo. Juego para ganar y he enseñado a mis tres
hijos a hacer lo mismo. Son atletas sobresalientes.

Mi hijo Jason era un verdadero talento y con mi ayuda finalmente tendría la oportunidad de destacar. Había jugado en otro
equipo muy exitoso, pero lo transferimos a mi nuevo grupo lleno
de esperanza y emoción. Fui a la primera práctica y llegué a casa
devastado. ¡Esos niños apestan! Quizás había sólo tres jugadores con potencial, pero el resto estaban completamente fuera de
contexto. Con trabajo atrapaban la pelota. Cada práctica era una
pesadilla. Me sentí muy mal por haber transferido a mi hijo a este
equipo tan inferior. Toda la temporada iba a ser un desperdicio.

Después de los primeros juegos, ya era obvio que tendría
que mantener a los tres jugadores activos durante todo el partido o nos harían pedazos. Aún así perdíamos y nunca me sentí
bien por ellos o por mí. Oía los comentarios que yo mismo
había hecho a los entrenadores que mi hijo tuvo en el pasado.
"Está entrenando sólo para hacer resaltar a su hijo". Lo había
visto y sentido una y otra vez. Me preocupaba que en el fondo
tal vez fuera ésta también mi razón para sacrificar tiempo y
energía. Todavía no estoy seguro, pero me preocupaba tanto
que sentía debía hacer algo.

Decidí olvidar todas las ideas de ganar y hacer de la temporada algo completamente diferente. Llamé a los muchachos y a sus padres para decirles que había determinado permitir que todos los jugadores estuvieran el mismo tiempo en la cancha sin importar su talento. Pregunté a cada uno de ellos sus expectativas, qué esperaban de la temporada y a sus padres cómo podía ayudar a cada uno de sus hijos a progresar y sentirse bien. Luego agregué lo que esperaba de ellos como entrenador de sus hijos. Les sorprendió tanto mi iniciativa que querían ayudar en cualquier forma posible. Se convirtieron en parte activa en esa temporada de una manera que nunca antes había experimentado como entrenador.

Los chicos todavía iban mal, pero no lo sabían. Jugaban con toda el alma. Dejamos de contar la puntuación, no nos importaba, nos divertíamos y nos sentíamos muy bien. Los tres jugadores buenos lucharon al principio con este enfoque, pero rápidamente aprendieron a dejarse llevar. Al final de la temporada mi hijo de 10 años comentó: "Bueno, papá, no era un equipo muy bueno, pero los chicos se sienten seguros y afirman que es la primera vez que juegan tanto tiempo como los buenos jugadores. Así que supongo que es justo. Todos están preguntando si nos vas a entrenar el año próximo".

 *¿No es interesante cómo queremos que nuestros jóvenes se comporten como adultos, mientras los padres que están observándolos a menudo tienen una actitud de niños? Qué maravillosa capacidad de este entrenador para reinventar el nombre del juego de una competencia ganar-perder a aprendizaje y diversión. Lo logró usando su autoconciencia, involucrando a los chicos y haciendo a los padres participar emocionalmente. Casi todo depende de cómo defina usted "ganar". Si significa derrotar, todas las conductas y actitudes tienden a fluir de ahí. Si representa tener participación igual, divertirse mucho y aprender, entonces todas las conductas*

se originarán ahí. *Es muy importante poseer una sensación clara y común de qué significa "ganar" desde el principio.*

## SALVANDO UN TESORO HISTÓRICO

*Al leer esta historia, trate de sentir la emoción y el músculo proactivo de una madre que involucró a toda su familia en un proyecto de servicio importante para la comunidad. Sólo imagine las profundas lecciones de vida que se muestran aquí.*

Mi esposo y yo teníamos planes de que él terminara su carrera antes de construir la casa de nuestros sueños. Hasta entonces, vivíamos con nuestros tres hijos en un pequeño departamento en el centro de la ciudad. A sólo unas calles, desde la ventana, podía ver un antiguo edificio histórico llamado la Academia. Estaba prácticamente en ruinas, pero todavía se sentía su esplendor de los días pasados. Supe que este hermoso inmueble había sido un maravilloso centro de aprendizaje en el siglo pasado y que ahora era uno de los sitios históricos más valiosos del oeste de Estados Unidos.

Pronto me enamoré de este tesoro histórico. Cada vez que pasaba por ahí, me preguntaba cuáles y cómo serían las historias contenidas dentro de sus muros y sobre su destino. Mis hijos a menudo conversaban sobre la Academia en sus viajes con sus compañeros de la escuela y hacían sus propios comentarios respecto al antiguo edificio.

Un día durante un viaje a la biblioteca de la ciudad con los niños, descubrimos un plan para renovar la vieja Academia y acondicionarla como biblioteca. Me dio mucho gusto, pero también supe que si la propuesta no era aprobada, el edificio sería derrumbado. Hubo mucha oposición al plan por problemas de presupuesto, pero estaba convencida de que una nueva biblioteca en la Academia era lo adecuado. Mi familia también adoraba las bibliotecas; con frecuencia visitamos algunas antiguas cuando vamos de vacaciones, así que esto nos vendría muy bien.

Rápidamente reuní a mi esposo e hijos cuando supe que se sometería a votación este proyecto. Decidí involucrarme por lo que una semana antes de la votación hice volantes, pancartas y señales para nuestros amigos y vecinos. La noche anterior a la elección, reuní a mis hijos con nuestras pancartas hechas en casa para pasearnos alrededor del edificio. Pronto algunos estudiantes se nos unieron y antes de pensarlo ya éramos una multitud.

A pesar del frío de la noche, mis hijos (edades siete, cuatro y dos) y yo nos quedamos ahí ondeando las pancartas frente a los autos que pasaban. Ellos brincaban de emoción al tiempo que repetían: "Vamos a salvar a la Academia para que no la derrumben". Esa noche aparecimos en el noticiario local de televisión. Los niños estaban tan emocionados que decidimos continuar el día siguiente, el de la votación. Entonces muchas, muchas personas se nos unieron en la manifestación para salvar nuestro proyecto.

Fue muy emocionante cuando la elección nos dio el triunfo, aunque el trabajo todavía no estaba terminado. Una organización ciudadana prometió juntar seis millones de dólares en cuatro meses. Era una situación de vida o muerte: si el dinero no se juntaba a tiempo el edificio sería demolido. El corazón de mi familia seguía estando en un hilo, así que me uní al grupo de ciudadanos para recabar fondos.

Me sentía perdida de pensar en reunir ¡seis millones de dólares! ¿Qué conexiones económicas tengo? Era una simple ama de casa con tres niños. Mi familia estaba luchando para cumplir nuestro cometido. Nadie que conociera poseía más de unos cuantos dólares para donar, pero sentía que era muy importante para personas como yo estar involucrada en salvar este importante monumento.

Pensé en muchas maneras en que podría ayudar y que las familias, las personas de mi comunidad, deberían ser parte de este valioso esfuerzo. Mientras más lo meditaba, más ideas tenía. Esto me condujo a la Campaña de Acción Comunitaria de Centavos. Mis ideas no reunirían millones de dólares, pero crearían conciencia en la comunidad y los esfuerzos serían recompensados.

Durante los cuatro meses que juntamos fondos, mi familia estuvo inmersa en el esfuerzo. Cualquiera que llamara a nuestro hogar escuchaba el mensaje de los niños en la contestadora: "No estamos en casa, salimos a salvar la Academia". Era uno de los momentos más ocupados de nuestra vida, pero también uno de los más divertidos y gratificantes.

Estaba convencida de que mi familia tenía mucho que ofrecer, por lo que usaba todos nuestros talentos lo mejor que podía. Recibía mucha esperanza y valor sabiendo que mis hijos podrían caminar por los pasillos de la nueva biblioteca, igual que su abuelo lo hizo cuando asistía a clases hace 40 años. Indudablemente era parte de la herencia de mis muchachos y parte de su futuro. Quería que ellos y otros niños de la comunidad dijeran: "Ayudé a salvar la Academia".

Mis hijos y muchos otros chicos participaron en un concurso de arte y literatura que ayudé a organizar. Teníamos más de cien preguntas y los ciudadanos mayores que vivían en los asilos estaban fascinados de ser los jueces del concurso.

Observé a mis hijos guardar sus centavos para donarlos. Varias veces al mes visitábamos la librería para dejar los ahorros en una pecera. Karen ponía sus monedas en una jarra, Joey en una caja de cartón y la pequeña Kate echaba todas las monedas que podía agarrar con sus manitas en el tanque que había para eso. Esto se convirtió en un ritual familiar y para otros niños también. Estaban todos tan orgullosos de ver que el tanque se llenaba.

También ayudé a organizar una carrera de cinco kilómetros, a la que asistieron más de 100 personas. Jóvenes, ancianos y hasta discapacitados se reunieron en la carrera para salvar su herencia. Ver las caras de tantas personas fue muy conmovedor, me sentía muy orgullosa de la comunidad ese día.

La actividad que más conmovió mi corazón fue la operación "Limpieza de la Academia". Miraba a mis hijos felizmente barrer, sacudir, levantar hojas secas, recoger la basura. En especial me sentí orgullosa de ver a mi hijita de dos años trabajar sin quejarse de nada. Había muchos otros con nosotros: vecinos, amigos, familiares, otros ciudadanos, todos voluntarios para hacer una labor de amor.

Para concluir el trabajo bién, mi padre trajo todo tipo de herramientas de jardinería y un generador de gas para los instrumentos eléctricos. Mi madre ayudó a los niños a plantar flores en la fuente abandonada frente al edificio. Ella vino con mis hijos dos veces a la semana sin fallar durante meses; traía cubetas con agua para regar las flores. Los niños miraban las flores crecer con amor hasta el siguiente otoño, cuando se secaron.

Finalmente, el día que habíamos esperado llegó. La fecha límite para salvar el edificio de la Academia hizo su aparición. Un esfuerzo dramático de 11 horas reunió por fin los seis millones, dólar por dólar, centavo por centavo. Toda la comunidad, personas, familias, organizaciones y especialmente los niños celebrarían esta victoria. Fue un momento inolvidable.

Gracias a los inagotables esfuerzos de tantas personas, el precioso legado de mi ciudad seguiría vivo. La Academia daría la bienvenida al nuevo siglo con niños una vez más corriendo por sus pasillos y buscando libros para leer. Me gustaría pensar que mi familia hizo un aporte a este noble esfuerzo, pero lo más importante es que esto hizo una aportación extraordinaria en mi familia, especialmente en mis hijos. Ellos ahora saben que deben creer en cualquier cosa que hagan y que si trabajan duro para lograrlo tendrán una recompensa.

---

 *Algo maravilloso y mágico sucede cuando las personas tienen una meta que es más grande que uno mismo. Esta historia ilustra divinamente ese punto. Cuando vivimos con un concepto de amor y servicio no sólo nos encon-*

*tramos a nosotros mismos, también modelamos la magnanimidad del alma.*

*¿Puede imaginarse el impacto que esta madre ha tenido en la vida de sus hijos por involucrarlos en una causa tan importante? ¿Puede imaginarse el impacto de una experiencia tan vivida con el poder de una visión compartida? (hábito 2: Comenzar con el fin en la mente). Su escalera verdaderamente estaba recargada sobre la pared correcta. Ninguna cantidad de reconocimiento social o riqueza podría compararse a su logro intrínseco y trascendente. Es una lección de que la verdadera felicidad y la alegría vienen sólo del servicio y la contribución.*

*"No sé cuál será tu destino, pero sí sé una cosa: los únicos que en realidad serán felices son aquellos que han buscado y encontrado cómo servir." Albert Schweitzer.*

SOUTH BEND, INDIANA. LLEGAR A DIFERENTES GENERACIONES
PARA LOGRAR UNA COMUNIDAD MEJOR

*Muchas personas se preguntan cómo los principios de los 7 hábitos pueden llevarse a una comunidad entera. El siguiente relato es más largo que el resto de las historias por lo cual requerirá de mayor esfuerzo y estudio, pero lo aliento a poner ese esfuerzo para leerla. Creo que esta narración hará surgir en usted una visión de lo que es posible lograr en comunidades alrededor del mundo. Note cómo la clave estaba en las personas motivadas que trabajaron dentro de su círculo de influencia (hábito 1: Ser proactivo). Transformaron las cosas sobre las que podían influir, ya fueran grandes o pequeñas. Asimismo, como ilustra el enfoque de dentro hacia fuera. Verá que no es una historia de milagros o remedios rápidos, sino más bien un patrón de evolución*

*lenta, entendimiento, cariño y respeto entre personas.*
*Yo soy el narrador.*

Hace cincuenta años, South Bend, Indiana, era un pueblo industrial con mucho impulso, y el hogar de la línea de automóviles Studebaker. La mayoría de sus ingresos provenían de la industria automotriz y sus muchos proveedores. Hoy South Bend se conoce como el hogar de la universidad de Notre Dame y de los sacerdotes católicos que dirigen la prestigiada institución; la fuerza de trabajo del lugar está concentrada en servicios de "cuello blanco", así como en la manufactura de plásticos de alta tecnología y la electrónica.

South Bend sigue siendo una comunidad diversa y no totalmente inmune a los problemas de la sociedad como un todo. Hogares con un solo padre, niños con dificultades y la desintegración familiar son la raíz de muchos de los problemas de la ciudad. Como en muchas poblaciones en Estados Unidos, esos desafíos varían desde crímenes cometidos por jóvenes hasta la existencia de bandas de delincuentes y una fuerza de trabajo mal preparada en un momento en que el control natal y las tasas más bajas de nacimientos han ocasionado mayor demanda de empleados calificados.

En 1993, David Jarrett, un contador público certificado de South Bend, completó una capacitación en los 7 hábitos, de la cual emergió con una misión y un enunciado de misión. Decidió "expandir los 7 hábitos en toda la comunidad".

"Estaba en el consejo de servicios juveniles en South Bend donde tratábamos con muchos chicos víctimas de abusos, niños que escapaban de sus hogares, madres adolescentes solteras y jóvenes con muchos problemas —recuerda Jarrett—. Había estado en el consejo ocho años y veía repetirse el ciclo en las familias. Hemos tenido éxito ayudando a algunas personas, pero romper la serie en la cual el que ha sido sometido a abuso se convierte en el abusador, es desafío de un plazo más largo. Constantemente nos preguntábamos qué íbamos a hacer para la siguiente generación. Me parecía que la baja autoestima jugaba una parte importante en la mayoría de los problemas que enfrentábamos. Pensé que si podíamos encontrar una forma de proporcionar a la gente algo que la hiciera sentirse bien consigo misma y su vida, lograríamos un gran impacto en la comunidad. Jarrett decidió que un primer paso positivo sería tener disponibles cursos de capacitación en los 7 hábitos para todos los residentes de South Bend, quienes podrían aplicarlos y llegar a formar parte de una comunidad centrada en principios. Este proceso implicaba reunir organizaciones de toda la comunidad y crear una visión y un plan para enseñar y aplicar los principios aprendidos a todos los niveles.

En South Bend, eso significaba organizar los recursos colectivos de la Cámara de Comercio, la universidad Notre Dame, los hospitales, los hogares para ancianos, las escuelas, las bibliotecas, la YMCA, lo mismo que de varios negocios locales, además de agencias de servicios y clubes. La Cámara de Comercio local obtuvo la licencia para reproducir el material. Con los años miles de personas fueron capacitadas gracias a cursos ofrecidos por sus patrones u organizaciones. Jarrett se convirtió en facilitador y su compañía de contabilidad pública, Crow Chizek, ha entrenado a cerca de 400 de sus empleados.

*Reuniendo a dos generaciones para un ganar-ganar en toda la comunidad*

La meta simple de Jarrett era presentar el material en toda la comunidad y plantar las semillas. Él entendía que era un proceso a largo plazo y que los frutos no serían visibles hasta después de muchos años, aunque ya habían aparecido algunos indicios de que el camino por el que iba era el correcto.

Después, una mujer, Kathy Newman, que recibió la capacitación en South Bend, vio la oportunidad de aplicar el material en dos áreas que le inquietaban. Newman es voluntaria de tiempo completo en el sistema de enseñanza media de South Bend. También es la esposa de Edward Newman, presidente ejecutivo de Holy Cross Care Services, que opera tres instalaciones de cuidado de ancianos en esta ciudad de 110,000 residentes.

En su trabajo de voluntariado, Kathy había observado que gran número de niños parecían tener muy baja su autoestima, con falta de dirección y eran sumamente vulnerables a las influencias negativas. El impacto de esto a corto plazo eran problemas disciplinarios en las escuelas y aumento de crímenes cometidos por jóvenes en las calles. A largo plazo era una sociedad corrompida y una generación no preparada para hacer una aportación positiva a la fuerza de trabajo o a la comunidad.

Por medio de la carrera de su esposo, Newman había visto que existía aislamiento social y desintegración también en el espectro generacional. Muchos de los ancianos que residían en los asilos de la comunidad también eran vulnerables por razones relacionadas con la fragmentación familiar y el aislamiento de la comunidad en general.

Kathy no era la única en hacer estas observaciones, pero estaba en una posición única para realizar algo con el fin de redirigir positivamente estos problemas cuando surgiera la oportunidad. Poco después de que South Bend obtuvo la licencia para ser una comunidad centrada en principios, ella unió fuerzas con administradores escolares y con el programa de recursos de la comunidad para buscar una solución; con el apoyo de la compañía matriz en la que trabaja su esposo, Holy Cross Health Systems, y su Fondo de Misiones. La meta era presentar los problemas de ambas generaciones, para lo cual habría que reunir a los jóvenes y a los ancianos para obtener un beneficio mutuo.

Su campaña tenía la forma de una "iniciativa de enriquecimiento generacional", que ha mejorado la vida de gran número de residentes de South Bend y atrajo la atención nacional sobre esta comunidad. Lanzado en 1997, se conoce como el Programa para Negocios que alienta a estudiantes y maestros. Se caracteriza por un enfoque con tres puntas que incorpora los principios de los 7 hábitos.

Con el primer paso, se ofrecen cursos sobre los 7 hábitos especialmente diseñados para estudiantes de séptimo y octavo grados a tres de las cinco escuelas de educación media, en un esfuerzo por ayudarles a tratar más efectivamente sus relaciones y su desarrollo personal. A los maestros se les ofreció entrenamiento para que pudieran incorporar y reforzar el lenguaje y los principios en el salón de clases.

Más que para enseñar los 7 hábitos en un curso paso a paso, el material estaba integrado al programa de clases, por lo que cuando los maestros encontraban la oportunidad de ilustrar un principio o reforzar un hábito en particular, introducían el material. Si por ejemplo un estudiante decía algo sobre otra persona, un maestro podía aprovechar el momento para hablar de la cuenta de banco emocional y el concepto de honrar a los que se encuentran ausentes.

La maestra de ciencias de octavo grado, Pat Shagdai, enseñaba los 7 hábitos como la ciencia de la vida durante casi 45 minutos cada semana a sus alumnos en la secundaria Jackson Middle.

"En cierta forma era fácil, porque el mensaje versa mucho sobre asuntos familiares —decía— empecé con una visión general y luego enseñé cada uno de los hábitos; pronto los chicos estaban hablando de su vida familiar y los problemas que enfrentan con parientes y padres, pero más como una discusión de grupo. Representaba el papel de alguien que abría una puerta para encaminarse hacia una hermosa montaña."

"Si uno enfoca el material correctamente, desaparecerán muchas de las capas defensivas que las personas tienen formadas. Hay que verlo como una forma de hablar de su vida, no como un sistema de reglas con las que tienen que vivir y deben obedecer."

Aunque los estudiantes estaban dispuestos a compartir sus sentimientos de rechazo y aislamiento, se sentían menos inclinados a aceptar responsabilidad por su felicidad y su vida, afirmaba Shagdai.

"No puedo enseñar proactividad hasta que se hayan visto otras cosas —decía—, pero somos una sociedad inmersa en culpas. Sí es posible empezar a trabajar con eso, pues mi trabajo en el salón de clases es mucho más sencillo. La capacitación en los 7 hábitos enseña que uno debe cambiar primero antes de cambiar a otros. Les digo a mis alumnos que si siguen esta filosofía sus vidas se transformarán para mejorar."

*Buscando entendimiento entre generaciones y construyendo sensación de autovalía entre ellas*

El segundo componente de la iniciativa se diseñó para dirigir la situación entre jóvenes y ancianos en South Bend y crear un programa para promover la interacción entre estudiantes de educación media y los ancianos residentes en los tres asilos de Holy Cross. La meta era proporcionar elementos para que se afirmaran y reforzamiento positivo a los estudiantes, así como darles la oportunidad de practicar habilidades para relacionarse, entender a otra generación y apreciar la diversidad más profundamente.

"Hablar de empezar con el fin en la mente, cuando eres un adolescente que trabaja con ancianos, puede ser una forma maravillosa de comenzar a pensar sobre cómo quieres que sea tu vida —dijo Shagdai—. También es un gran método para practicar buscar entender, lo cual hicimos con capacitación preliminar."

El programa estaba diseñado también para mejorar la vida y las experiencias de los ancianos permitiéndoles interactuar con los estudiantes de secundaria, así como para darles oportunidad de establecer relaciones con los integrantes más jóvenes de la comunidad y sus familias. Esta formación de relaciones intergeneracionales se inició reuniendo a los estudiantes en una de las tres escuelas de educación media con los residentes de uno de los tres asilos.

El tercer elemento del programa de South Bend manejaba las preocupaciones sobre el futuro de la fuerza de trabajo de la comunidad. Los coordinadores presentaron un programa para los trabajadores del cuidado de la salud con el fin de que los jóvenes estuvieran conscientes de las muchas oportunidades que la ciudad otorgaba en un amplio rango de profesiones dentro de este marco.

La mayoría de los estudiantes participaron en trabajos en los cuales había que seguir como sombras y observar a los trabajadores del cuidado de la salud durante todo su día de trabajo.

Un estudio nacional conducido por el Consejo del Censo en 1997 encontró que las compañías que involucraban a las escuelas tienen una tasa de rotación de personal entre empleados jóvenes 50% más baja que las otras. "Involucrando de forma activa sus sistemas de educación local, los establecimientos pueden ayudar a generar una fuerza de trabajo que sea más estable, más dirigida y presuntamente mejor preparada para el futuro", dijeron los investigadores en un reportaje publicado en el *New York Times*.

## El poder de una visión expandida

En papel todo esto puede sonar árido, pero cuando varios cientos de estudiantes de secundaria de South Bend entendieron estos principios y los presentaron a un número igual de ancianos, los resultados fueron avasalladores, inspiradores y recompensantes para todos los involucrados.

Imagine adolescentes animados plantando flores alrededor de los asilos mientras los residentes ofrecen ayuda y dirección. Asimismo a jóvenes bailadores llenos de energía intercambiando lecciones de la Macarena paso a paso con los ancianos que les mostraban los pasos de moda cuando ellos eran jóvenes.

También piense en la experiencia iluminadora de un grupo de jugadores de fútbol cuando descubrieron que el hombre de cabello blanco que intercambiaba estadísticas deportivas con ellos era el legendario entrenador local de quien habían tomado el nombre de su cancha.

Además, el profundo entendimiento obtenido cuando una lección sobre la gran depresión se dio a estudiantes no con base en los libros de texto, sino con las reflexiones emotivas de hombres y mujeres que eran adolescentes cuando sus padres perdieron sus empleos, sus hogares y el respeto.

De igual manera, la alegría de los días finales de la vida de un anciano cuando un grupo de jovencitos lo encuentran tan interesante que le ruegan que venga a la siguiente reunión.

Todo esto sucedió en South Bend.

"Han pasado tantas cosas maravillosas que es difícil describirlas. Es una mirada directa a los ojos. Es un toque. Es convivir con chicos de 14 años que al principio rechazaban la idea de ir a un asilo, pero que ahora ya no quieren irse, que desean tener más tiempo para aprender y compartir experiencias con los residentes del asilo" —dijo Libby Bramiett-Jackson, una maestra de octavo grado de la escuela Clay Middle.

"Creo que 'buscar entender' es el principio número uno que funcionó aquí —agregó—. Es la parte clave de este programa completo."

Muchos de los estudiantes expresaron titubeos e incluso temor de ir a los asilos. No pensaban que tuvieran algo de que hablar con los ancianos. Temían, también, ser rechazados por ellos o molestarlos. Al final aprendieron que los ancianos casi siempre los aceptan más que a ellos mismos.

"Me acuerdo en particular de cuatro de mis chicos que estaban aterrorizados al principio y a quienes observé pasar por una etapa de crecimiento en un corto periodo; fue sorprendente —dijo Shagdai—. Fuimos a un viaje a observar aves y al ver a estos cuatro chicos parados fuera del autobús con la cabeza baja respetuosamente para escoltar a los ancianos mientras bajaban, casi me pongo a llorar. Habían tenido tanto miedo y ya habían creado armonía rápidamente. Cuando comenté a mis alumnos lo orgullosa que estaba, tenían lágrimas en los ojos. Fue como si sus corazones hubieran sido tocados y ya no tuvieran miedo de mostrarlo, aunque algunos eran realmente rudos y difíciles."

Los estudiantes del grupo de observación, junto con los residentes del asilo, participaron en un programa nacional de aves impartido por un caballero anciano que se presentó a su primera sesión con saco y corbata, así como con un paquete. El hombre, quien rara vez salía de su habitación o socializaba, se paró y mostró a los estudiantes su colección de estampillas de aves y luego empezó a hablarles sobre cómo observaba a las aves desde la ventana de su oficina durante sus años como profesor en Notre Dame. Informó a su audiencia que también había sido cronista deportivo local y autor de un libro sobre Notre Dame, el cual les mostró.

"Se abrió con ellos y algo realmente se arraigó en los chicos —insistió Shagdai—. Cuando preguntó si alguien quería una copia autografiada de su libro, se levantaron muchas manos. Estoy segura que querían ser amables. Cuando uno de los niños mostró su decepción porque no había suficientes copias, el hombre fue a su habitación y regresó con una tarjeta de béisbol autografiada. Los asistentes se quedaron helados cuando vieron que era él quien aparecía en la tarjeta. Había sido un jugador de Ligas Mayores. Nadie en el asilo lo sabía."

El anciano parecía alimentar de energía a los jóvenes, por lo cual le pidieron que regresara a las otras reuniones, obviamente estaba fascinado. Vino sólo a dos más. Antes de la tercera, los administradores del asilo notificaron a la escuela que el hombre había muerto.

"Realmente eso afectó a los chicos, pues estuvieron muy emotivos, lo cual me sorprendió, pero creo que ahí también hubo una lección", externó la maestra.

Aunque algunos profesores han expresado preocupación en cuanto a que los obstáculos entre jóvenes y ancianos podrían ser muy grandes, los primeros parecían dispuestos a estar con adultos que no hicieran juicios y en quienes se apoyarían.

"Hay un tomar y ceder entre estas dos generaciones que se pierde cuando las personas de edad media se insertan en la ecuación. Nosotros tomamos las cosas con tanta seriedad y esos dos grupos no —decía Kathy Newman—. Cuando un estudiante se presenta con cabello morado y una camiseta que dice 'Viva la Muerte', nuestra inclinación es enviarlo a casa, pero los residentes no le dan importancia a eso."

Los muchachos se involucran especialmente con los ancianos durante un ejercicio en el cual se les pide compilar las historias de la vida de los residentes de los asilos y luego expresarlas con entusiasmo en un amplio rango de medios creativos.

"Hay mucho trabajo de arte; por ejemplo, presentaciones dramáticas o interpretación de canciones. Tuvimos una estudiante que estaba tan fascinada con la vida de su residente y desarrolló tanto respeto por ella, que hizo un edredón con 20 o 30 cuadros de tela donde escribió la vida de la mujer. No le dijo a nadie que lo estaba haciendo. Lo hizo por cariño y compasión, lo mismo que por un deseo de complacer a la dama. Cuando su maestra lo vio, se quedó prácticamente sin habla —externó Kathy Newman—. Y la familia de la mujer expresó que notaron un cambio enorme en su habilidad social. Antes del programa con los estudiantes de secundaria, esta antigua maestra a quien le habían amputado una pierna, rara vez salía de su habitación, pero cuando los jóvenes empezaron a visitarlos de repente quiso vestirse sin ayuda todas las mañanas. Los jóvenes la encontraban esperando en la puerta sentada en su silla de ruedas. Incluso pidió a su hijo que le trajera algunos detallitos de su casa para compartir con los muchachos. Toda su persona y actitud cambiaron. Fue maravilloso ver la interacción producida."

## Caminar en el lugar de otro puede conducir al autodescubrimiento

Los alumnos de Libby Bramlett-Jackson se reunían con los residentes del asilo Holy Cross y del centro de rehabilitación. Igual que los 350 estudiantes de secundaria que han participado en los dos años del programa, a los primeros se les enseñó a entender a sus compañeros ancianos, muchos de los cuales estaban en silla de ruedas o sufrían de Alzheimer, Parkinson u otra enfermedad debilitante propia de la edad.

"Antes de llegar a nuestras instalaciones, los jóvenes pasaban un día completo en un parque de la comunidad involucrados en actividades que les enseñaban los efectos de la edad mientras les disipaban muchos mitos sobre los ancianos —aclaró Edward Newman—. Tenían carreras en sillas de ruedas. Les ponían *goggles* especiales para que supieran cómo se ve el mundo con cataratas. Veían las dificultades que enfrentaban todos los días estas personas con las que se iban a reunir y así podrían entenderlas mejor."

Bramlett-Jackson notó que muchos de sus estudiantes ganaban en autoconfianza y discernimientos sobre sus vidas al relacionarse con los ancianos. Su clase fue nombrada Clase del Año por la Agencia de South Bend de Ancianos gracias a su participación en el programa, el cual fue elegido por la revista *Woman's Day* como uno de los programas educativos más innovadores del país. El reconocimiento externo fue muy apreciado, pero las recompensas internas fueron mucho más grandes.

"Uno de nuestros chicos era introvertido hasta el punto en que tenía dificultad para hablar frente a otros y no tenía muchos amigos, pero para el final del año estaba mucho más dispuesto a platicar e incluso encontró a una novia" compartió la maestra.

Los maestros estaban particularmente felices por la transformación de otro estudiante, Josh, un chico rebelde y problemático que tenía un modo de ser rudo y grosero, cuando se relacionó con los residentes ancianos, en particular con una mujer de nombre Violeta. Se quedaron sin habla un día cuando observaron al chico pintar tierna y cuidadosamente las uñas a Violeta. "La asistencia de Josh y sus calificaciones empezaron a mejorar. Finalmente se sentía efectivo en algo y estaba llevándolo al salón de clase", reportó uno de sus maestros.

Los estudiantes de Bramlett-Jackson afirmaron que haber conocido a los residentes de los asilos les había ayudado a entender mejor que no tenían que temer llegar a envejecer.

"Me sirvió de mucho ver a otros —expresó un estudiante de 14 años—. Escuchar sus historias nos hizo pensar cómo las cosas que hacemos ahora afectarán nuestra vida en el futuro."

Muchos niños tenían miedo de los ancianos y de morir, "pero cuando los conocemos más vemos que no es tan malo envejecer", señaló otra estudiante de 13 años.

Mayor entendimiento no es la única recompensa compartida que obtuvieron los participantes en el programa. Muchos de los residentes del asilo San José sufren de Alzheimer y otras formas de demencia que han servido para aislar a los ancianos del resto del mundo. La presencia de jóvenes dispuestos a acompañarlos inyectaba nueva vida en muchos de los pacientes y ha aumentado la sensación de comunidad en todos los involucrados.

"He visto que ocurren cosas mágicas cuando dos personas interactúan y se acercan —exclamó Gregg Perkins, del personal de San José—. El año pasado una chica de secundaria vino el día de San Valentín. No había sido invitada al baile de la escuela y tenía el corazón destrozado. Su maestra dijo que había estado llorando y estaba muy molesta. Visitó a uno de nuestros pacientes de Alzheimer que no puede hablar, pero cuando la chica se sentó con el residente, ambos se iluminaron. El estiró la mano y tocó la mano de ella como si supiera que estaba destrozada. Fue muy conmovedor observar a esas dos personas, una joven y un anciano, responder a las necesidades del otro.

"Ahora muchos jóvenes y sus familias vienen a visitar a sus residentes favoritos en Navidad y en días de fiesta —agrega—. Se han acercado mucho gracias a su participación en el programa de la escuela.

"Esos recuerdos se guardarán como una historia viviente de la comunidad y una nueva forma de entender la vida aquí. Todos ganan con un programa como éste. Es como tirar un cristal en un estanque, las imágenes se expanden con las olas. Hemos creado una generación de chicos conscientes. Creo que si se puede sostener como recuerdo este servicio a la comunidad, crecerá y crecerá por muchos años."

---

 *Uno de los conceptos más importantes que aprendí en mi trabajo profesional es que cuando las personas viven fuera de sí mismas en amor y se enfocan a una meta o visión mayor que ellas mismas, todo se convierte en energía y motivaciones, a la vez que libera facultades más altas y talentos naturales. Cuando involucramos a dos, tres o más personas en una empresa común, resulta una verdadera sinergia. El todo se vuelve mayor que la suma de sus partes, no en maneras pequeñas, sino en grandes. Se ve la sabiduría de la socióloga Emile Durkheim, quien aseguró: "Cuando las costumbres son suficientes, las leyes son innecesarias; cuando las costumbres son insuficientes, las leyes son obligatorias". Este*

*tipo de normas o costumbres dentro de un grupo, una comunidad o una sociedad representan los metabábitos de una cultura. También creo necesario convertir eventualmente estas costumbres y normas en leyes para que se institucionalicen. Entonces las leyes representan el estándar y la expectativa oficial y los elementos que no cumplen en una sociedad se hacen responsables, mientras que con la mayoría tales leyes se vuelven en lo esencial innecesarias.*

*Lord Moulton, un empleado del parlamento británico de principios de siglo, hablaba mucho sobre el tercer dominio como lo que permitía la vida efectiva en una comunidad. El primero es la ley positiva o gobierno, lo cual representa la fuerza. El segundo es la elección individual libre. El tercero equivale al área donde las personas eligen con libertad vivir con maneras, civilidad y valores que levantan e integran una comunidad, que la mantienen unida, en paz y en un estado de mejora constante. Moulton llamó a este tercer dominio "obediencia a lo no obligatorio". En cierto sentido no es el enfoque de fuera hacia dentro del gobierno, sino el de dentro hacia fuera de las personas, con voluntad para vivir con valores centrados en principios, lo que se vuelve el corazón y el alma de la masa vital que permite a una sociedad civil subsistir.*

# DE VUELTA A LA ESCUELA

> *Mientras estudia los objetivos y métodos de esta impre-*
> *sionante maestra, note cómo alentó a sus estudiantes*
> *no sólo a entender los 7 hábitos, sino a referirse a ellos*
> *constantemente para identificar diferentes conductas.*

Hace un par de años, durante una ceremonia de premiación en la secundaria Copper Hills en South Jordan, Utah, 12 alumnos recibieron el premio Sterling por su desempeño académico y liderazgo. No había nada raro en la ceremonia, excepto que uno de los padres notó que la mitad de esos estudiantes premiados habían pasado por la misma maestra de sexto grado. Todos habían sido mis alumnos. No me había dado cuenta hasta que el papá vino y me preguntó cuál era mi secreto para convertir a los chicos en estudiantes de alto desempeño. Le contesté que no había ningún secreto. Eran simplemente los 7 hábitos.

Recién reuní una colección de cartas manuscritas por niños de mis clases y aunque todos son muy queridos, hay una que siempre tuvo un lugar especial. Empieza así: *"Llegué a la clase de la señora Doxey con el peor pánico de mi vida. He sido proactiva para aprender a controlar mis ataques de pánico".*

Esta carta es de Heidi, que entró a mi clase de cuarto grado como una niña tímida y retraída cuya inteligencia no podía brillar debido a su timidez. Le tenía pánico al fracaso. Cada vez que no contestaba correctamente en clase, se volvía distraída, lloraba y se atormentaba hasta el punto en que con frecuencia no funcionaba el resto del día. He visto la misma situación muchas veces en más de 30 años en el salón de clases, por lo que reconocí el nerviosismo de Heidi y su volatilidad emocional se debía a su lucha por alcanzar el perfeccionismo. Por ello, la pequeña vivía con un gran miedo al fracaso.

Su paradigma era: "no puedo resolver problemas sin ayuda porque cometería un error". No se tenía confianza, lo cual es común con los niños talentosos. La búsqueda del perfeccionismo y el miedo al fracaso pueden impedir seriamente continuar su camino o sus estudios a chicos brillantes si no se les enseña desde muy pequeños a que el fracaso es parte del proceso de aprendizaje. Para ayudar a Heidi a superar sus temores, le mostré lo que es proactividad y fui un modelo para ella. Para que resolviera el problema del perfeccionismo, pegué un cartel en la pared que mostraba los 7 hábitos. Esto lo presenté como "Las reglas del salón", por lo cual desde el primer día de clases de cada año soy modelo de los hábitos y defino lo que estoy haciendo para que los estudiantes empiecen a entenderlos. También reviso el vocabulario y les aclaro que éstas son las reglas que gobiernan nuestra clase. Asimismo, envío a todos los padres notas para explicarles los hábitos. La segunda semana de clases pido a los niños que traigan ejemplos de casa de cada hábito. En el salón, consistentemente incorporo los hábitos a mi enseñanza como modelos y usando ejemplos: cuando identifico un problema y empiezo a trabajar en una solución, les comento: "Ahora estoy siendo proactiva", o "estoy empezando esto con el fin en la mente". También les pido a los niños que expresen con palabras cuando están siendo proactivos o les hago preguntas como "si fueran proactivos, ¿cómo responderían?" Ellos encuentran conductas proactivas en historias, lecciones, ¡incluso en las matemáticas!

Heidi tuvo que superar su conducta aprendida, la cual principalmente era reactiva e hizo que durante las primeras semanas de escuela se sintiera frustrada por estos ejercicios basados en los 7 hábitos. Cuando descubrió que había dejado un libro en casa la segunda semana de clases, tuvo pánico. Cuando explotó en llanto, me acerqué a ella y le comenté: "Vamos a ver el problema juntas". La escuché hablar y luego le pregunte: "¿Qué hábito estoy practicando?"

Ella respondió: "Está buscando entender cuál es el problema".

Entonces insistí: "¿Qué hábitos van a ayudarte a resolver este problema?" No logró identificar cómo proceder, así que le hablé de ser proactiva y de las posibilidades que tenía en esta instancia.

En las semanas siguientes, acompañé a Heidi y a otros estudiantes de la clase por escenarios similares docenas de veces con el propósito de que hicieran de ellos una segunda naturaleza. Ésta fue muy difícil al principio porque el pánico estaba muy arraigado en ellos, aunque poco a poco empezaron a transformarse de reactivos a proactivos.

Para ayudar a los estudiantes a entender los 7 hábitos más claramente, establecí un sistema de cuenta de banco emocional. Les repartí pequeños certificados de puntos para recompensar las conductas adecuadas para resolver problemas, dar prioridades o comportamientos proactivos. También los premio cuando hacen depósitos en las cuentas emocionales de alguien siendo amables o considerados. Uso estos puntos como un refuerzo físico para usar los hábitos. Es posible que ellos los utilicen para recibir privilegios o como "comodines" cuando entregan tarde una tarea o sacan una baja calificación.

Aliento a los estudiantes a analizar su conducta en términos de los 7 hábitos y pongo énfasis en que se espera que vivan los principios en mi salón de clases. En ciencias sociales o matemáticas encontramos los ejemplos que se usan en los hábitos. Los integro en toda lección y ellos los aprenden con rapidez.

Si un alumno no hizo la tarea porque su mamá lo obligó a tender su cama temprano, le llamo "nene de mamita" y le digo que es una razón inaceptable. Ellos lo entienden y rápidamente identifican a los que son nenes de mamita y a los que resuelven problemas.

Para crear en ellos autoconciencia, llevo a cabo sesiones de representación de roles, en las cuales los niños actúan en escenarios, representando el papel de figuras históricas, personajes de novelas, padres de familia e hijos, a la vez que identifican conductas que no están alineadas con los 7 hábitos. No les lleva mucho tiempo averiguar que el problema no fue que mamá los obligara a hacer la cama, sino que son ellos quienes no pusieron primero lo primero y cumplieron con la tarea en vez de jugar.

También tengo un tablero que pueden firmar. Eso les da derecho a tener una conferencia privada conmigo para resolver problemas. Si dejan la tarea en casa, trabajamos en una solución ganar-ganar, pero les pido evidencia, como una nota de uno de sus padres para confirmar que hicieron la tarea, pero olvidaron ponerla en la mochila. Si tienen evidencia y una solución, entonces no hay castigo porque han sido proactivos. Pero si no, entonces se ganan un cero. Así aprenden a ser proactivos y también aprenden que hay consecuencias negativas y positivas por las decisiones que uno toma.

Por medio de esta exposición diaria a la conducta proactiva y los 7 hábitos, Heidi lentamente empezó a entender que había para ella la elección de superar las circunstancias y aplicar su inteligencia en formas mucho más benéficas y satisfactorias.

Un día después de unas seis o siete semanas de iniciado el año escolar, vino a verme con una solución en vez de un problema. Cuando se atrevió a tomar ese riesgo, supe que había experimentado un avance. Fui testigo de muchos momentos similares con ella y cientos de otros chicos. Tuve el placer de trabajar con Heidi de nuevo en sexto grado. ¡Ella sigue usando los hábitos!

Por lo general, a la mitad del año escolar, los estudiantes revisan su conducta y dicen: "No puse primero lo primero cuando jugué en vez de hacer mi tarea". Es decir, llegan a un nivel de conciencia en el cual pueden identificar la conducta que ocasionó el problema; para mí, es un paso increíble. También han habido padres que me platican que los muchachos van a casa y regañan a sus hermanos por no sinergizar lo suficiente o no buscar entender al otro. O sea que han tomado en serio los hábitos.

Las cartas que mis estudiantes escribieron son el mayor testimonio de la efectividad de ser modelo y enseñar los hábitos. Aquí muestro algunos ejemplos de las cartas de mis alumnos de cuarto grado.

BUSQUÉ ENTENDER LUEGO SER ENTENDIDO, CUANDO ESTÁBAMOS HACIENDO LAS TARJETAS DE LECTURA DE COMPRENSIÓN Y MI COMPAÑERA IBA MUY LENTA. LE PREGUNTÉ POR QUÉ IBA TAN LENTA CON LAS TARJETAS. ELLA RESPONDIÓ QUE SIEMPRE LEÍA LENTO. ENTONCES ENTENDÍ.

EMPIEZO CON EL FIN EN LA MENTE CUANDO ANTES DE JUGAR LIMPIO MI CUARTO Y HAGO MI TAREA.

HE SIDO PROACTIVO HACIENDO MI TAREA. NUNCA LA HACÍA. AHORA TENGO MUY BUENAS CALIFICACIONES.

PENSAR GANAR-GANAR. CUANDO JUEGO SIEMPRE PIENSO QUE JUGARÉ UN BUEN JUEGO, NO ME IMPORTA SI PIERDO.

BUSCAR PRIMERO ENTENDER, LUEGO SER ENTENDIDO. SIEMPRE PROCURO VER QUÉ QUIEREN HACER LAS DEMÁS PERSONAS, NO SÓLO QUÉ QUIERO HACER YO.

CUANDO PONGO PRIMERO LO PRIMERO... VOY A LA TIENDA Y COMPRO LAS COSAS MÁS IMPORTANTES PRIMERO Y SIEMPRE DEJO LOS DULCES PARA EL FINAL.

HABÍA UNA MAESTRA PARADA ENFRENTE DEL SALÓN. NO PODÍA VER EL PIZARRÓN. ASÍ QUE EN VEZ DE PEDIR A LA MAESTRA QUE SE MOVIERA, YO ME MOVÍ. FUE UN EJEMPLO DE PROACTIVIDAD. UNA VEZ JUGAMOS A ALGO EN EL SALÓN Y SE CAYÓ LA PINTURA, PERO NOSOTROS ENTENDIMOS Y LIMPIAMOS TODO.

MI HERMANA QUERÍA ALGO DE MÍ Y YO QUERÍA ALGO DE ELLA. ENTONCES HICE UN TRATO CON ELLA Y AMBOS GANAMOS.

PENSAR GANAR-GANAR. MI AMIGO Y YO ESTÁBAMOS JUGANDO BALONCESTO Y NOS DÁBAMOS PASES UNO AL OTRO Y ¡GANAMOS EL JUEGO!

He recibido muchas satisfacciones en mi carrera desde que empecé a usar los 7 hábitos en el salón de clases. No siempre tengo éxito con todos los alumnos, pero mi meta cada año es enseñar algo fuera de mi trabajo, que los chicos sean independientes para que no necesiten un maestro, para que estén listos para la vida. Esta técnica convierte a niños como Heidi, quien estaba paralizada por el miedo al fracaso, en solucionadores de problemas y en personas funcionales que tomarán riesgos porque entienden que el fracaso no es un callejón sin salida. Da a los niños el poder de gobernarse a sí mismos y si eso les enseñamos y esperamos que lo hagan, lo harán.

Incorporar los hábitos en el salón de clases ha producido grupos con los que es delicioso trabajar todo el año. Ya no soy una maestra tensionada tratando de mantener quietos a 30 niños. Ellos se controlan solos y sinergizan entre sí y conmigo. ¡Juntos volamos muy alto! Mi trabajo se ha vuelto mucho más ameno por ello.

En vez de ser la sabia del grupo, soy la guía y eso es energetizante. No tengo que conocer todas las respuestas: mi trabajo es ayudar a los estudiantes a descubrir las respuestas por sí mismos y eso produce mucha más satisfacción. Se están convirtiendo en ciudadanos que resuelven los problemas del mundo.

---

 *En su brillante libro* Una guía para los perplejos, *E. F. Schumacker identifica cuatro niveles del ser y sus características únicas: el primer nivel, la roca, que es un mineral; el segundo, la planta, que es un mineral con vida; el tercero, animal, que es un mineral con vida y conciencia; el cuarto, humano, que es un mineral con vida, conciencia y autoconciencia, lo cual es la habilidad para meditar sobre su pensamiento. La autoconciencia es el menos cultivado de los cuatro dones (autoconciencia, imaginación, conciencia y voluntad independiente). Pero mientras más se cultive,*

*más grande será la distancia entre el estímulo y la respuesta. Las personas ya no son producto de los genes de sus padres o de sus relaciones o circunstancias presentes. Son consecuencia de sus elecciones en respuesta a estas cosas. Mientras la gente se capacite más en el lenguaje de la autoconciencia, más se cultivará. Las palabras son símbolos de significado, son herramientas para las ideas.Los individuos no pueden pensar fuera de su vocabulario. Inténtelo y verá que su pensamiento será congruente con su lenguaje.*

*Cuando esta maravillosa maestra capacitó a sus estudiantes en el lenguaje proactivo, la cuenta de banco emocional, y otras conductas positivas, su conciencia y su repertorio de conductas aumentaron. También, cuando las personas se mueven de manera inconsciente de ser efectivas a ser conscientemente efectivas pueden enseñar los principios a otros con precepto y ejemplo. Dicha efectividad consciente cultiva en gran medida la independencia, más que la dependencia continua en una maestra. Asimismo, profundiza el entendimiento de por qué funciona un principio y por qué una práctica particular que no está basada en un principio no funciona. No hay duda de que muchos de los alumnos de Sharlee Doxey-Stockdale fueron reconocidos por su extraordinario desempeño.*

E<small>NFRENTANDO LA TRAGEDIA</small>

*Note cómo este superintendente escolar ejercitó la autoconciencia en el segundo en que supo de un accidente fatal. Como observó un adecuado involucramiento por medio de toda la experiencia, su liderazgo catalítico le permitió fluir con la realidad y adaptar lo que fuera necesario con gran cariño y empatía.*

Soy superintendente escolar. Una tarde, justo una hora antes de que terminaran las clases, un niño de seis años corrió por el patio, salió a la calle donde fue atropellado y murió. Como superintendente, no hay un libro de texto o un manual que te enseñe a manejar algo así. Mi primer pensamiento al correr hacia el lugar del accidente era "Ser proactivo [hábito 1]".

Cuando llegué a la escena, encontré a un joven reportero de un diario. Estaba tomando fotografías del incidente y haciendo todo tipo de preguntas que confundían las emociones de todo el mundo. Yo no quería eso. Así que le pedí que se marchara. Sé que algunos dirían que tenían derecho de ver esas fotografías en el diario. Pero habíamos perdido a un niño. No quería convertir la tragedia de la muerte de esta criatura en un reportaje de tabloides para el público. Nuestra escuela había perdido un amigo. Necesitábamos tiempo para que la comunidad tuviera su duelo por esta pérdida. Subsecuentemente, compartí mis comentarios y los enunciados de los testigos con un diario local que era más sensible a la naturaleza emotiva de la situación.

Durante esta trágica tarde, sentí el poder de Buscar primero entender, luego ser entendido. Para ser de ayuda para los padres del niño, para la escuela, para los otros estudiantes y sus padres, debía primero saber cuáles eran sus necesidades. Estaba en un modo casi hipersensible para escuchar y planificar.

Esa tarde había visto el cuerpo del niño en la calle (tuve pesadillas durante varias semanas). Luego tuve que ir con la patrulla a avisarles a sus padres. Vi que estas personas necesitaban hablar sobre la experiencia con un grupo de apoyo. Con todo lo difícil que fue, me reuní con mi grupo para hablar de la tragedia. Inmediatamente formulamos una carta para enviar a los padres de los 550 alumnos esa misma tarde. Les decíamos que habíamos tenido un terrible accidente, así que "por favor entiendan si su hijo llega a casa un poco inquieto". Más tarde ese día, traje a mi oficina a los supervisores en turno que presenciaron el accidente. Ahí tomamos sus declaraciones. Ya estaban bajo demasiada presión, por lo cual pensé que si hablaban en ese momento, al día siguiente no tendrían que volver a recordar todo esto de nuevo.

Esa noche formamos un equipo de 18 consejeros y ministros para proporcionar apoyo masivo a alumnos y maestros. La mañana siguiente, como todos estos profesionistas estaban en la biblioteca, celebramos una sesión formal. Programamos tres sesiones de preguntas con el personal. Estábamos siendo proactivos para proporcionar a cada salón de clases un consejero que les ayudara a manejar la pena y el dolor por este espantoso accidente.

Un miembro del consejo escolar me mencionó que podría tomarse acción legal en contra del distrito y contra mí. Le dije que estaba listo para aceptar esa responsabilidad, en caso de que sucediera. No pasó nada. Después me comentó que le había asombrado tanto la manera en que manejé este suceso que hasta había ido a comprar el libro de los *7 hábitos* para ver dónde aprendí cómo comportarme en una situación así. En vez de reaccionar ante esta tragedia escondiéndonos, actuamos y le dimos la cara. Todo lo que hice en esos dos días fue porque quería tener control sobre esa muerte devastadora, que llegaría a ser un trauma aniquilante para toda la comunidad. Pienso que como actuamos muy rápida y serenamente se disiparon muchos temores y los corazones empezaron a sanar mucho más pronto de lo que hubiera sido de otro modo.

 *Existe un momento para involucrar a otros, y hay momentos simplemente para tomar el control. Este superintendente primero obtuvo el control completo de sí mismo y luego el control de la situación. Cuando actuamos rápido y estamos llenos de sabiduría y compasión en una situación de crisis, las personas lo identifican. Quieren direc-*

*ción, liderazgo, confort y ayuda. Se sienten humillados por la fuerza de las circunstancias y la profundidad de su dolor. Su evaluación de una situación puede decirles que se detengan a escuchar y sólo actúen. En ocasiones ser proactivo significa elegir no actuar. A veces obliga a subordinar los sentimientos a sus valores y hacer lo que es correcto. En cada caso, ya sea decidirse a actuar o no, cada respuesta requiere iniciativa y fortaleza de carácter.*

## Sólo haz un corte tajante

> *Ésta es la historia de una situación escuela-familia difícil, complicada e incluso desastrosa. Note la diferencia entre el fracaso de un enfoque de fuera hacia dentro y el éxito de aquel que se hace de dentro hacia fuera.*

Algo increíble sucedió a nuestra familia cuando mi hija Kelsey entró a cuarto grado. En los primeros meses, se convirtió en otra persona. Una conversación normal sonaba como algo así:

Yo preguntaba: "¿Cómo estuvo tu día?" Ella contestaba con monosílabos: "Bien". Yo persistía: "Bien, ¿y qué hiciste?" o "¿qué aprendiste?" Ella agregaba: "Nada". Si ella decidía hablar de la escuela, siempre eran cosas negativas: "Fulano y fulano se burlaron de mí hoy".

Cuando le pedía ver su trabajo, no estaba dispuesta a enseñármelo. No quería compartir las historias que había escrito. Todas sus tareas llegaban a casa en su mochila o permanecían arrugadas en su escritorio en la escuela.

Las cosas llegaron hasta el punto donde mi esposa Terry y yo teníamos que hablar de la escuela con Kelsey. Ella empezó a despertar "enferma" todas las mañanas. Después de clases, si podíamos obligarla a ir, llegaba a casa y se sentaba a ver televisión o iba a su cuarto y cerraba la puerta. Antes había sido una niña feliz, así que este cambio de conducta era muy inquietante.

Eventualmente, averiguamos que quizás era algo que tenía que ver con la escuela. Pedimos a los profesores que le hicieran una prueba en lectura y matemáticas. Para nuestro asombro, Kelsey resultó estar dos niveles abajo. No lo creíamos. La escuela la había pasado a cuarto grado. ¿Que no se dieron cuenta que iba mal? Estábamos tan enojados en las primeras citas que sólo transmitíamos frustración. Sé que eso no ayudaba a nuestra causa. Cuando llamas ineptos y desinteresados a la maestra de tercer grado y al director de la escuela, no construyes un cimiento sólido sobre el cual trabajar. Irónicamente, mientras gastábamos toda esta energía en corregir las cosas, todo empeoraba para Kelsey. Ella afirmaba: "Soy una estúpida. No pertenezco a cuarto grado".

Incluso mi relación con mi esposa empezó a sufrir. Cuando llegaba a casa después del trabajo, nos íbamos a caminar para hablar en privado sobre lo que estaba sucediendo y qué curso de acción deberíamos tomar. A veces andábamos tres o cuatro millas, discutiendo sobre qué hacer y regresábamos a casa en silencio. Escribimos cartas, hicimos llamadas telefónicas, nos sentamos en reuniones, hablamos con otros padres. Nada parecía funcionar. No nos era posible dar origen a una experiencia de aprendizaje positivo para nuestra niña.

Un día sugerí a mi esposa que tratáramos de pensar ganar-ganar [hábito 4]. Nos preguntamos: "¿Qué pasos dar para ejercer una influencia más positiva sobre esta situación?" Revisamos otra vez esta circunstancia tratando de verla con nuevos ojos y de entender a los involucrados [hábito 5: Buscar primero entender, luego ser entendido]. Vimos que los maestros estaban sometidos a presiones tremendas para resolver miles de problemas. Queríamos asegurarnos que no estábamos señalando a nadie injustamente. Nos cuestionábamos. Tal vez el problema éramos nosotros, pues no dábamos suficiente apoyo a la niña en casa. Quizás el problema era Kelsey misma.

Sugerí llegar a un acuerdo ganar-ganar entre nosotros, Kelsey y la escuela. Terry quería hacer un corte tajante, como lo llamaba. "Vamos a remediar el problema, Dan." Así que compartí con ella algunas experiencias exitosas y la filosofía que hay detrás de los acuerdos ganar-ganar. Le mostré el formato ganar-ganar con los cinco puntos principales y el espacio para anotar. Comentó que lo intentaría.

Estuvimos de acuerdo con los resultados deseados, que básicamente eran conseguir una mejor experiencia de aprendizaje para nuestra hija, pero íbamos por diferentes caminos tratando de llegar ahí. Podía sentir la tensión que surgía de nuevo. Así que me retraje. "Pondré mis pensamientos por escrito. Tú escribe los tuyos. Y más tarde hablaremos de nuevo, ¿de acuerdo?"

En los siguientes días Terry escribió y volvió a hacer varios borradores. Yo pasé por el mismo proceso. Luego nos juntamos para llegar a ganar-ganar. Tratamos de entender la situación desde la perspectiva de la escuela. Revisamos sus enunciados de misión y visión. Discutimos los lineamientos y los recursos disponibles. Identificamos cómo íbamos a hacernos responsables junto con la escuela y cuáles eran las consecuencias, buenas y malas.

Sinceramente queríamos realizar un esfuerzo de equipo. Pedimos otra cita con el director y los maestros (estoy seguro que no les daba mucho gusto vernos de nuevo). En esta ocasión ya éramos una pareja diferente. Ahora queríamos una solución que beneficiara a todos los involucrados. Nuestras emociones estaban bajo control, así que podíamos enfocarnos en los hechos.

Como llegamos a la mesa con una nueva actitud, los administradores de la escuela estuvieron dispuestos a volver a examinarse. Vieron que en algunas cosas no estaban siguiendo su enunciado de misión, y detectaron inconsistencias y la necesidad para cambiar algunas políticas. Admitieron que a veces, mientras trataban de cumplir con los requisitos de los fondos estatales y federales, perdían la visión.

Un cambio así era permitir a los alumnos volver a hacer exámenes para que pudieran crecer y expandir su conocimiento en las áreas donde estaban débiles. Se alentaba a los maestros a reflejar el nivel de los jóvenes con un número o un porcentaje, más que con una letra sobre su trabajo diario. Alteraban su programa de estudios.

Por nuestra parte, ofrecimos poner a Kelsey en clases privadas y acordamos firmar sus tareas para demostrar que las habíamos revisado. Vigilaríamos si ella necesitaba volver a realizar un examen para mejorar. Kelsey se comprometió a trabajar lo más duro posible para ponerse al corriente.

No conseguimos todo lo que esperábamos. La escuela mantuvo su política de no mover a los alumnos de un salón de clases aunque no se llevaran bien con el maestro, a menos que fuera el último recurso. Querían tiempo y una oportunidad para arreglar las cosas entre estudiante y maestro. Pero, después de todo, los resultados fueron maravillosos. Kelsey estaba muy determinada y trabajó durante el verano hasta que superó su nivel en lectura y matemáticas. Su amor por aprender regresó, y la escuela se convirtió en un lugar de diversión e instrucción de nuevo, no un campo de batalla en una zona de guerra.

*Si esta pareja hubiera persistido en su enfoque de fuera hacia dentro con su hija, con la escuela y con su relación, todo habría seguido deteriorándose. Hasta que uno entiende la complejidad de semejantes dinámicas familiares, se puede simplemente concluir que presionar más duro o adoptar una actitud positiva sería la solución, cuando de hecho la necesidad real es llegar al corazón de la complejidad para ver qué sencilla es la solución. Sólo tomando un enfoque de dentro hacia fuera (pen-*

*sar ganar-ganar y buscar primero entender), eventual-
mente surge la sinergia.*

Estudiantes: ¿el cliente?

> *Sienta cómo un enfoque estudiante-cliente inspiró y guió
> al director de la escuela en esta historia a dar un paso a
> la vez en un momento para transformar por completo la
> experiencia educativa.*

Como director de una escuela alternativa, siempre estaba buscando un programa de estudios que pudiéramos usar para
ayudarnos a trabajar mejor juntos. Cuando analicé las filoso-
fías de negocios, todas parecían pequeñas piezas útiles, pero
no completas. Algunas contenían nuevo lenguaje, pero eso no
serviría a nuestra habilidad de trabajar juntos. Cuando encontré los 7 hábitos, vi que se trataba de algo más completo: nos
moveríamos de victorias privadas a públicas. Tal vez aprende-
ríamos a asumir compromiso por nuestras acciones, luego a
movernos hacia nuestra responsabilidad por las de nuestros
estudiantes [hábito 1: Ser proactivo]. Formaríamos un enunciado de misión juntos como facultad que gobernara nuestras conductas hacia otros [hábito 2: Comenzar con el fin en
la mente]. Realmente pensé que estos hábitos nos ayudarían a
trabajar juntos para lograr nuestra meta común.

En el pasado, nuestra actitud como facultad había sido
reactiva por decir lo menos. Durante las reuniones pasábamos mucho tiempo mirando, señalándonos, confesando los
pecados del distrito y los de los padres. Nos quejábamos de
que los padres no enviaban a los niños listos para aprender.
También de que los padres no valoraban la educación, que la
comunidad no estaba dispuesta a apoyarnos en nuestros trabajos. Hablábamos de lo permisiva que se había vuelto la sociedad, cómo los niños eran irrespetuosos e incivilizados, que

no podían siquiera aprender a leer. Supongo que se imaginará que no se lograría hacer algo constructivo en esas reuniones.

Cuando empezamos a trabajar con estos principios, reconocimos que había cosas que podíamos hacer además de hablar de lo que está en nuestro círculo de preocupación. Nos enfocaríamos más a las cosas sobre las que era posible influir [hábito 1: Ser proactivo]. Trataríamos con los chicos que se presentaran escuchándolos y detectando lo que ellos necesitaban, en vez de quejarnos de que no estuvieran ahí [hábito 5: Buscar primero entender, luego ser entendido]. Seríamos más claros respecto a lo que queríamos que aprendieran [hábito 2: Comenzar con el fin en la mente]. Acordaríamos como escuela sobre la disciplina en el salón de clases. Seríamos más útiles. Admitiríamos que tal vez no veíamos el panorama completo dentro de los muros de la escuela. En vez de pensar que éramos expertos, seríamos lo suficientemente humildes para ir con las familias a preguntarles qué querían de nosotros.

Para ayudarnos en nuestro nuevo enfoque, desarrollamos un enunciado de misión. Nos llevó tiempo, porque queríamos que este enunciado reflejara las necesidades y las esperanzas de los estudiantes, los maestros, los padres y la comunidad en general. Trabajamos todos los viernes por la tarde durante un año. Padres, estudiantes y personal de negocios fueron invitados a nuestras reuniones. Les preguntamos: "¿Qué debemos seguir haciendo aquí? ¿Qué debemos empezar a hacer? ¿Qué debemos dejar de hacer?"

La retroalimentación que recibimos fue específica, iluminadora, y nos ayudó a mejorar nuestro enfoque como maestros. Los padres nos aseguraron que les gustaría que hiciéramos responsables a los chicos, que éstos tuvieran claros sus objetivos, pero que no hubiera conflictos con ellos por cosas triviales. Querían que tuviéramos más cuidado cuando hubiera un mal día para no desquitarnos con los alumnos. También que hubiera contacto con los maestros, especialmente de los padres de chicos que estaban luchando por obtener buenas calificaciones. Entonces sacamos el sistema de intercomunicación de la escuela y pusimos uno telefónico. Cada maestro tenía un teléfono en su escritorio, así que podían llamar a los padres cuando lo desearan.

Por otro lado, para ayudarnos a trabajar juntos mejor con el fin de satisfacer las necesidades de los alumnos, la facultad estuvo de acuerdo con que todos los periodos de preparación fueran durante el mismo día para reunirse si se requería. Eso violaba el acuerdo del sindicato, pero los maestros querían hacerlo así. Y así se hizo. Un maestro de historia y uno de ciencias naturales están en posibilidades ahora de llamar a los padres de un estudiante y tener una junta durante el mismo periodo. Pequeños cambios como ése nos sirvieron para sentir que todos trabajábamos juntos para llegar hacia esta meta de lograr estudiantes y ciudadanos mejor preparados.

Observamos que algunos estudiantes se quedaban en casa durante horas de escuela. Preguntamos a los padres por qué sus hijos no iban a la escuela. Respondían que ocasionalmente tenían que pedir a los hijos mayores que se quedaran en casa a cuidar a sus hermanos pequeños mientras ellos trabajaban. ¿Cómo le reclama uno a un padre que está trabajando para traer pan a la mesa de su familia? En vez de criticarlos, les preguntamos cómo hacer de esto un ganar-ganar. En términos de negocios, estábamos abiertos a discernimientos que nos permitían modificar nuestro sistema de entrega en el mercado.

Desarrollamos niveles impresionantes de servicio a clientes. Como entendíamos la situación de los padres, tratamos de idear formas nuevas de educar a estas familias. Enviamos maestros al hogar de los estudiantes. Los chicos tomarían lecciones de computadora vía telefónica. Creamos un programa completo de plan de estudios en el hogar por periodos por si un estudiante necesitaba cuidar a sus hermanitos. Cuando el alumno volvía a clases traía terminadas las lecciones que su maestro estaba dispuesto a aceptar. Se pondrían al corriente de inmediato.

Empezamos a entender las preocupaciones de nuestros estudiantes sobre educación. Hicimos cambios que eran benéficos para ellos y les permitían aprender a su ritmo. No todos los chicos aprenden la Guerra Civil en 10 semanas. En vez de decir: como no lo hiciste en 10 semanas, estás reprobado, considerábamos que no habían terminado todavía. En cuanto demostraran dominio, habían terminado. El ganar de nuestros chicos era que se sentían muy bien, que mostrarían que habían aprendido el material con éxito. Permitíamos a nuestros chicos pasar sus créditos de secundaria con lo que algunos llaman evaluación auténtica. Ellos externaban que querían aprender maneras para demostrarnos que conocían el material en vez de sentarse durante una hora a hacer un examen. Deseaban enfrentar situaciones de la vida real para demostrar su capacidad. Como los evaluábamos de diferentes maneras, contábamos con permiso para decir: "Las pruebas nacionales estandarizadas no piden a nuestros alumnos que demuestren capacidad como lo hacemos nosotros. Es razonable que la calificación de la prueba no sea muy alta". Sin embargo, sus calificaciones no bajaban.

Dentro de la escuela decidimos que necesitábamos pocas políticas y algunos procedimientos para mantener el control. Todas las reuniones se volvieron voluntarias. Si no te presentabas a la junta, tratábamos de desarrollar una cultura donde las personas no expresaran: "¿Dónde está fulano?" Queríamos comunicar el sentimiento de que si no estaban en la reunión, debía ser por una buena razón, pues eran profesionales. No todos querían participar, pero dejamos de enfocarnos en los pocos que no se involucraran y empezamos a concentrarnos en la mayoría que era fiel. Los otros o llegaban y mejoraban, o se quedaban como eran, pero las cosas no empeoraban. La cultura mejoró por la energía y la emoción de trabajar juntos y por el enunciado de misión, el cual nos ubicó.

Comunicamos nuestra misión abriendo el edificio de la escuela a todos los maestros. Todo el mundo poseía una llave que abriría cualquiera de las puertas. Eso creó un nivel de confianza mucho más alto. Asimismo, cualquiera puede sacar copias en el momento en que quiera. No era raro ver a los estudiantes en el salón de copiado trabajando para sus maestros. Se ha originado un respeto impresionante entre los miembros de la facultad. En un intercambio que recuerdo hubiera pasado desapercibido hace un par de años, un departamento dijo a otro: "En realidad querías libros de texto nuevos más grandes de los que tenemos. ¿Por qué no los consigues con el presupuesto de este año? Así todos usaremos el presupuesto del año próximo para nuestros libros". En vez de pelear por los recursos escasos, comenzamos a desarrollar una cultura de comisiones. En realidad creíamos que todos estábamos aquí por la misma razón.

Como resultado de usar los 7 hábitos y tratar de poner en marcha los principios, hemos aumentado el número de graduados, de asistentes y de familias que quieren que sus hijos vengan a esta escuela. Creo que empezamos a pensar como un negocio: éstos son nuestros clientes, brindamos un servicio. ¿Cuál es la mejor manera de hacerlo? Fue divertido ser parte de esa transformación.

---

 *En un sentido muy real existen sólo dos papeles en cualquier organización: cliente y proveedor; entonces, de manera interesante, todos somos simultáneamente clientes y proveedores. Como lector de este libro, usted es mi cliente y yo soy su proveedor de historias e ideas alrededor de estas historias. Los propietarios, los banqueros, los empleados, los proveedores son proveedores. Todos lo somos, pero también somos clientes. La esencia de toda vida organizacional es la calidad de la relación entre clientes y proveedores. Todo lo demás son pequeñeces.*

*La esencia del liderazgo es construir una cultura con una visión compartida y un sistema de valores centrado en principios. Una vez que estos elementos tienen forma en los corazones y las mentes de las personas, así como en las normas de la cultura, entonces el problema de administración está resuelto. Los individuos se administrarán a sí mismos porque tienen dentro de ellos los criterios para tomar decisiones. El establecimiento de esos criterios es liderazgo.*

TRATA DE DESPEDIR A UNA MAESTRA RECONOCIDA

*Evaluar a alguien es muy difícil y por lo general ocasiona más problemas de los que resuelve. Es por ello que muchas personas no lo hacen. Simplemente no participan en los procesos de evaluación de desempeño. Si se involucran, lo hacen de manera superficial y mecánica, así que no hay amenaza palpable o en una manera muy oficiosa y formal, así que no existe interacción humana auténtica. Este dilema en general crea una división entre la organización formal e informal de manera tal que las normas no apoyan la regla formal. Como casi siempre surgen formas de resistencia colectiva, esta historia representa una tercera alternativa poderosa.*

En nuestra secundaria todo miembro de la facultad, empleado y administrador, ha sido capacitado en los 7 hábitos. Esto nos ha llevado tres años, pero los resultados han valido mucho la pena. Funcionamos en lo que me gusta llamar cultura facultada, aunque algunos miembros de la facultad encuentran difícil vivir con los acuerdos de actos en los que habían participado, lo cual es particularmente difícil de manejar.

Me viene a la mente una situación:

Cada año en lugar de evaluaciones a los maestros, nuestra administración inicia acuerdos ganar-ganar [hábito 4: Pensar ganar-ganar]. Como parte del proceso, se le pide a uno que realice un servicio particular para la escuela en cumplimiento con las regulaciones estatales; por ejemplo, enseñar tres secciones de civilización clásica y una de latín. A cambio, les preguntamos: "Si pudiéramos hacer algo mejor este año, ¿qué les gustaría que fuera? ¿Qué hacer que agregue valor a su experiencia de enseñar en esta escuela?" Responden algo como: "Me gustaría desarrollar un modulo espacial para mi tiempo libre. Necesito apoyo financiero para eso". Juntos, el maestro y la administración, llegan a un acuerdo que produzca beneficios para ambas panes. Al final de cada año o cuando se requiera la evaluación, usamos la sección de responsabilidad del acuerdo ganar-ganar para determinar si las promesas se han cumplido.

A causa de este nuevo enfoque y de los nuevos niveles de involucramiento, la facultad y el personal esencialmente se convirtieron en autorreporteros. Constantemente están vigilando su progreso. Por mi parte, nunca tengo que ir a observar o hacer una evaluación formal a menos que me lo pidan con el propósito de darles retroalimentación. Estos acuerdos ganar-ganar cambiaron nuestra actitud para mejorar el desempeño. Antes, la orden de mejorar había sido siempre de arriba hacia abajo. Ahora, los maestros tienen el ímpetu para transformarse. Ellos mismos deben determinar cómo van a mejorar.

Un año tuvimos a un miembro de la facultad que no podía contabilizar su administración bajo el acuerdo ganar-ganar. Era la maestra de educación especial y la responsable de llevar registros exactos para tratamientos, programas y tiempo. Estábamos obligados a llevar estos registros por los reglamentos estatales y federales. Ella no podía hacerlo. No le era posible hacer que los expedientes cumplieran con los reglamentos estatales y federales. Creo que realmente quería hacerlo, pero no podía. Su inhabilidad para crear estos registros tuvo repercusiones severas: los padres no sabían qué tratamiento estaban recibiendo sus hijos; los niños recibirían programas inadecuados y hasta dañinos; el dinero del gobierno sería suspendido debido al incumplimiento.

Así que me reuní con ella para tratar de ayudarle a organizarse. Nos vimos tres veces. Eso significa que intentamos tres acuerdos ganar-ganar y que afirmó en tres ocasiones: "Muy bien. Esto funcionará. Me siento feliz con esto. Lo lograré", pero no cumplía lo pactado. Después de la tercera vez, decidí recomendar no renovar su contrato el año siguiente. Los niños no tendrían que ser dañados por su inhabilidad para aceptar su responsabilidad, aunque ella fuera reconocida.

Entonces nos movimos hacia un proceso de remedio. En este lapso, la meta principal era mejorar las habilidades de la maestra por medio de capacitación y apoyo. Una vez que el sindicato vio los tres acuerdos ganar-ganar, se dio cuenta que habíamos trabajado de buena fe con esta maestra en particular para mejorar sus habilidades. Normalmente, cuando una escuela trata de despedir a una maestra reconocida, la discusión se acalora bastante. Pero el sindicato apoyó nuestra decisión y se dio cuenta que esta mujer no era responsable de vivir con un contrato elaborado por ella misma.

Después de seis meses de tratar trabajar con ella, seguía sin cumplir. Entonces, cuando le comenté: "Creo que no vamos a renovar su contrato para el siguiente año", el sindicado apoyó nuestra posición. Nos permitió buscarle un lugar diferente dentro del distrito. De hecho, si no hubiéramos encontrado esa posición, nos hubiera permitido despedirla. Esto, debido a lo bien documentado que estaba nuestro caso. Para beneficio de esta maestra, pronto encontró trabajo en una unidad de salud mental para adolescentes, donde sus habilidades eran perfectamente útiles.

Aprendí algo realmente valioso de los acuerdos ganar-ganar por medio de esta experiencia. Cuando se elaboran bien, son poderosos. Ayudan a las personas a elegir su mejor manera de vivir. Las hacen responsables de los resultados, no sólo de los métodos. También aumentan la responsabilidad del individuo en su desempeño. En ocasiones se le paga a una persona por realizar un proceso sin importar cuáles sean los resultados. Estos acuerdos ganar-ganar nos sirvieron para orientarnos más a los resultados y para ver si el proceso producía algo bueno. Y si no lo hacía, estos acuerdos eran un vehículo para que la facultad y la administración buscaran un camino para obtener los resultados que ambas deseaban.

---

 *Los acuerdos ganar-ganar requieren mucho valor y mucha amabilidad; en pocas palabras, mucha integridad. La integridad es el fundamento que le permite a alguien ser valiente y amable al mismo tiempo. Este tipo de integridad le sirve para llevar a cabo una discusión ganar-ganar; no se rinde y va por un perder-ganar, no presiona con todo su peso por un ganar-perder y no cede al grado de decir que no hay trato. Todas las buenas relaciones están basadas en los cinco elementos de un acuerdo ganar-ganar: resultados deseados, lineamientos, recursos, responsabilidad y consecuencias. Pueden escribirse con formalidad o llevarse informalmente en los corazones de los involucrados. He encontrado que es posible que manejen casi cualquier contingencia concebible, personalidad o relación. La fórmula es hacerlos claros, adaptarlos a las personas involucradas y flexibles. Es un contrato abierto psicosocial, no uno formal legal y cerrado.*

¡ESTE SALÓN DE CLASES... ME PERTENECE!

*Todo maestro que imparte clases en escuelas y vive en vecindarios profundamente conflictivos debería estudiar con detenimiento la siguiente historia. De hecho,*

*también cualquier líder, padre o maestro que trata con
una situación desafiante y difícil debería hacerlo. Note
cuatro cosas mientras la lee. Primero, cómo este maestro ganó confianza siendo un ejemplo antes de intentar construir relaciones. Segundo, la profundidad de su
sinceridad e integridad para construir relaciones. Tercero, cómo desarrollaba terceras alternativas. Los alumnos estaban acostumbrados a un fuerte autoritarismo o
a "todo se vale", pero este maestro hizo de la confianza
un verbo, los involucró y les dio responsabilidad dentro
de su círculo de influencia. Cuarto, cómo siempre afirmaba su potencial, les enseñaba principios y les ayudaba a experimentar el poder de la visión.*

Después de graduarme en la universidad como licenciado en
educación secundaria, mi primer trabajo de maestro fue en una
secundaria ubicada en un vecindario extremadamente pobre,
infestado de bandas y encausado al crimen.

Creo que sólo la pobreza de espíritu puede disminuir la
habilidad de un joven para aprender. Hay registros de escuelas increíbles y grandes maestros en áreas rurales muy pobres
dentro del país. Desafortunadamente, encontré que en esta
escuela muchos maestros habían perdido toda esperanza de
hacer una diferencia en la vida de sus estudiantes.

Estaba recién egresado de la universidad y todavía creía que
el cambio empieza desde dentro, a menudo con un pequeño
gesto tras otro. Entonces no me preocupaba lo que existiría
a mi alrededor en la secundaria. En vez de eso, me concentré en los aspectos positivos y también en aquellas cosas que
estaba en mí poder cambiar a pesar de las condiciones exis-
tentes [hábito 1: Ser proactivo]. Pero, a decir verdad, sentía que
no había muchas alternativas.

El primer día, el director me mostró mi salón de clases.
Estaba pintado de un rosa y un verde deprimentes, pero era

un salón grande, así que decidí aceptarlo. Le pregunté al director si podrían cambiar algunos de los plafones rotos y poner los que hacían falta, además de pintar el salón. Se me quedó mirando y sonrió; contestó que no por ahora. Luego insistí si me era posible emprender el proyecto de remodelación yo mismo. "De acuerdo, pero no se lo digas a nadie", respondió.

Compré la pintura, las brochas, los rodillos y los plafones con mi dinero y me puse a trabajar: limpié el salón y reparé docenas de escritorios para que la superficie donde escriben y los asientos estuvieran en condiciones aceptables. Para alegrar el ambiente, puse un tablero de avisos, carteles y fotografías de todo bajo el sol incluyendo dos fotografías de Einstein, la *Noche estrellada* de van Gogh y carteles de héroes del baloncesto como el doctor Michael Jordán, Kareem Abdul-Jabbar y *Magic* Johnson. Muchos de los salones estaban en las mismas condiciones deplorables, así que el guardia del edificio y el director estaban asombrados con lo bien que se veía mi salón con una mano de pintura fresca. En ese momento enseñaba historia de Estados Unidos, así que puse fotografías de presidentes encima del pizarrón arreglados cronológicamente. Quería ayudarles a empezar a soñar sobre quién podrían ser [hábito 2: Comenzar con el fin en la mente].

Uno de los cambios más significativos que hice al salón de clases fue poner una señal que, en efecto, notificaba a mis estudiantes y a mis compañeros maestros que este salón estaba dentro de un círculo de influencia que nosotros controlábamos. Al principio del año, la señal decía: "Este salón de clases pertenece al señor Roberts", pero conforme los estudiantes progresaron hacían las cosas bien y subían sus calificaciones, agregué sus nombres a la señal. Quería que sintieran que este salón de clases les pertenecía también, para estar orgullosos de él y de sus logros.

Mi enfoque atrajo a aquellos que compartían mi filosofía y la apoyaban, así como a aquellos que desconfiaban y se sentían recelosos. Mi primer aliado fue el ingeniero de mantenimiento de la escuela, quien vio el valor de crear un ambiente positivo para los alumnos. Cualquier cosa que necesitaba, me ayudaba. Sabía que trataba de cuidar el salón de clases.

Desde el primer día, trabajé para ganarme la confianza de mis estudiantes y la forma más efectiva que encontré para hacerlo fue mostrarles que estaba sinceramente interesado en su bienestar. Poco después de iniciadas las clases entró una onda cálida, por lo que hacía mucho calor y había una humedad increíble. Nuestro piso, el tercero, es la parte más caliente del edificio. En un momento, salí al pasillo a tomar un poco de agua, pero la del bebedero estaba caliente. Moría de sed, pero no me era posible beber algo frío sin compartirlo con los estudiantes, quienes también estaban sufriendo el tremendo calor. Así que fui a la cafetería y de mi bolsillo compré varios refrescos fríos. Los gerentes del lugar no se imaginaban qué iba a hacer con ellos y cuando entré al salón llevando una charola de sodas heladas, los chicos estaban impresionados también. Parecía que no entendían por qué alguien haría algo por ellos.

Otro gesto que ayudó a mejorar el ambiente del salón fue nuestra cita diaria. Elegía una cita positiva y motivacional y la escribía en el pizarrón; ése era nuestro pensamiento para el día. Lo discutíamos durante los primeros cinco o 10 minutos de la clase, así las cosas empezaban de una manera positiva, pues los hacía sentirse bien y pensar con una luz positiva. De hecho, les gustaba tanto que empezaron a contribuir con citas.

Eran pequeños gestos, pero sirvieron mucho en el difícil proceso de edificar confianza en una cultura permeada por el conflicto. Creé relaciones realmente buenas desde el principio, pero no fue nada fácil. Había chicos a quienes no les importaba nada, y con frecuencia parecía como si el sistema se hubiera rendido ante ellos también. El director nos ordenó que no reprobáramos chicos, que los mantuviéramos pasando de un grado al otro.

La administración de la escuela también se rendía cuando se trataba de disciplina dentro de los salones de clases y pasillos. El director no hacía nada, a menos que hubiera una pelea seria o un arma involucrada. Tenía alumnos apáticos que no cooperaban y se los llevaba al director, pero él se negaba a hacer nada. Me indicaba que llamara a sus padres y dejaba el problema en mis manos. Fue un triunfo mantener orden bajo esas circunstancias, por lo cual una de las primeras cosas que hice fue avisar a mis alumnos que su conducta determinaría cómo funcionaría la clase. Les expliqué que podía hacer cosas muy divertidas, pero si perdían el control, se quedarían en el papel. Les di responsabilidad, lo cual es la esencia de aprender a volverse proactivo.

Creo que ese enfoque los sorprendió. Veía en los ojos de la mayoría de los estudiantes una luz. Algunos pensaban que era lo mejor que habían escuchado. Otros exclamaban: "Ah, sí, lo que sea está bien". Y a los menos simplemente no les importaba qué sucediera. En un intento por hacer que más estudiantes vieran la educación como una forma de elevar sus vidas, les pedí que elaboraran enunciados de misión personal [hábito 2: Comenzar con el fin en la mente].

Les ordené que sacaran un lápiz porque les iba a dictar un cuestionario. Al principio se molestaron y pensaron que yo estaba loco, pero les interesó la primera pregunta: "¿En qué año se graduarán de secundaria?" Algunos de ellos necesitaban poco tiempo para hacer la cuenta. Luego les pregunté dónde querían ir a la universidad, qué empleos les gustaría tener, dónde desearían vivir, si iban a casarse, a tener hijos y, finalmente, cómo les gustaría que los recordaran después de su muerte.

Algunos de los chicos, burlándose, respondieron cosas exorbitantes que nunca llevarían a cabo, mientras que otros lo tomaron más en serio. Después de que contestaron todas las preguntas, hablamos al respecto. Para mostrar el modo de pensar de los alumnos con los que estaba tratando, mencionaré que sólo alrededor de cinco se imaginaron viviendo fuera de esta ciudad. Nunca habían visto nada más. Consideraban que no existía ninguna oportunidad de ir a la universidad. Ésa era una actitud que yo iba a cambiar. Desde ese punto, cada vez que tenía la oportunidad señalaba que pronto iban a terminar la secundaria e irían a la preparatoria. Trataba de decírselos cuando menos una vez al día, para que se les grabara en la cabeza como esa expectativa que tuve grabada en la mía cuando estaba creciendo.

El ejercicio del enunciado de misión disfrazado como un cuestionario probó ser un primer paso para reunir a todo el grupo. Creó una posibilidad, una expectativa y las primeras semillas de una sensación de autovalía y visión para su futuro. Era un paso pequeño, por lo que su impacto no fue el mismo en cada estudiante, pero podía ver que cuando menos algunos de ellos estaban empezando lentamente a ver el mundo de manera diferente.

Por supuesto había casos que eran mucho más difíciles de alcanzar. Yo enfrentaba despertares problemáticos con algunos de mis alumnos. Un día, hice un examen corto de 25 preguntas. Un estudiante con un registro ni siquiera lo miró. Escribió su nombre en él y le puso de calificación "Cero", antes de devolvérmelo. Luego colocó la cabeza sobre su escritorio y se quedó dormido.

Miraba el examen y a él, y me preguntaba: "¿Cómo puedo llegar a este chico? ¿Qué puedo hacer para ayudarlo?" Al ver todo el salón, me di cuenta que había muchos más con esa actitud. Debido a eso no les ponía muchos exámenes, pues estaban condicionados a aceptar el fracaso. En vez de ello, les pedía que hicieran revisiones del material en forma de juego; los ganadores recibían recompensas por conocer las respuestas. Pero sabía que algo estaba pasando con ellos. Algunos usaban drogas en las mañanas, llegaban a mi clase a la mitad del día y luego se marchaban así nada más.

Había otros estudiantes que realmente deseaban la oportunidad de elevar sus circunstancias. Había seis por los que tomé un interés especial, casi adoptivo. Uno no sabe quién es su padre y su mamá murió al dar a luz. Bien podía haberse convertido en el joven más malvado de Estados Unidos, porque va de una casa a otra de sus tías, pero es un excelente estudiante. Terminaba sus tareas rápidamente y luego se ponía a crear problemas. Para él todo era fácil, así que traté de dejarle más. También lo llevo por una hamburguesa de vez en cuando para proporcionarle algunas de las cosas que nunca ha tenido socialmente.

Llegué a entender que con frecuencia mis alumnos se ven forzados a enfocarse a sobrevivir más que en automejorar por medio de aprender. La mayoría se unen a bandas. Algunos tienen que vender drogas en las calles. No es raro que se involucren en tiroteos. Me aseguran que no quieren meterse en problemas, pero en su situación siempre están en líos. Tuve que aprender a tratar con las facciones de diferentes vecindarios y a percibir los problemas. Cuando veía venir uno, intentaba detenerlo. Me contaban todo mientras comíamos pizza y yo les indicaba que si había violencia alguien podría ser arrestado o resultaría afectado.

A menudo si está sucediendo algo fuera de la escuela se les nota a los estudiantes, entonces los invito a trabajar sobre sus sentimientos. Les digo que si tienen un problema con otro alumno, no peleen, mejor hablen conmigo, o con alguien. Añado que si alguien tiene un arma, podría dispararles a ellos o a su mejor amigo. Hubo tres veces en mis dos años que los chicos vinieron a avisarme que alguien traía una pistola. Siempre traté de resolver las tensiones sentándome, escuchándolos y hablando con ellos [hábito 5: Buscar primero entender, luego ser entendido].

Algunos de los otros maestros resentían un poco mi enfoque. Como observaba la actividad de las bandas en la escuela, determinados estudiantes sospechaban que era policía. El administrador, que era probablemente el que más me rechazaba, estaba a cargo del dinero que el plantel recibía cada año del gobierno federal. Era cerca de medio millón de dólares, pero si yo quería hacer algún paseo con mis alumnos, siempre me negaba el permiso. Pedía mapas para el salón, me respondía que no. Así que me iba a comprar mapas y pagaba casi mil dólares de mi bolsillo. Llevé a los muchachos a un paseo de 150 kilómetros a Shiloh, el campo de batalla de la Guerra Civil, y me colocaron una nota de reprimenda disciplinaria en mi expediente permanente por haber violado el procedimiento. Quise hacer una visita al museo de historia, pero me lo prohibieron. Se le ordenó a otra maestra que hiciera el paseo con sus alumnos. Fue muy duro.

No siempre gané, pero cuando veía a un alumno progresar era muy satisfactorio. Observar a uno de ellos tener un pequeño rayo de luz en su vida, progresar en clase, me encantaba. Disfrutaba ser alguien en quien confiaran, que los escuchaba y era honesto con ellos. También tuve una gran experiencia con algunos de ellos cuando fuimos a una exhibición de juego de los Toros de Chicago contra Portland en la ciudad. Llevé a cinco chicos que tuvieron la oportunidad de conocer a los jugadores y pedirles autógrafos, gracias al amable y generoso gerente general. Mis chicos interactuaron también con otros chicos. Fueron amistosos y estaban felices. Es importante, porque un día estarán trabajando y tienen que aprender a interactuar con todo tipo de personas.

Como dediqué tiempo a realmente conocer a mis alumnos, coseché las recompensas. Llegaron a sentir que los entendía y que estaba dispuesto a influenciarlos, así que ellos tomaron la misma actitud. Una vez que se establece la confianza, se vuelve más fácil enseñarles a practicar sinergia y trabajar juntos, una habilidad que podría ser vital para su supervivencia en el mundo laboral. Hacíamos muchas cosas en grupo; con eso les enseñé a trabajar con dos o tres personas y compartir la responsabilidad. Practicábamos ejercicios en los cuales había que trabajar en equipo, luchar y usar los talentos de cada uno para beneficio del conjunto [hábito 6: Sinergizar].

Dejé el puesto en esta secundaria después de dos años, para ir a dar clases a una escuela con menos problemas en la misma ciudad, pero nunca olvidaré mis experiencias ahí. Recuerdo esas pequeñas victorias más que los fracasos o momentos difíciles. Estaba pensando en una chica de octavo grado en mi clase de historia durante mi primer año, a quien había reprobado el curso antes. También enfrentó problemas por pelear y no asistir a clases. Venía de una familia muy problemática, era callada y casi nunca entregaba tareas o trabajos, pero de mis 150 alumnos ese año, siempre la recordaré en forma especial.

En las primeras semanas de clases ella iba muy mal, probablemente ni siquiera alcanzaba 50 por ciento de los créditos, pero como maestro nuevo no quería empezar a reprobar a nadie. Le comenté que quería darle la oportunidad de mejorar. Me lo agradeció mucho y prometió trabajar más duro. No faltó a una sola clase el resto del año y era la número uno del grupo. No sólo mejoró en mi clase, sino que también empezó a sobresalir en el resto. En el segundo semestre, recibió mención honorífica por primera vez en su vida. Se convirtió en la líder del salón y se ofrecía como voluntaria para cualquier cosa. Empezó a ayudar a estudiantes que tenían calificaciones bajas.

Para el final del año escolar, su nombre estaba en la placa del salón donde se leía: "Este salón pertenece a…" porque sentía pertenecer a un futuro mucho más brillante. Incluso después de que ya no tomaba mi clase, venía a enseñarme su reporte de calificaciones. Realmente dio un giro a su vida y pasó de ser alguien con muchos problemas a ser una de las mejores y más populares estudiantes. De hecho, empezó a sentirse bien con ella misma y a buscar clases de modelaje.

Ahora está en preparatoria y va muy bien. También está trabajando en McDonald's. Lo sé, porque le di una recomendación y la llevé a sus clases de capacitación, pues su madre no tiene auto. Lo mejor de todo es que es un buen ejemplo para sus hermanos más pequeños.

Le di un diario al final del año escolar y le pedí que anotara diariamente sus pensamientos durante el verano. Lo llenó y ahora cada seis meses voy a una librería a comprarle otro. Se siente tan bien con ella misma que ahora puede escribir cosas y compartirlas. Es una historia de éxito fantástica. Esta chica salió de las sombras porque en realidad captó una visión.

Tratar de llegar a estos muchachos es enfrentar un desafío. Muchos estaban convencidos de que lo único que harían en su vida sería depender de la beneficencia. No les importaba graduarse, conseguir un empleo, ir a la universidad o nada similar. Mi meta era hacer que todos mis alumnos se sintieran bien con ellos mismos, aunque fuera sólo una hora en el salón de clases. Entonces quizá construirían algo con eso. Quería que se dieran cuenta de su valor, sin importarles sus antecedentes.

*En esta historia se evidencian dos películas muy poderosas realizadas sobre el mismo patrón:* Aguanta y triunfarás, *con Edward James Olmos, y* Al maestro con cariño, *con Sidney Poitier. Ambas tratan con chicos muy desafiantes y problemáticos, así como con maestros que aprendieron y fueron modelo de los mismos principios. El maestro en esta narración tuvo esperanza y la infundió en el alma de sus alumnos. Su salón de clases era una isla de excelencia en el mar de la mediocridad. Desarrolló valor invirtiendo, sacrificando y estando disponible para escuchar. Valoró a estos adolescentes problemáticos hasta que llegaron a ver el valor en ellos mismos. El regalo más grande que podemos dar a otros es ayudarles a descubrir quiénes son realmente.*

# CUARTA PARTE
# LUGAR DE TRABAJO

*"Todo cambio real y duradero ocurre de dentro hacia afuera."*

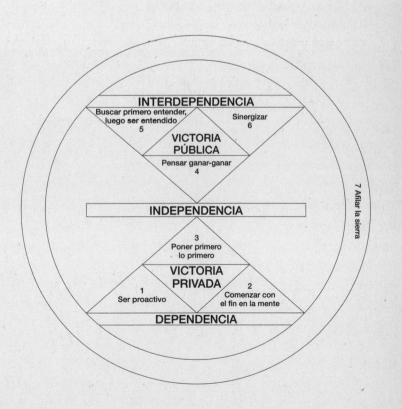

# AUMENTANDO SU INFLUENCIA

- NOVENTA DÍAS
- SI LAS MIRADAS PUDIERAN MATAR
- DURANTE MESES TRATÉ DE OFENDERTE
- ¿ACASO NO TE GUSTA TRABAJAR AQUÍ?
- ADICCIÓN AL CHISME

*Observe la metamorfosis por la que atraviesa esta persona, al pasar del temor a ejercitar cierto valor. Vea si no le da valor enfrentar su situación y mejorarla de alguna manera.*

Cuando llegué al consejo como director de recursos humanos, escuché historias de horror sobre cómo era mi jefe. En realidad yo estaba en su oficina cuando perdió los estribos con un empleado. Si las palabras tuvieran filo, el subordinado hubiera estado sobre una piscina llena de su sangre. En ese momento hice votos para nunca hacer enojar a mi jefe. Nada, ni siquiera la mayor frustración o la acción legal más grande, valía la pena para acercársele en un mal día. Hice esa promesa bien firme. Le hablaba muy amablemente en los pasillos. Le entregaba a su secretaria todos mis reportes a tiempo. Me aseguraba de no ser la última persona en salir de la oficina para el almuerzo, así no me agarraría solo. Ni siquiera quería jugar golf con él por si acaso le ganaba.

Un poco después, empecé a verme en toda mi gloria de cobarde. Estaba consumido con actividades en el trabajo sobre las que no tenía control. Desperdiciaba energía invaluable y creativa buscando soluciones a problemas que ni siquiera habían sucedido. Como tenía miedo, no daba a la compañía mi mejor esfuerzo. No era un agente de cambio. De hecho, el único movimiento con el que me hubiera sentido cómodo era que me mandaran a otra compañía. Ya hasta tenía una entrevista programada.

Avergonzado de mí mismo, cancelé esa reunión y me comprometí a enfocarme en mi círculo de influencia sólo durante 90 días [hábito 1: Ser proactivo]. Empecé por decidir que por encima de todo lo que quería era crear una relación sólida con mi jefe [hábito 2: Comenzar con el fin en la mente]. No teníamos que ser los mejores amigos, pero sí interactuar como colegas. Así que con la meta en la mente, regresé a la oficina pensando: "Sólo 90 días. Haré todo lo humanamente posible en 90 días".

Un día mi jefe entró a mi oficina, pero después de discutir un poco y practicar varias veces las palabras que tenía en la cabeza, exclamé: "A propósito, ¿qué puedo hacer para ayudarte a ser más efectivo aquí [hábito 5: Buscar primero entender, luego ser entendido]?

Se quedó perplejo. "¿A qué te refieres?"

Continué valientemente. "¿Qué puedo hacer para aliviar algo la presión que tienes en tu trabajo? Mi responsabilidad es asegurar que tu trabajo sea más sencillo." Le regalé una sonrisa grande, algo nerviosa, que expresaba: "Por favor no pienses que estoy loco". Nunca olvidaré la cara que puso. Ése fue realmente el punto de inicio de nuestra relación.

Al principio me pedía hacer sólo cosas pequeñas como "por favor mecanografía este memo" o "¿te importaría hacer esta llamada?" Después de seis semanas con eso, llegó y me comentó: "Por tus antecedentes sé que conoces muy bien a los trabajadores. ¿Te importaría trabajar en el aspecto de seguros? Nuestras tarifas son muy altas, ve qué puedes hacer". Era la primera ocasión que me solicitaba hacer algo que tuviera un impacto significativo en la organización. Tomé una prima de 250 000 dólares al año y con eso ahorré 198 000 dólares. Además, conseguí una tarifa preferencial para terminar nuestro contrato negociando por algunas reclamaciones mal manejadas. Esto significó un ahorro adicional de 13 000 dólares.

Una vez que tuvimos un desacuerdo le demostré que se había equivocado. Pronto descubrí que mi prueba de 90 días estaba dando frutos. Mi relación y mi influencia crecían, lo cual me permitió enfocarme para tratar de cambiar el ambiente en el cual trabajaba. Hoy la confianza entre mi jefe y yo es muy alta.

---

 *Aumentar su influencia por lo general requiere de mucha paciencia y persistencia. Conforme crece la seguridad en su nivel de competencia y su carácter, inevitablemente se da una confianza más grande. Noventa días es en general un buen periodo para poner algo a prueba. En ocasiones puede llevarse treinta.*

> *La empleada en esta historia dio retroalimentación nega-*
> *tiva fuerte pero necesaria a su jefe y pudo hacerlo debido*
> *a su gran seguridad interna. Mientras analiza esta con-*
> *ducta, trate de poner énfasis en la situación. Con los ojos*
> *de su mente observe el ambiente de confrontación y el*
> *empequeñecimiento que se estaba llevando a cabo. Trate*
> *de sentir la cantidad de valor que requirió esta porción de*
> *retroalimentación y la paz de espíritu que trajo consigo.*

Durante una semana acudí a un seminario, trabajando con un equipo ejecutivo de alto poder. Cada mañana, uno de los ejecutivos pedía hablar sobre una experiencia personal con uno de los 7 hábitos. Para ser honesta, algunos de ellos eran muy presumidos. Pero estábamos empezando a romper el hielo con las vivencias personales. Conforme articulaban sus pláticas de éxito en frente de sus compañeros, se extendía el convencimiento de que quizá los hábitos funcionarían.

Una mañana que estábamos trabajando en buscar primero entender, Jacques, uno de los presidentes y líder natural del grupo, compartió una experiencia personal. Entonces nos movimos a otras áreas de la capacitación. En la tarde, este ejecutivo más bien odioso empezó a compartir algo sobre un enfoque del negocio con el que estaba teniendo conflicto. El grupo le preguntaba: "Bueno, ¿has intentado esto? ¿O esto? ¿Qué tal esto?" Para ser honesta, me hubiera gustado expresarle algo, pero sabía que no era mi lugar. Entonces, escuché a Jacques reírse muy fuerte, justo en la cara del hombre. Realmente se estaba burlando de él frente a todo el grupo.

Me quedé helada. Sólo unas horas antes Jacques había compartido su experiencia sobre el valor de esperar su turno, tratando de entender las acciones de otra persona. Ahora, estaba haciendo justo lo opuesto. No podía reprenderlo frente a todo el grupo, así que sólo lo miré. Jacques me entendió perfectamente: "Eso estuvo feo. Si no haces algo para rectificarlo de inmediato, te voy a matar". En serio estaba furiosa y lista para abandonar a todo el grupo. Acababan de regresar a su antiguo comportamiento combativo y a sus dinámicas venenosas.

Él también me miró. Me estiré en mi asiento y le sostuve la mirada. "Arrepiéntete, amigo". Se encogió en su silla. Seguía observándolo. Esto continuó por cinco minutos, durante los cuales los miembros de su equipo estaban crucificando al pobre tipo. Entonces, de repente, Jacques detuvo la reunión. Gritó: "Alto, hice algo mal. Darren, quiero pedirte que me perdones".

Darren estaba un poco descontrolado. Las cosas eran normales hasta donde él sabía.

"Fue inadecuado lo que hice. No debí haberme reído. No escuchamos nada. Sólo brincamos encima de ti. ¿Puedes perdonarme?"

Pensé que Darren, este vicepresidente ejecutivo, respondería algo como: "No hay problema, no te preocupes". Pero su respuesta fue sorprendente: "Jacques, te perdono. Gracias". ¿Se da cuenta de que se requirió mucho más valor para perdonar que para tratar de olvidar que algo había sucedido? Me quedé sentada ahí.

Estaba asombrada y emocionada por la conducta de Jacques. No tenía que disculparse ni buscar el perdón frente a todo el grupo. Él es la cabeza de una división de ochenta mil personas. No está obligado a hacer algo que no quiera. Después de la reunión, me acerqué a él y todavía con emoción en la voz indiqué: "Gracias por hacer eso". Él contestó: "Era lo que tenía que hacer. Gracias por mirarme así". No volvimos a hablar del incidente. Pero ambos sabíamos que nos habíamos puesto en nuestro mejor punto ese día.

---

 *Dar retroalimentación negativa es una de las acciones más difíciles que existen, pero también una de las más necesarias. Muchas personas tienen puntos ciegos serios*

*que nunca superan porque nadie sabe cómo retroalimen-*
*tar. La gente tiene mucho miedo de romper una relación*
*o de comprometer su futuro por "enfrentarse" a su jefe.*

*La hipocresía en esta situación se volvió tan evidente*
*para el atacante que no era cuestión de tener un punto*
*ciego, sino de ego. El valor y la integridad de la persona*
*que dio la retroalimentación fueron más poderosos que*
*su status y su posición, por eso funcionó. A veces no es*
*más fuerte y no funcionará, lo cual puede necesitar ver*
*al otro en privado y buscar una reconciliación. La mejor*
*forma de retroalimentar en esa circunstancia privada*
*es analizarse uno mismo, no a los demás. Describa sus*
*sentimientos, sus preocupaciones o sus percepciones de*
*qué estaba sucediendo más que acusar, juzgar o poner*
*etiquetas. Este enfoque a menudo ocasiona que la otra*
*persona se abra a la información respecto de su punto*
*ciego sin sentirse amenazada personalmente.*

## Durante meses traté de ofenderte

*La siguiente historia es muy directa y autoevidente. Haga*
*una cosa mientras la lee: Trate de sentir cuáles serían sus*
*tendencias naturales mientras es perverso y mal hablado*
*injustamente, tanto en forma abierta como a su espalda.*

Me uní a la compañía para la que trabajo justo al salir de la
escuela de negocios de Harvard. Al mismo tiempo se abrió
un puesto de jefe de división. Como la compañía no sabía a
quién asignar, agrupó a cuatro de nosotros de manera informal
para estudiar cómo debería manejarse esta división. Por casi
tres meses, los cuatro trabajamos juntos para averiguar cómo
dirigir esta parte del negocio. Rob Kimball, el encargado de
diseño, realmente quería el empleo. Todos podíamos sentirlo.
Pero, llámese destino o suerte, le dieron el puesto al hombre

nuevo, a mí. A Rob le otorgaron otra asignación que era igual de importante. Pero era obvio que él pensaba que mi trabajo debería haber sido suyo. Se dedicó a buscar venganza.

En todas las reuniones a las que asistíamos, expresaba cosas negativas directamente en mi contra: "Bueno, sólo porque eres egresado de Harvard no significa que sepas mucho de diseño". Hablaba mal de mí a mis espaldas, era ofensivo en mi cara frente a grupos de 20 o más personas. Yo me quedaba callado y él continuaba con la misma actitud. Otras personas sentían que algo estaba sucediendo. A veces casi se podía cortar el aire con un cuchillo. Cuando regresé de unas vacaciones, algunas personas me preguntaron: "¿Tienes idea de lo que Rob murmuró sobre ti mientras estuviste de vacaciones? Si supieras lo que está haciendo a tus espaldas". Sólo me sonreía y contestaba: "Bueno, muchas veces decimos cosas que no queremos. En realidad no creo que hable en serio".

Había pensado no reaccionar ante Rob, por lo que iba a actuar en la forma en que yo quería [hábito 1: Ser proactivo]. Lo que deseaba hacer era quedarme callado, ser fiel, darle el beneficio de la duda y sólo ser amable. Claro que a veces quería romperle la cara, insultarlo, contestarle de la misma forma en que me hablaba, pero no iba a dejar que él determinara cómo debía actuar.

Finalmente, meses más tarde, vino a verme. Recuerdo una reunión en particular cuando expresó algo realmente ofensivo, pero luego se detuvo para continuar: "Vaya, durante meses he tratado de ofenderte, pero ni siquiera una vez te has dado por enterado". Todos se rieron, con cierta liberación. Había pronunciado las palabras exactas: "He tratado de ofenderte, pero tú no te ofendes". Luego nos convertimos en muy buenos amigos.

De esa experiencia, aprendí los frutos de no sentirme ofendido, elegir no hacer caso a la ofensa, y sólo ser consistente y fiel. Aunque hubo algunas cosas que me ayudaron a no reaccionar ante Rob:

Primero, había visto a otras personas no hacer nada cuando se les insultaba. Admiraba su integridad, su sentido de autovalía. Quería ser como ellos y que los demás supieran que podían confiar en mí, que era fiel y que no hablaría a sus espaldas.

Segundo, sabía que Rob ejercía influencia sobre muchas personas. Es decir, tenía mucho poder en la compañía. Por ello, no me hubiera hecho nada bien ponerme en su contra. (Eso es solamente estrategia práctica de negocios.)

Por último, creo con mucha firmeza que todos poseemos algo bueno dentro, y que si amamos a los demás y somos pacientes, lo bueno en ellos responderá a la conducta que les mostramos. Sólo es cuestión de tiempo, y también de tragarse mucho orgullo.

---

 *Es irónico, pero cuando la seguridad de alguien viene de dentro y su efectividad de fuera, uno no se interesa más por las opiniones de otras personas porque no son vitales para su sensación de valía propia. También es irónico que cuando la seguridad y la efectividad vienen de fuera, no importan las opiniones de otros, porque uno no puede darse el lujo de poseerlas; está en un riesgo demasiado grande. Es por ello que los primeros tres hábitos son fundamentales para construir seguridad.*

*Las personas por lo general reciben lo que dan. Ésta es la ley de la restauración. Notará que quienes no juzgan a otros por lo general no son juzgados. Aquel que vive con la espada de la crítica, muere por la espada de la crítica. Aquellos que compiten, incluso hasta el punto de amenazar a sus pares, pero que también aceptan críticas, por lo general mejoran los procesos de interacción humana y eliminan casi toda acechanza.*

¿ACASO NO TE GUSTA TRABAJAR AQUÍ?

*La retroalimentación afectó a esta persona y le provocó reflexionar sobre trabajar desde dentro de su Círculo de Influencia.*

Cuando me uní a la organización donde trabajo, era una persona muy presionada y reactiva. Traía conmigo 11 años de experiencia en una industria intensa. Perdí mi empleo, ya que cerraron las instalaciones locales. Me tomé un tiempo para superar los difíciles años pasados. Era fácil ver los problemas que había dentro de mi nueva compañía y quería remediarlos.

Aunque disfrutaba mi nuevo trabajo, no era difícil encontrar cosas de qué quejarme. Los sistemas eran deficientes y sentía que yo tenía las respuestas a esos problemas. Mi jefe debía escucharme cada semana durante nuestra reunión de actualización mientras sugería cómo remediar las dificultades de otras personas. Incluso había una sección especial en mi reporte semanal que titulé: ¡Asuntos del círculo de preocupación! De alguna manera pensaba que si mencionaba esos asuntos constantemente, se resolverían. En una forma extraña, consideré que en realidad pensaba que estaba siendo muy útil. Un día durante una de mis sesiones de quejas mi jefe volteó y me preguntó: "Ross, ¿acaso no te gusta trabajar aquí?"

Bueno, *ése* no era el problema. Me gustaba trabajar aquí. Sólo que no soportaba las ineficiencias y los errores cuando las soluciones eran tan *obvias*... para mí. Pero la cuestión me puso a reflexionar sobre mi conducta. A la luz del comentario de mi jefe, me di cuenta de que lo único que había hecho era quejarme de cosas que no me incumbían. En mi deseo de compartir grandes ideas, me había enfocado hipercríticamente en otros y en lo que pensaba era su inhabilidad para desempeñar sus funciones de manera correcta. Para hacer un cambio, me comprometí a observar los problemas a mi alrededor desde mi círculo de influencia. Señalaba y actuaba sólo en aquellos asuntos en los que tenía poder para cambiar. Sin importar nada, no cruzaría los límites de mi influencia [hábito 1: Ser proactivo].

Pronto tuve la oportunidad de probar mi resolución:

Un día, de la nada, apareció una nueva política para viajes en mi oficina. Pensé que la política estaba mal trazada y era prematura. Tenía dos opciones: quejarme de nuevo con mi jefe, o ver el problema desde mi círculo de influencia.

Elegí la segunda. Preparé un documento con todas mis preocupaciones respecto de la política desde el punto de vista del viajero. Algunas de mis preocupaciones se referían a la política misma, pero la mayoría expresaban mis sentimientos sobre haber sido dejado fuera del proceso de comunicación. La política apareció como un decreto del monte Olimpo y se esperaba que yo me apegara a ella. Después de que escribí lo que sentí era adecuado, me puse en contacto con la persona que había desarrollado la política y le pregunté si era posible que nos reuniéramos unos minutos para comentar mis inquietudes. Ella estaba impresionada, pues no había recibido más que reclamos por la nueva política en las últimas semanas. De cualquier forma dijo que me vería.

Nos entrevistamos y después de entendernos, no sólo obtuve respuesta a la mayoría de mis preguntas, también compartí con ella algunas ideas sobre cómo manejar el descontento sobre la política. En realidad, ambos ganamos. Y como me quedé dentro de mi círculo de influencia, logré expandirlo. También resulté una influencia positiva en los demás que evitó la tensión de tratar de remediar las cosas que no se pueden componer.

 *Aunque puede tener un círculo de influencia pequeño, si toca a alguien con uno más grande, comuníquele sus quejas a esa persona; estará trabajando dentro de su círculo de influencia. Con los años, muchos que han decidido enfocarse en su círculo de influencia han llegado a la conclusión errónea de que no les es posible quejarse o dar retroalimentación negativa. No se trata de eso; todo depende de la calidad de su responsabilidad con quienes tiene el círculo de influencia más grande. Si no es tan fuerte, entonces tal vez deba averiguar maneras de trabajar dentro de su círculo de influencia. Cuando menos pruebe las aguas y empiece la comunicación. En ocasio-*

*nes debemos preocuparnos lo suficiente para confron-*
*tar. Eso es lo que el jefe hizo cuando le hizo la pregunta:*
*"¿Acaso no te gusta trabajar aquí?"*

Adicción al chisme

> *Mientras lee la siguiente historia, piense en este enunciado:*
> *"Las batallas más grandes de la vida se libran todos los*
> *días en las cámaras silenciosas del alma de uno mismo".*

Cuando fui contratado para trabajar, una de las primeras cosas
que noté fue el ambiente de trabajo destructivo: nuestro departamento se manejaba a base de chismes, las personas ganaban
influencia por tener el último chisme y compartirlo con todos
los compañeros. En cuanto alguien salía del salón, se conver-
tía en el tema de conversación. Cuando regresaba, y otro se
retiraba, la conversación cambiaba de objetivo.

Pensé que había sólo dos opciones: escoger un lado o
ambos y hacer chismes indiscriminadamente. Ahora me doy
cuenta de lo débil que suena eso, pero era nuevo en la compañía y sentía la necesidad de ganar popularidad con los que
ejercían el poder. Pensé que actuaba de una manera tonta.

Entonces empecé a pensar más profundamente en el principio de asumir responsabilidad personal. Me vi varias veces en
el espejo. Mi conducta era muy fea. Supe que necesitaba elegir
interactuar con los demás en una forma diferente. ¿Pero, cómo?
¿Cómo romper el ciclo del que era parte y que dominaba la
cultura de nuestra oficina? No me sentía cómodo con los chismes, pero no tenía idea de qué hacer al respecto.

Para ayudarme a saber qué hacer, me hice esta pregunta:
"¿Cuál es mi papel en esta situación?" Sabía que primero era dejar
una actitud que no ayudaba a los demás. Eso no era difícil de
averiguar. Poner en marcha ese cambio era un poco más difícil.

Entendí que otros no sentían la necesidad de modificar su
forma de ser y yo no podía cambiarlos, pero sí ser responsa-

ble de mi conducta [hábito 1: Ser proactivo]. Reconocí que tal vez la cultura de la oficina estaba temporalmente fuera de mi área de influencia. Pero como mi conducta no lo estaba debería hacer algo al respecto.

Sabía que no iba a cambiar de la noche a la mañana, así que me propuse ser paciente. También compartí con mi esposa mi plan para mejorar. Ella me alentaba cada día, aunque fallé casi todo al principio. Pese a ello, debía seguir confrontándome y diciéndome: "Aquí están el estímulo, la respuesta y la oportunidad de actuar en el centro. Hasta ahora, no estoy haciendo esto". Entonces aprieto los dientes, me muerdo la lengua y pienso: "Tengo muchas opiniones sobre esa persona, pero no voy a externarlas".

El chisme es tan tentador que te envuelve antes de siquiera darte cuenta. Yo sabía que tenía que alejarme. Aunque suena muy sencillo, encontré muy difícil ejercer consistentemente mi integridad [hábito 3: Poner primero lo primero].

Eventualmente me gané la reputación de no contribuir a los chismes. Las personas empezaron a confiar en mí, ya que sabían que el chisme no prosperaría conmigo. No he superado por completo el placer de escuchar sobre la vida de otras personas y aún lucho con mi tendencia de querer escuchar. Pero cuando menos he progresado, estoy mejorando.

---

 *Después de tantos años de enseñar la idea de la cuenta de banco emocional, el depósito que parece tener más atención y respuesta es el de la idea de ser leal al ausente, es decir, no hablar mal de las personas a sus espaldas. Pienso que esto golpea duro a muchos porque es una conducta que en general les gusta y de la cual consiguen sus alegrías psicológicas. Internamente saben que no deberían hacerlo, pero han llegado a creer que no hablar mal es sólo tratar de ser leal al ausente. Otros elementos incluyen hablar bien de él, planificar un tiempo para comunicar y retroalimentarlo, así como representar su punto de vista.*

# ADMINISTRANDO: PENSAR GANAR-GANAR

- CINCUENTA AÑOS DE LEALTAD
- TENGA PACIENCIA... ESTÁN APRENDIENDO
- LA CUESTIÓN DEL MILLÓN DE DÓLARES
- DÉ FORMA AL FUTURO, O RENUNCIE
- CERRANDO LA PLANTA
- LA EMPLEADA PROBLEMÁTICA
- BILL PHIFER, GERENTE GENERAL COSMO'S FINE FOODS
- SE ACABÓ EL TRATO
- ENCONTRANDO LA TERCERA ALTERNATIVA

*Busque dos cosas al estudiar esta historia de siner-*
*gia ganar-ganar: primero, a pesar de la tendencia del*
*gerente de adquisiciones de ver el mundo mediante su*
*pesadilla de trabajo, note cómo trascendió y se volvió*
*analítico y empático; segundo, observe el poder de la*
*interacción humana genuino.*

Trabajo para una corporación multinacional en Malasia. Soy el hombre de adquisiciones, eso significa que soy responsable de comprar materiales, equipo y servicios para todas las operaciones corporativas en ese país. Cuando empecé, tenía cerca de cinco mil proveedores a los que debía perseguir y con quienes estaba obligado a negociar. Imagine cinco mil proveedores, cada uno con ¡productos, contratos, órdenes de compra y facturas individuales! El puro papeleo resultaba una pesadilla.

Al analizar en detalle a estos proveedores, sabía que habría que reducir el número lo más posible. Mi mayor problema eran los 600 conductores de camiones que llevaban partes a un lado y otro de los sitios de trabajo. Existían pocas compañías con flotillas tan grandes, pero la mayoría de los transportistas eran pequeños y muchas operaciones eran de un solo hombre con un solo camión. Pensaba: "Si puedo reducir el número un 20 por ciento, mi trabajo sería 80 por ciento más fácil". Decidí consolidar mi labor, para ello me concentré en expandir mis relaciones con las organizaciones más grandes y eliminar a muchas, si no es que a todas, que manejaban a una o dos personas.

Llevé a cabo una reunión para anunciar las terminaciones de contrato. Había cerca de 40 personas en el salón. Justo antes de ponerme en pie, un caballero mayor sentado junto a mí me comentó: "Sólo quiero que sepa lo agradecido que estoy con esta compañía…" Me quedé pensando: "¡Ay!, no, por favor, ahora no. Voy a despedirte en dos minutos". Continuó: "Gracias a esta compañía mi padre pudo mantener a su familia. Hace 50 años ahorró dinero para comprar un camión y empezar a transportar cosas para la organización. Con esos contratos sostuvo a toda su familia. Soy la segunda generación de mi familia que conduce camiones para esta compañía. Tengo el negocio de mi padre, el cual ha apoyado a nuestras familias durante 50 años. Gracias por permitirnos mantener así a nuestras familias".

¿Qué iba decirle? Se me encogió el estómago y sólo le sonreí, luego me puse en pie. Cuando me paré para mirar el salón, me di cuenta de que cada uno de estos hombres contaría una historia similar. Lo que iba a hacer no reduciría mi papeleo, destruiría muchos negocios familiares de 50 años, así que opté por ser honesto con el grupo: "Miren, hay un problema aquí. Tengo esta lista de proveedores de 39 páginas. No me es posible atender a tantas personas; además, debo negociar contratos cada semana. La compañía está perdiendo dinero y se está volviendo ineficiente. Por ello, el enfoque más lógico sería despedirlos a todos ustedes. Pero no quiero hacer eso, así que ¿cómo llegar a una solución que sea buena para todos [hábito 4: Pensar ganar-ganar]?

Después de un rato de discusión, un camionero expresó: "¿Ayudaría si dos de nosotros nos uniéramos? Entonces seríamos más grandes y manejaríamos más cargas con menos contratos. ¿Consideraría mantenernos si lo hiciéramos para salvar nuestro trabajo?" [hábito 6: Sinergizar].

"Seguro. Si están dispuestos a hacer eso, sería un ganar para mí", contesté.

Entonces otros empezaron a aportar más ideas: "Bueno, ¿qué tal si cinco o incluso 10 nos uniéramos? Compraríamos neumáticos a precio de mayoreo y conseguiríamos el combustible más barato. Y si uno de nosotros se atora con un trabajo, lo respaldaríamos y ayudaríamos". De repente todos estaban emocionados. Se pusieron a planear sobre cómo apoyar a esta compañía con una flotilla completa de camiones y descuentos de grupo, sin mencionar que mi trabajo se volvía más sencillo cada minuto.

Debo haberme emocionado demasiado con el nuevo concepto, pues de repente vi el gran panorama: había contado con cinco mil proveedores y con 500 podía comprar neumáticos y partes a precios increíbles, así que sugerí que yo les compraría los neumáticos, actuaría como interventor y se los vendería más baratos de lo que ellos pudieran conseguir. Entonces nuestra compañía ganaría dinero al mismo tiempo que les ahorraba a ellos. El salón estaba radiando con la emoción que trae la sinergia y yo estaba realmente contento. Se sentía muy bien estar ahí.

Aprendí una lección muy importante de esa primera conversación: las decisiones y sus consecuencias nunca son puramente económicas. Me senté en ese salón que cambió, en mi mente, de estar lleno de proveedores causándome problemas a uno lleno de familias, padres, esposos, que habían sido fieles a la compañía durante 50 años, por lo cual merecían el mejor esfuerzo para retenerlos. Por fortuna, no demasiado tarde, me di cuenta de que cuando nos vemos como seres humanos, trabajamos juntos y actuamos de manera diferente entre sí.

 *El principio básico que enseña esta historia es simple: involucra a las personas a trabajar en el problema y buscar juntos una solución. La mayoría titubea al involucrar sinceramente a otros porque no creen que puedan ayudar. También que sería un proceso tormentoso sin forma de predecir el resultado. Cuando se involucra a otros en el problema, a menudo quienes lo hacen dudan conseguir participación completa, honesta y auténtica, y por lo que los incluyen sólo en parte del problema. Por lo general, no comparten por completo sus sentimientos, dilemas y luchas personales. Como así sucede, el otro tiende a reac-*

*cionar con sus sentimientos, dilemas y luchas. En conse-
cuencia, la verdadera intimidad en comunicación no se
produce y el entendimiento mutuo queda trunco. Mientras más auténticos sean los individuos entre sí, y haya
más comunicación exacta, honesta y real, es más probable que se liberen los deseos creativos. Cuando están presentes el entendimiento y el respeto mutuos, el espíritu de
la sinergia de seguro empezará a desarrollarse.*

*La razón clave de por qué se dio sinergia en esta his-
toria es que un proveedor fue muy auténtico al expresar
su gratitud profunda. Compartir abiertamente afectó de
manera importante el espíritu del gerente de adquisiciones, lo cual lo condujo a ser igual de abierto y honesto
respecto a un asunto difícil.*

*La sinergia siempre es emocionante y débil, porque
usted nunca está muy seguro hacia dónde lo llevará. Lo
único que sabe es que va a ser mejor que antes, bastante
mejor de lo que cualquiera de las partes propuso.*

Tenga paciencia... están aprendiendo

*Conozca los puntos más interesantes de esta historia.
Primero, la cantidad de autoconciencia y autocontrol que necesitó el gerente para tomar la opción consciente de moverse de un estilo autoritario tradicional, a
uno participativo basado en principios. Segundo, cómo
mantuvo su compromiso al escuchar a una persona que
nunca había considerado antes de su determinación de
modificar su estilo. Y tercero, cómo no sólo escuchó, sino
que se dejó influir para volverse más paciente.*

En el pasado, dirigía a aquellos sobre quienes me sentía responsable en una manera muy tradicional. Tomaba decisiones
unilaterales. Me gustaba montar en un caballo blanco para res-

catar a la gente de sus problemas. Hablaba mucho y casi no escuchaba. Pero estoy aprendiendo a tener paciencia y necesito incluir más a las personas en las decisiones que les afectan, asimismo debo apreciar su talento y conocimientos en la organización, lo cual antes no desarrollaba porque siempre estaba hablando y nunca escuchando. Incluso, en ocasiones tomé decisiones incorrectas, porque involucraba a quienes no debía en el proceso de toma de decisiones. Los individuos con mayor experiencia con frecuencia estaban en el piso de la fábrica. El pensamiento tradicional asegura que no deben ser considerados en la toma de decisiones para nada. Liderar de acuerdo con principios significa tomar las mejores decisiones incluyendo la de elegir a los mejores hombres, aquellos con la mayor experiencia y más conocimientos.

Elegí dirigir en esta nueva manera. Pronto, después de eso, tuve que tomar una decisión muy difícil de cerrar una planta en Carolina del Norte y consolidar la del estado de Nueva York. Fue difícil; sin embargo, era lo mejor para la compañía. Como resultado, tuvimos que contratar a más personal para las instalaciones en Nueva York y capacitarlos como tapiceros. La tapicería es un trabajo difícil, puesto que requiere mucha destreza manual, coordinación entre ojos y manos, fortaleza física y buena vista para la simetría y el detalle.

Después de unos cuantos meses, el consenso administrativo en el departamento de tapicería era que estos empleados no iban a poder con el trabajo. Hace un año, los hubiera despedido a todos de inmediato. Pero decidí manejarlo de una mejor forma. Escuché a la persona que conocía la situación, uno de nuestros jóvenes tapiceros y capacitadores. Aunque era nuevo en capacitación, lo elegimos para entrenar a los nuevos por su personalidad entusiasta y porque siempre está listo para ayudar. Cuando eso sucedió, me comentó algo que puso la situación en una perspectiva mucho más clara y amable:

"Usted sabe que no soy el mejor tapicero aquí. Tampoco

fui el más rápido en aprender. Creo que estas personas funcionan muy bien. Bueno, tal vez no están donde queremos, pero tampoco *nosotros* estamos en donde alguien más arriba desea. Pienso que sólo somos impacientes. Algunas personas aprenden en tres meses, a otros les toma más tiempo. Estoy seguro que todos ellos serán grandes tapiceros".

Estamos en el mes 12 y estos nuevos empleados están haciendo un trabajo excepcional. Si hubiera tomado la decisión de la manera tradicional, no estarían con nosotros desde hace 10 meses y habría escuchado al primero con quien hablé y tomado la decisión sin toda la información importante. Pero no lo hice. Como estaba pensando sobre el hábito de buscar primero entender [hábito 5: Buscar primero entender, luego ser entendido], opté por una forma mejor. Escuché primero, y fue a una persona a quien normalmente no hubiera involucrado en el proceso de toma de decisiones, a alguien que muchos hubieran visto como "sólo" un tapicero capacitador. Sé que tomé la mejor decisión del mundo.

---

 *La tendencia de las personas orientadas a resultados es ver la capacitación y la educación como un gasto en vez de como una inversión. Sin duda, gastar en las personas tiene el mayor apalancamiento en comparación con cualquier inversión que exista. Es como mover el punto de apoyo. Como alguien lo expresó: "Si piensa que la capacitación y la educación cuestan mucho, intente la ignorancia".*

LA CUESTIÓN DEL MILLÓN DE DÓLARES

> *Mire cómo este abogado trascendió su capacitación legal adversaria y tuvo fe en la sinergia que se deriva de construir una relación de respeto y entendimiento.*

Como consejero legal externo de un negocio grande, me involucré en negociaciones para comprar una compañía propiedad de la viuda del fundador. Había grupos de abogados de ambas partes, pero las negociaciones llegaron a un callejón sin salida. Aunque tal vez debo decir que así fue *porque* había grupos de abogados de ambas partes.

Soy abogado, pero no me ciego ante el hecho de que en ocasiones nuestra forma de ejercer el ganar-perder causa más problemas de los que resuelve. En este caso, esto era casi evidente. La viuda, quien era la única accionista, quería un millón de dólares más de lo que mi cliente estaba dispuesto a pagar. Creíamos que el negocio de su finado esposo valía dos millones de dólares, ella quería tres. Cuando menos eso era lo que sus abogados nos explicaban. Con mucha frecuencia en estos asuntos nunca se habla directamente con las partes involucradas. Eso me ha molestado en el pasado, así que cuando los intentos de mi cliente de comprar la compañía llegaron a un callejón sin salida, hice una petición final a los abogados de la señora: hablar en persona con ella.

Expliqué que hasta donde se refería a mi cliente, no había forma de que pagáramos otro millón por ese negocio, así que el trato estaba terminado a menos que llegáramos a una tercera alternativa. Se interesó en permitirme hablar con ella. No había otro comprador potencial y, de hecho, la naturaleza del negocio era tal que mi cliente era uno de los pocos interesados en adquirirlo.

El asunto resultaba el complemento estratégico para el negocio de mi cliente, pero no estaba dispuesto a pagar tres millones de dólares. Los consejeros de la señora estaban interesados en que se vendiera la compañía, así que me permitieron intentar una entrevista telefónica con ella.

Cuando llamó, me quité el sombrero de abogado y escuché para entender su punto de vista y apreciar mejor su posición [hábito 5: Buscar primero entender, luego ser entendido].

Le pregunté sobre el negocio y sobre cómo lo había fundado su esposo, cuánto se había involucrado ella y cuáles eran sus metas para sus hijos, todos los cuales eran ya mayores de edad, excepto una adolescente.

Sentía curiosidad de saber por qué el millón final era tan importante para ella. "Este negocio es nuestro destino. Tengo compromisos", respondió.

También explicó que su finado esposo se había comprometido a cuidar de un amigo que le había ayudado mucho cuando empezó la compañía. Asimismo, señaló que quería fondos suficientes para que a sus hijos y nietos jamás les faltara nada, incluso después de que ella muriera.

Dos millones de dólares no cubrían todos sus compromisos y responsabilidades, sostenía. "Debo recibir otro millón."

En cuanto entendí su situación, la respuesta al dilema se aclaró totalmente. Entendí por completo su propósito de conseguir un millón extra. Así que sugerí: "Hagamos esto. Nuestra compañía le comprará una póliza de seguro de vida por un millón de dólares. Pagaremos las primas hasta que usted muera o bien, pagaremos una sola prima, lo que resulte menos costoso. En cualquier caso, nos aseguraremos de que usted reciba una póliza de seguro de un millón de dólares. Entonces si usted muere, sus hijos y nietos obtendrán ese legado de un millón de dólares que su esposo quería dejarles" [hábito 4: Pensar ganar-ganar; hábito 6: Sinergizar].

Fue todo lo que se necesitó para cerrar el trato. Dada la edad de la viuda, las primas terminarían costándonos probablemente 50 mil dólares, pero eso era mucho menos que el millón de dólares que pedía.

Hay tantos tratos que llegan a un callejón sin salida cuando las personas no pueden entender y resolver diferencias enormes, trátese de dinero, cuentas por pagar, desempeño o concesiones. Cualquiera que sea el bloqueo, si realmente se trabaja para entender las razones que hay detrás, parece que casi siempre existe una alternativa que ninguna de las partes había pensado.

 *Siempre he creído que todos los abogados deberían recibir capacitación en el uso de sinergia en la prevención y el establecimiento de disputas. Conozco a muchos abogados y jueces que han usado este enfoque de sinergia basado en respeto y entendimiento mutuo como una alternativa a la costosa y desgastante litigación. Ellos encuentran que cuando lo hacen, todo el juego cambia y la gente es más influenciada de manera tal que se libera la creatividad y por lo general aparece una tercera alternativa.*

## Dé forma al futuro, o renuncie

*Cuando la mayoría de las personas escuchan a otras quejarse de alguien, tienden a unírseles en sus juicios y llegar a tomar una acción arbitraria. Note cómo este supervisor ejercitó autoconocimiento y autocontrol, y siguió el principio de involucrar a otros en el problema para que todos fueran parte de una solución sinérgica.*

Superviso a un grupo de cerca de 26 personas de limpieza que trabajan el hospital local. Contratamos a muchos jóvenes de la universidad porque podemos ofrecer un horario que se adapte a sus obligaciones escolares.

Un par de empleados de tiempo completo vienen a quejarse sobre un estudiante de la universidad que hay en su equipo. Aseguran que siempre llega tarde, que la calidad de su trabajo ha bajado mucho y que toma descansos de una hora para comer, en lugar de los 30 minutos permitidos. Para cuando terminaron su reporte, estaban bastante molestos.

Conocía bien a este estudiante y sé que era un buen trabajador, pero había sido transferido a una universidad a 100 kilómetros de la ciudad, lo que para él representó un verdadero problema. Mientras pensaba sobre su situación, recordé los principios de ser fiel al ausente [Cuenta de banco emocional], evitar señalar culpas [hábito 1: Ser proactivo] y enfocarse en la solución. Decidí hacer eso.

En el pasado, hubiera sido muy directo y autocrático. Sin embargo, quería que los empleados que se estaban quejando se sintieran parte del proceso de solución de problemas, así que empezamos a hablar de su relación con él, pero siempre siendo leales. Les pregunté cuándo habían empezado los problemas [hábito 5: Buscar primero entender, luego ser entendido] y les comenté de su transferencia a una universidad estatal. Con esta información, entendieron por qué las cosas estaban cambiando. Puedo afirmar que identificar la raíz del problema los hizo sentirse facultados. Ahora se sienten parte de la solución.

Les mostré lo que podían esperar. Me reuniría con el empleado, encontraría una solución y, si las cosas no mejoraban, volveríamos a reunirnos. Antes de entender estos hábitos de efectividad, habría llamado a este joven estudiante a mi oficina y le hubiera gritado: "Éstos son los hechos, si no te enderezas y empiezas a llegar a tiempo a tu trabajo y hacerlo bien, voy a recortarte las horas". En vez de eso, cuando lo cité en mi oficina, entendí que era importante guardar su autoestima.

"Iván, necesitamos hablar sobre qué está sucediendo contigo". Entonces explicó su situación. En respuesta, le pregunté: "¿Cómo puedo ayudarte a tener éxito? La escuela es muy importante para ti y también hemos establecido un estándar de desempeño en el hospital. ¿Cómo arreglaremos esto [hábito 4: Pensar ganar-ganar]?"

Sugirió: "¿Qué tal si recorto mis horas a sólo dos días a la semana? En esos días puedo hacer mi mejor trabajo. También dedicaría toda mi energía los otros tres días a la escuela [hábito 6: Sinergizar]".

La solución fue muy simple. Sus compañeros estaban felices de trabajar con Iván. Él se sentía parte de la solución y mantuvo su autoestima. Mi trabajo se volvió más sencillo, porque seguí principios sólidos de administración.

---

 *¿No es interesante conocer cómo la distancia entre el estímulo y la respuesta puede solucionarse simplemente haciendo una pausa y pensando en los principios involucrados? Ésta es una ilustración extraordinaria del poder de la autoconciencia y la determinación para actuar con base en principios. Obsérvese cómo la arbitrariedad unilateral es en realidad el espíritu de independencia, no de interdependencia.*

CERRANDO LA PLANTA

*Cómo recortar personal o cerrar una planta y mantener alta la moral es una cuestión que se discute mucho. Trate de sentir la clase de empatía, sentimiento y compromiso que este gerente tuvo hacia su personal y su futuro.*

En el transcurso de 18 meses, habíamos involucrado a toda nuestra división en aprender y aplicar los 7 hábitos. Juntos llegamos a una forma común de pensar y estábamos adentrados en nuestro enunciado de misión común. Mi visión era que en tres años cambiaríamos la cultura de toda la compañía. De repente, en medio de esos planes para el futuro, las oficinas generales anunciaron que iban a cerrar nuestra división. Me pidieron que estuviera a cargo.

No era un trabajo para el que me hubiera ofrecido. Pero ahora estoy haciendo las cosas de manera diferente. En una situación normal, hubiéramos esperado a anunciar el cierre en el último momento permitido por la ley. Desde luego ofreceríamos, junto con el anuncio, un paquete de cesantía diseñado por nosotros. Las personas estarían tan devastadas que lo aceptarían, cubriera o no sus necesidades. Sin embargo, año y medio antes del cierre tuve una junta con la alta dirección. Como habíamos decidido cerrar las puertas irrevocablemente, pensé: "Muy bien, ahora es el momento de informar a todos".

No teníamos empleos que ofrecer a los trabajadores, tampoco alguna capacitación a cambio. Me respondieron: "¿Estás loco?"

Contesté: "¡No! Necesito a todas estas personas para empezar a movernos hacia adelante y que algunos trabajen en cerrar los negocios, pues hay que disponer de equipo para terminar negociaciones con vendedores. Además, requiero que me ayuden a buscar nuevas oportunidades. El rumor se va a expandir de cualquier forma. Si les explicamos a todos, entonces obtendrán la confianza y el facultamiento que merecen para continuar con su vida y dejar todos sus asuntos en orden [hábito 4: Pensar ganar-ganar]".

"Adelante, pero si no sale bien, ¡está en juego tu cabeza!"

Reunimos a todos. Cuando hice el anuncio muchos se quedaron paralizados. Casi se me rompe el corazón. Habíamos trabajado tan duro para formar nuestro equipo y ahora todo se estaba derrumbando. No los dejamos sufrir solos, celebramos reuniones de seguimiento cada dos semanas: en esas ocasiones yo los actualizaba; ellos hacían preguntas [hábito 5: Buscar primero entender, luego ser entendido]. Tratamos de encontrar soluciones a los problemas. Ante esto, alguien sugirió que los empleados compraran la división. Cuando analizamos los números, vimos que no era factible. También nos enteramos que otra división necesitaba aumentar significativamente sus instalaciones, equipo y personal. Enviamos una propuesta sobre mover su negocio a nuestras instalaciones, mostrándoles cómo ahorrarían dinero y personal en su expansión [hábito 6: Sinergizar].

Al principio mi visión fue que 45 personas iban a estar en las calles buscando trabajo. Hoy nuestra productividad es muy alta; en realidad, estamos adelante de lo programado para el cierre. Por otro lado, excepto aquellos que se están retirando, no hemos perdido a ningún empleado. Cuando cerremos las puertas en unos meses, nadie se quedará sin trabajo. Un gran beneficio es que nuestro cierre se ha convertido en un modelo para otras divisiones de la compañía. Incluso la alta dirección, que es exigente y está enfocada a resultados, toma nota de nuestra forma diferente de hacer las cosas.

*Las personas son impresionantemente flexibles, lo mismo que son capaces de tratar con dificultades y desafiar nuevas realidades. La clave es que necesitan información completa, actual y precisa para adaptarse. Es algo aterrador dar información completa, por eso la mayoría de los administradores no lo hacen. No saben qué va a pasar y con frecuencia sienten que sus motivos o decisiones tempranas serán cuestionados. Sólo abre una caja de Pandora cuando en el proceso se involucra a las personas. Pero si no lo hace, da lugar a una atmósfera de baja confianza, así como a expandir más cinismo, con acusaciones y hostilidad.*

*La confianza fluye de la confiabilidad. Cuando las personas son sinceras, abiertas, honestas y se confrontan con otros, a la vez que intentan entender la realidad total de las preocupaciones y vidas de los demás, se desatan los procesos que dan lugar a la sinergia.*

*Conozco otra organización que no sólo cerró una planta, sino que por completo cesó actividades en una ciudad muy pequeña. Las personas no estaban perdiendo su empleo, tenían que reubicar sus hogares y a sus familias. Los medios de comunicación escucharon que iba a haber una especie de reunión de despedida. Con la idea de que el suceso se volvería difícil, que desataría controversia y despertaría el interés público, así como que tenía potencial nacional, se presentaron en la reunión sólo para encontrar que era una fiesta de despedida de Kentucky Fried Chicken. Se encontraban tristes y felices, pero el espíritu era grandioso, pues el nivel de confianza era alto y todos sabían que la solución sinérgica era la adecuada. Para tal determinación se siguieron los principios correctos desde el principio y se examinaron alternativas, incluyendo la compra por empleados, pero finalmente se concluyó que la planta era obsoleta y no se recuperaría. Se hicieron grandes esfuerzos y se tomaron varias acciones para ayudar al personal a tratar con sus inquietudes sobre empleo, mudanza de familia y cambio de escuelas. Se dio asesoría, se proporcionaron servicios de colocación y, a pesar del trastorno y la complejidad del hecho, prevaleció el espíritu de confianza.*

## La empleada problemática

*Considere el sistema de valores de este consejero legal. Opera sobre principios, sobre los valores de un empleado, sobre la importancia de entender las dinámicas de la situación y sobre el deseo de hacer lo que es correcto, por encima de tomar un enfoque eficiente de automáticamente seguir las recomendaciones de supervisores para tratar a una empleada problemática. Mientras lee la historia sienta la integridad de este hombre y el respeto que tenía por esta persona tan llena de problemas.*

Soy consejero legal de una compañía grande. Por ello, recibí una petición urgente un día, para reunirme con el director de recursos humanos y el director de una de nuestras divisiones, con el fin de platicar sobre una empleada que intentaban despedir. Llegaron a mi oficina y me presentaron un caso sólido y bien documentado.

Esta mujer usaba con frecuencia lenguaje soez en el lugar de trabajo, había perdido su temperamento repetidamente con sus colegas, no cooperaba, era irracional e intratable. Por encima de todo, siempre llegaba tarde y tomaba más tiempo de comida que el que debía, sin dar ninguna explicación.

Hice la pregunta normal: "¿Han hablado con ella? ¿Le han dado la oportunidad de corregir su conducta?" Sus respuestas fueron satisfactorias. Parecía que habían tratado de que funcionara bien durante un periodo, pero su conducta no había mejorado. Me indicaron que ella estaba consciente de que ésta era la última oportunidad y que iba a perder su empleo. Eso sonaba que habían seguido los procedimientos adecuados y hecho su tarea. Parecía que el despido, aunque nunca es algo fácil, estaba justificado desafortunadamente.

Nunca había conocido a esta empleada y eso me molestaba, puesto que me gusta tener mi opinión de las situaciones, incluso cuando confío en todas las partes involucradas. Quería hablar con ella sólo para conocer, tal vez por extremar precauciones, cuál era su punto de vista. A decir verdad, también deseaba ver si parecía inclinada a demandarnos por el despido. En realidad necesitaba entender por qué su conducta difería tanto de las expectativas [hábito 5: Buscar primero entender, luego ser entendido]. Tenía un buen puesto en la compañía y me preguntaba si había algo en el trabajo o en la cultura que requería detectarse.

Esperaba que adoptara una actitud defensiva, negara lo que le dijera y culpara al ambiente por su conducta, así que me tomó por sorpresa cuando llegó a mi oficina, por petición mía, y exclamó: "Sé por qué me mandó llamar. Va a despedirme". Su actitud tan directa me asombró mucho.

Le expliqué que quería entender por qué se había desempeñado con tanta mediocridad. También dije lo que había escuchado respecto de su conducta: las palabras soeces, el temperamento explosivo y la impuntualidad. No negó nada. Expresó que todo era "desafortunadamente cierto".

Tengo que confesar: me estaba ganando al ser tan cándida. Me conmovía, además, que no luchara y que expusiera justo lo que tenía en la mente. No trató de dar excusas, pero sí me dijo que le gustaba su trabajo.

"¿Entonces por qué actúa de manera que hace que los supervisores y otras personas concluyan que deben despedirla, que necesitan terminar la relación laboral con usted? ¿Por qué esta conducta?"

Respondió preguntando si yo estaba realmente interesado en su vida personal. Le aseguré que lo estaba si eso ayudaría a entender el porqué de su desempeño mediocre en un trabajo que ella afirmaba disfrutar.

Entonces me contó su historia. Había crecido en una familia unida y amorosa en la cual todas las generaciones se cuidaban entre sí. Entonces había sentido responsabilidad cuando el padre de su esposo, viudo, se había vuelto senil como resultado de la enfermedad de Alzheimer. En su lucha contra el plan de su esposo, que consistía en internar a su padre en un asilo, pidió que su suegro viviera con ellos para darle amor y cuidado. Su esposo le dijo que si eso era lo que ella quería, sería su responsabilidad y su carga.

El suegro resultó ser mucho más demandante de lo que ella había soñado.

"Lo traje a nuestro hogar pero fue peor de lo que pensé. Es incontinente, por lo que tengo que cambiar pañales. A menudo no reconoce quiénes somos o dónde está. Camina por toda la casa, en ocasiones a medianoche. No es posible poner un sistema de seguridad en la casa, así que no duermo bien en las noches. Además, lo visto en las mañanas, lo dejo listo para cuando llega una enfermera que viene a cuidarlo parte del día y le hago su almuerzo. Se alimenta bien, aunque las personas con Alzheimer normalmente pierden el apetito o se les olvida comer, lo que les ocasiona pérdida de peso y otras enfermedades. A veces tengo que salir durante el día para atenderlo, para encontrarlo si se salió y se perdió, o sólo para calmarlo."

Me platicó cómo el cuidado de su suegro había ocasionado tensión en su matrimonio. "Me siento muy mal al respecto. Me convenzo de que no lo haré más, pero no me decido. Sólo estoy harta y agotada. No lo culpo por despedirme."

Después de escuchar eso, no me sentí con ganas de correrla. Quería ponerle una medalla y estaba más inclinado a tomar una acción disciplinaria contra aquellos que la habían juzgado sin realmente tratar de entender qué había detrás de su conducta, incluyéndome.

En lugar de darle sus papeles de despido, hablé con ella más para entender completamente su dilema. Agregó que a pesar de todas las dificultades, tenía planeado cuidar a su suegro hasta que muriera. No podía soportar verlo en un asilo, en particular porque ella y su esposo no estaban en condiciones de pagar un lugar de alta calidad.

Llegué a sentir que la habíamos abandonado, no lo opuesto. Le comenté que no habíamos sido muy buenos patrones. "Usted está haciendo cosas heroicas y no hemos sido lo suficientemente sensibles para averiguar qué está sucediendo en casa", expresé.

Le pregunté qué podíamos hacer para facilitar que continuara trabajando con nosotros mientras cuidaba a su suegro [hábito 4: Pensar ganar-ganar]. Hablamos de ponerle una oficina en casa con una computadora y un fax, así como darle un horario de trabajo más flexible. Disfruté nuestra conversación, y creo que ella también. Los dos nos sentíamos bien respecto de su futuro en la compañía.

Estuvo de acuerdo con que perdonaría a las personas que habían sido rudas con ella, que hablaban a sus espaldas y que la habían acusado de ser una empleada mediocre. Añadió que comunicaría más sus dilemas en casa para que entendieran por lo que estaba pasando. Acordamos que no usaría lenguaje soez, ni dirigiría su frustración y su ira hacia sus compañeros de trabajo.

A cambio de esas concesiones, hice el compromiso de proporcionarle lo que fuera necesario para que cumpliera con sus funciones, siempre y cuando ella se comprometiera a ello. Tuve que explicar bastante cuando informé a su supervisor y al director de recursos humanos lo que había hecho. Estaban furiosos conmigo al principio, pero luego estuvieron de acuerdo con darle otra oportunidad. No pensaron que se enmendaría, les pedí: "Confíen en mí. Esto va a funcionar bien. Tengo confianza en esta mujer".

Arreglamos las cosas de manera que pudiera pasar más tiempo en casa cuando necesitaba estar ahí para vigilar a su suegro, y ella cumplió su palabra. Se volvió una empleada extraordinaria en parte, creo, porque había llegado a creer que estábamos de su lado y que estábamos dispuestos a ayudarla en estos tiempos difíciles.

Entre ella y yo surgió una amistad sólida. Compartía sus sueños conmigo y subía junto con la compañía. Su suegro murió sólo seis meses después de nuestra primera conversación y su desempeño mejoró todavía más: se volvió tan extraordinaria que, seis años después, fue contratada por otra compañía para manejar una división entera.

Conocerla y entenderla, así como ver tanto a la compañía como a esta valiosa empleada beneficiarse, fue una experiencia de aprendizaje. Inicialmente, lo hice porque buscar entender parecía la forma correcta de enfocar esta difícil situación. Era lo lógico que debía hacerse, si se trataba de resolver un conflicto potencial y se trataba de entender a la otra parte.

Si no nos hubiéramos reunido, si simplemente la hubiéramos corrido, ella hubiera concluido que no nos importaba su situación o que la habíamos despedido por razones diferentes al desempeño mediocre. Podía habernos demandado, o hablar mal de nosotros en la comunidad. En vez de eso, algo muy hermoso surgió de todo esto: se permitió a un hombre pasar los meses finales de su vida con dignidad y entre sus seres queridos, un matrimonio con problemas se reparó, una carrera se salvó.

---

 *He llegado a sentir que ser eficiente en situaciones difíciles por lo general es inefectivo. Es tan fácil serlo, hacer juicios rápidos o actuar sobre los juicios de otras personas sin involucrarnos o esforzarnos para entender, lo mismo que juzgar todo en términos de su impacto sobre los resultados. Escuchar es como pelar una cebolla. Hay muchas, muchas capas y sólo un centro suave. Una vez que llega al centro suave todo el panorama de la situación con frecuencia cambia profundamente, como sus acciones. Este nuevo panorama afecta su actitud y por lo general despierta en usted un sentimiento de reverencia para otros. Usted deja de juzgar y se producen con más naturalidad soluciones de tercera alternativa. Cuando dos individuos son congruentes y auténticos, ambos expresan lo que sienten y que lo que sienten está en armonía con lo que están experimentando, se libera energía creativa y casi siempre se forman lazos profundos. Pero cuando hay incongruencias, las personas no expresan lo que están sintiendo o no sienten lo que están experimentando surge confusión, frustración y baja confianza.*

BILL PHIFER, GERENTE GENERAL, COSMO'S FINE FOODS

> *Considere en la siguiente historia el poder de la confianza, la afirmación humana y la comunicación abierta para convertir un absoluto desastre de negocio en un éxito, en un poco más de un año.*

"¿En qué me metí?" Era la pregunta que me hacía después de haber aceptado el puesto de gerente general de Cosmo's, una tienda de comida especializada en Lexington, Kentucky. Había

253

adquirido un desafío importante con un negocio que estaba en desgracia financiera y no tenía liderazgo, confiabilidad ni responsabilidades claramente definidas, el servicio a los clientes era deficiente y los empleados estaban desilusionados de gerentes anteriores, además había una falta definitiva de dirección. A pesar de todos estos aspectos negativos, existían dos positivos poderosos que podían y cambiarían el futuro de la empresa.

El primer aspecto era una visión compartida con los nuevos dueños, Larry y Bunny Holman [hábito 2: Comenzar con el fin en la mente], que también son propietarios de una compañía que proporciona programas de liderazgo impartidos por Stephen R. Covey, Tom Peters, Ken Blanchard y otros. Ellos querían que Cosmo's fuera un prototipo viviente de los valores y principios enseñados en sus programas de liderazgo, y deseaban poner en práctica la teoría. Yo quería ayudarles a hacerlo.

El primer principio que los Holman pusieron en práctica fue el de facultamiento. Les dio mucha confianza el hecho de que Anne Hopkins, nuestra gerente financiera, y yo teníamos la misma visión y los mismos valores para Cosmo's. Nos facultaron y dieron la libertad para dirigir y poner en marcha los cambios necesarios. Ahora, con confianza y facultamiento de parte de los dueños, ¿por dónde empezábamos Anne y yo?

La respuesta radica en el segundo aspecto positivo, los empleados. Cosmo's tenía personal con tremendo talento y potencial, pero este grupo se sentía como niños en adopción que iban de un hogar a otro. Con el fin de ayudarles a reconocer su potencial y desarrollar sus talentos, sabía que debíamos proporcionarles cierta estabilidad. Para que esto sucediera, habría que construir una relación de confianza que valoraran. Eso lleva tiempo, y soy muy impaciente. Sabía que el movimiento más importante sería crear una cultura de dentro hacia fuera, empezando conmigo [hábito 1: Ser proactivo].

Comenzamos a explicar a nuestro personal cuánto los valorábamos; tratamos de ver más allá del trabajo, a la persona.

Queríamos ver a nuestros empleados como individuos y entender que tenían vidas personales también [hábito 5: Buscar primero entender, luego ser entendido]. Por ejemplo, dimos una semana libre a alguien cuyo buen desempeño estaba bajando por problemas personales, para arreglar las cosas. Como resultado, ese individuo es ahora mucho más dedicado. Creo que si uno hace a la gente sentirse valorada, se involucrará y se comprometerá más. A veces hay una línea muy delgada entre empatía y tomar ventaja, pero el resultado es que bien vale la pena correr el riesgo. Esto promueve la buena voluntad de ambas partes [hábito 4: Pensar ganar-ganar].

Otro principio que queríamos poner en práctica era darle un enfoque proactivo más que reactivo al negocio. Observamos detenidamente a cada persona y la posición que tenía. Por ello vimos que muchos de ellos estaban haciendo cosas que no les eran recompensadas. Había choferes que querían ser mecánicos y mecánicos que querían ser choferes. Por medio de reuniones uno a uno, nos dimos cuenta que había muchas personas con talentos no reconocidos. Una empleada bien respetada por su conocimiento en preparación de alimentos es ahora una repostera muy valiosa para Cosmo's.

Pedimos a nuestro personal que "disfrute lo que hace; sienta pasión por ello". Promovemos la creatividad. "Aunque su idea pueda sonar loca, exprésela. Hablemos de ella. No creemos en la rutina [hábito 6: Sinergizar]."

También hemos formado un ambiente de confianza por medio de una administración de puertas abiertas. Queríamos que los empleados supieran dónde estaba la tienda y hacia dónde iba. Esto probó ser un proceso desafiante. Con datos muy limitados a los cuales referirse, dependíamos del personal para reunir un perfil de dónde estábamos realmente. Cuando revisamos la información, sus reacciones mostraron que no habían visto lo seria que era la situación. Esto fue una revisión de la realidad para todos. Empezamos a evaluar como equipo a dónde necesitábamos ir y cómo íbamos a llegar ahí. Usé el ejemplo de una escalera. Hasta arriba estaba nuestro destino y la única forma de llegar ahí era dando un paso a la vez, pero juntos.

Conforme mejoró el trabajo en equipo y la confianza, las energías se dirigían hacia lo positivo: reconstruir y establecer relaciones con distribuidores que han sido dañadas, en algunos casos en gran medida por las gerencias anteriores. También nos estamos concentrando en brindar mejor servicio a clientes y ofrecerles innovación; los resultados han sido asombrosos.

Desde el 1 de enero hasta el 31 de diciembre, Cosmo's disfrutó de 32.2 por ciento de utilidades sobre las ventas, 22.1 por ciento de aumento en margen de ganancias brutas y 46 por ciento de incremento en número de clientes. En ese mismo periodo, el inventario se redujo 15 por ciento y los salarios aumentaron 14.5 por ciento. Las horas de trabajo en realidad bajaron 9 por ciento, mientras que el promedio de dólares por mano de obra disminuyó 17.6 por ciento. En poco menos de un año hemos corregido el déficit de 45 000 dólares mensuales y ahora estamos haciendo negocios con tinta negra.

Las estadísticas son maravillosas, pero somos sólo un producto de lo que siento que es el logro más grande de Cosmo's; el hecho de que ahora somos un equipo de personas trabajando en un ambiente donde la confianza y la moral son altas; los empleados sienten pasión por su trabajo y tienen el deseo de servir a los clientes. Nos enorgullecen los logros que hemos tenido y continuaremos consiguiendo como grupo; ¡qué transformación, qué lugar para trabajar tan divertido e innovador!

Aunque ha sido muy recompensante ver la visión de Cosmo's convertirse en realidad, quiero señalar firmemente que esta empresa sigue siendo un trabajo en progreso; pero con el compromiso que incluye a propietarios, gerentes y personal; los resultados son prometedores, ya que estamos subiendo esa escalera juntos.

*La selección es todavía más importante que la capacitación. La clave total en esta historia fueron la selección y el facultamiento del líder correcto, alguien con mentalidad de abundancia, que no definió ganar como derrotar. En vez de eso, ejercitó los músculos proactivos para involucrar el corazón y la mente de todos los miembros de su equipo para liberar su potencial hacia la meta común de ganar para el cliente.*

## SE ACABÓ EL TRATO

*Sienta la elevada mentalidad de este presidente por medio del proceso completo de negociación y su forma de hacer tratos. Asimismo, el respeto profundo que manifestó hacia todos los participantes y el efecto que esto tuvo sobre su habilidad de empatizar y sinergizar.*

Era presidente de una pequeña compañía que estaba empezando en Japón, cuando una gran compañía pública expresó su interés en adquirir nuestra firma. Los dueños y yo estábamos exaltados: aquí se nos presentaba una oportunidad enorme de recuperar nuestro trabajo duro e inversión, así como de asegurar un futuro brillante y rentable.

Cuando empezamos a negociar, traté de practicar el hábito 5: Buscar primero entender, luego ser entendido. Al dialogar con el presidente del comprador potencial, traté de evaluar los resultados deseados y las necesidades de su compañía. Esta empresa había hecho varias adquisiciones, por lo cual había preguntas sobre cuánto efectivo tendrían disponible para nuestro trato. Adicionalmente, había asuntos sobre apoyo del consejo, ya que las adquisiciones previas no estaban aportando los resultados esperados.

Después de analizar esta información, me reuní con todos los accionistas de mi organización para tratar de entender mejor sus necesidades. ¿Cuánto dinero era suficiente? ¿Había otras cosas aparte del dinero que eran factores motivacionales para querer hacer este trato? ¿Había un ganar para ellos?

Una vez que sentí que conocía las necesidades de ambos lados, empecé a pensar en alternativas que harían el trato más atractivo para cada parte. Estaba ansioso para cerrar el trato, así que en realidad traté de actuar creativamente.

Uno se puede imaginar mi desilusión y decepción cuando el presidente de nuestro comprador prospecto me comentó que su compañía no iba a perseguir la adquisición. La razón: la presión del consejo y los accionistas era demasiado fuerte como para hacer un trato en este momento.

Estaba desilusionado, pero no disuadido, pues creo en la efectividad de los 7 hábitos para producir resultados en mi negocio. Decidí continuar practicando el hábito 5 y ver a dónde nos conduciría. Comencé por tratar de establecer la posición del director general mejor de lo que había sido. "Déjeme ver si entiendo su situación". Describí las adquisiciones que su compañía había realizado y las demoras que estaban experimentando para ver resultados finales. Mencioné las presiones que tenía del consejo y de sus accionistas, lo mismo que por qué eran válidas. Es más, discutí los recursos limitados de efectivo que estaban disponibles para cubrir un trato. Entonces le expresé: "¿Le parece un resumen justo?" Él contestó: "Sí, ésa es exactamente nuestra situación".

A lo que añadí: "Es muy desafortunado. Nosotros esperábamos que haríamos un trato ganar-ganar para ambos. Con base en nuestro entendimiento de su situación, desarrollamos algunas opciones que sentíamos podrían todavía hacer del trato un enorme ganar para ustedes. Pero, como usted me dice que esto no será posible, aceptaré su juicio y buscaremos otras formas para que nuestras organizaciones continúen cooperando en el futuro".

El presidente de esta compañía estaba con la boca abierta. Si entendíamos verdaderamente su situación, como mi resumen lo demostró, ¿cómo pensar que todavía era posible un trato? Agregó: "Escuchemos esas opciones". Entonces hablamos durante seis horas y al final básicamente comentó: "Queremos comprar su compañía. Permítame volver a hablar con mi consejo para conseguir el dinero".

Creo que este trato fue un éxito porque estuve dispuesto a entender lo que pasaba con el uso del hábito 5, tanto antes como durante nuestras negociaciones cruciales. También dejé ir la posibilidad de forzar un trato; se trataba de ganar-ganar o no habría trato.

Como resultado, todos mis accionistas se volvieron independientemente ricos. Igualmente importante, también surgió una presencia organizacional más fuerte en nuestro mercado y producimos muchos empleos para ayudar a la economía.

---

 *El efecto de ser profundamente respetado y entendido es asombroso. Las personas se vuelven abiertas, disminuyen sus defensas y tienden a tener una orientación creativa. El acercamiento que resulta de esto proviene de traslapar las vulnerabilidades de las personas involucradas. Todo empieza con alguien dispuesto a ser vulnerable e influenciable por medio del entendimiento de otros. Esta humildad casi siempre suaviza la postura de los demás; cuando lo hace, por lo general los conduce primero a volverse abiertos a la influencia y luego a la sinergia.*

ENCONTRANDO LA TERCERA ALTERNATIVA

*Ésta es una historia absolutamente hermosa de naturaleza humana, con sus altas y sus bajas. Sugiero que mientras la lee, se enfoque en cómo este ejecutivo de negocios actuó con integridad y valor en la distancia entre el estímulo y la respuesta, y cómo fue la raíz de casi todo lo demás que sucedió.*

Soy abogado y me desempeño como alto ejecutivo de una compañía manufacturera de tamaño mediano. Hace varios años, antes de entrar yo en el panorama, mi compañía firmó un contrato para comprar una pieza de equipo de fabricación masiva y de alta precisión que costaba cerca de 5 millones de dólares. Fue un mal convenio para nosotros, un trato maravilloso para el vendedor.

Básicamente, según se estipuló en el contrato, si esta maquinaria de alta precisión se descomponía o no funcionaba, estaríamos en graves problemas. El fabricante no tenía responsabilidad por defectos.

Piense que si esta máquina no funcionaba bien, resultaría una calamidad para nuestra compañía: fechas de entrega y tiempo de producción perdidos, miles y miles de dólares en materia prima arruinada y el involucramiento de muchas horas de costosa mano de obra para realizar reparaciones. Eso es exactamente lo que sucedió, por supuesto.

La maquinaria que supuestamente funcionaría con la precisión de un reloj suizo, no podía siquiera dar la hora. Era un limón multimillonario que estaba agriando toda nuestra operación. Se descomponía constantemente, lo que ocasionaba fechas de entrega y negocios perdidos. Lo peor de todo era que la compañía había pagado de contado al fabricante y éste ahora no parecía muy interesado en asumir responsabilidad por las fallas de su producto.

Naturalmente, mi organización buscó una solución. Yo era el líder del grupo.

Parecía que el asunto se iba a poner muy feo pronto. El fabricante tenía muchas influencias y un pequeño ejército de abogados. Ignoraron nuestras peticiones de hacer que la máquina funcionara correctamente o llevársela y devolvernos el dinero.

Contratamos a un gran abogado, quien hizo lo propio con expertos y llevó a cabo una investigación. Amenazó con demandar al fabricante por fraude con base en una teoría de que había malinterpretado las capacidades y solidez de la máquina. Nosotros creíamos que desde un principio ellos sabían que estaba diseñada defectuosamente. Ignoraron nuestras amenazas.

Mientras tanto, en la planta, los pedidos se amontonaban, los empleados no tenían nada que hacer y las utilidades seguían bajando. Sabíamos que si emprendíamos una demanda legal, el fabricante dejaría a un lado incluso las reparaciones de rutina de la maquinaria. Nos costaría una fortuna hacerlo nosotros mismos, además de que tomaría cuando menos seis meses conseguir un reemplazo y hacerlo funcionar.

Pedimos una última reunión con el fabricante, esperando resolver el problema. Hubo una tradicional confrontación abogado contra abogado, pero no se llegó a ninguna parte. Me fui a casa enojado. No podía creer que ese fabricante no aceptara responsabilidad por su maquinaria defectuosa.

Claro que había pasado gran parte de mi vida manejando situaciones como ésta. Además, fui capacitado para ir ganarperder cuando se llegaba a este punto. Se me recomendó no tomar prisioneros ni cuarteles. El problema era que la mayoría del tiempo nadie gana en esas situaciones. Sólo nos mordemos entre sí y vamos a casa hechos pedazos.

Cuando superé mi ira, decidí ignorar mis instintos legales y mi sed de venganza. En vez de eso, traté de pensar en otra forma de resolver nuestro problema. Creo que se conoce como: "la distancia entre el estímulo y la respuesta".

Reuní a un par de personas, además de mi secretaria y otros que sabían qué estaba sucediendo. Quería escuchar sus opiniones. En realidad deseaba ver las cosas a través de sus ojos [hábito 5: Buscar primero entender, luego ser entendido]. Quería asegurarme que todos pensábamos claramente. Luego empecé a considerar la respuesta adecuada a los asuntos reales que nos confrontaban. Tomé un tiempo para decidir qué contestación estaría en el mejor interés de la compañía.

Al poner egos y emociones a un lado, llegamos a crear una lista de las necesidades de nuestra compañía:

- El resultado de producción debía mantenerse y mejorarse.
- No queríamos gastar millones de dólares en tarifas legales y costos de juicios.
- Necesitábamos una relación saludable con un fabricante de equipo para que el crecimiento futuro y producción inmediata pudieran mejorarse.
- Deseábamos ser compensados por pérdidas sufridas como resultado del equipo fabricado defectuosamente.

Miramos esa lista y concluimos que sólo uno de esos objetivos podría lograrse con una demanda costosa y larga, mientras que los más importantes en realidad pondrían en riesgo la litigación. También admitimos que habíamos dejado que nuestro deseo de reivindicación nos cegara a lo que era mejor para nuestra compañía. Se volvió claro que era mucho menos importante quedar a mano que volver al mismo ritmo de producción.

Con este nuevo fin en la mente, empezamos a pensar en cómo lograrlo. Lo que decidimos fue deshacernos de la ira y las emociones negativas [hábito 1: Ser proactivo]. Queríamos dar lugar a una nueva relación con el fabricante para trabajar juntos en vez de ser adversarios [hábito 4: Pensar ganar-ganar].

Después de revisar todas las conversaciones, cartas y materiales que se reunieron para preparar la demanda, entendí que aunque parecía que el fabricante no había actuado de manera razonable desde nuestro punto de vista, sus acciones probablemente habían sido razonables con base en sus presiones internas y externas. Aprendí todo lo que pude sobre este fabricante y, una vez que uní las piezas, llegué a la teoría de por qué se habían puesto a la defensiva frente a nosotros.

Para confirmar mi teoría llamé al presidente de la compañía manufacturera y le solicité una reunión informal. No estaba seguro de que aceptaría pues es un hombre rudo, inteligente y con experiencia. Había dominado todas nuestras reuniones anteriores.

Por teléfono le expliqué que pensaba que habíamos ido por un camino incorrecto. Agregué que quería entender su posición más claramente. Al principio sostuvo la misma posición defensiva que había tenido todo el tiempo, pero conforme insistí que sólo me interesaba comprender su posición, con ciertas reservas estuvo de acuerdo con reunirse conmigo para cenar.

Al final de nuestra conversación telefónica, como el presidente de la compañía fabricante se había relajado un poco, sentí que comenzaba a confiar en mí. Compartió cierta información que me ayudó a entender la posición inicial de su compañía, la cual fue invaluable para ayudarme a construir una tercera alternativa para resolver la disputa.

Camino a la reunión tenía esperanzas de que el candor del fabricante fuera una buena señal. La junta fue en su terreno. Al sentarnos en el restaurante, primero habló como si hubiera decidido olvidar todas las demandas y vencernos. Estuve tentado a reaccionar con agresión a lo que parecía ser su explotación de mi amabilidad y generosidad una vez más; me contuve. En vez de eso, y aunque era difícil hacerlo, empecé a preguntarle sobre las metas de su compañía y sus aspiraciones personales. Le ofrecí compartir mi opinión personal sobre el dilema de mi organización.

Con mucho tacto para no asignar culpas ni hablar de fallas, le hablé de los serios problemas y cargas financieras que mi compañía había sufrido a causa de que el equipo que nos vendió no había funcionado. Traté de no confrontarlo, pero fui sincero. Expliqué también que estábamos agobiados por los accionistas preocupados y clientes que se quejaban. Reconocí que esas presiones habían ayudado a detonar nuestra posición adversaria y de confrontación.

Le pedí que aceptara una disculpa a nombre de la compañía por la forma en que se había manejado la disputa hasta ahora. Me contestó también con una disculpa. Sentí que finalmente estábamos haciendo cierto progreso.

Agregué que honestamente creía que su firma había hecho lo mejor posible para llegar a soluciones por el desempeño fallido del equipo y que, después de dar un paso atrás para escuchar mejor y observar más, creíamos que eran personas honorables que querían hacer las cosas correctas. Lo expresé con sinceridad. Al mostrar mis pensamientos, la tensión entre nosotros se disipó y se creó un nuevo modo de pensar más colaborador. Empezamos a confiar uno en el otro.

Luego expuse el terreno para hallar una tercera alternativa de solución a nuestro conflicto, que consideraba era una solución ganar-ganar. Compartí los planes y esperanzas de mi compañía para el futuro, lo mejor posible para ayudarle a entender el lado humano de nuestro negocio: cómo es nuestra gente y qué soñábamos lograr.

Creo que podríamos afirmar que compartí con él nuestro fin en la mente, lo cual incluía una relación sinérgica fuerte con un socio fabricante de equipo. Expliqué que con base en nuestras proyecciones de crecimiento requerimos invertir millones de dólares en equipo los siguientes 36 meses. No considero necesario decirles que eso captó su atención.

Para compartir más nuestra misión, expuse cómo su compañía podría jugar un papel activo en nuestros planes. Lentamente, se abrió conmigo; aceptó que su organización también había cometido errores e insistió en que tenían una línea sólida de productos a pesar de las deficiencias del equipo que habíamos comprado y que estaba muy interesado en nuestro crecimiento potencial.

Definitivamente quería ser parte de nuestro futuro, así que le platiqué qué tendría que hacer para volverse nuestro socio.

Con los ojos fijos en mí, añadí: "Imagine que dentro de 18 meses mi compañía gastará más de 5 millones de dólares en equipo adicional proporcionado por su organización. Imagine a mi empresa dentro de unos meses como un cliente fiel localizándolos a ustedes para mejoras adicionales. Los buscaríamos por su experiencia en el diseño y la puesta en marcha de una línea productora en crecimiento. ¿Se imagina que nosotros los recomendemos con otros clientes por sus productos y servicios?"

Luego me fui al aspecto personal: "Puedo incluso pensar que usted me invita a jugar golf de vez en cuando".

De repente nos sentíamos y actuamos más como dos viejos amigos y asociados de negocios que adversarios. Hablamos del equipo específico que necesitábamos y de los servicios que ellos proporcionaban. Anotamos muchas cosas en las servilletas. Pero todavía el asunto no había terminado. Ahora que había captado su confianza, pondría en la mesa una propuesta más.

"Esto es lo que requiero de usted para construir una relación a largo plazo: que envíe a su mejor personal para que mantenga nuestro equipo funcionando con un nivel aceptable de desempeño y salgamos adelante en la temporada más ocupada. Necesita ayudarnos a minimizar el tiempo muerto y proporcionarnos estos servicios con ningún costo. Quiero que esté de acuerdo con que no habrá más pagos relacionados con el equipo que ya nos vendieron. Sin embargo, le pagaremos completamente el equipo que vamos a ordenar, menos la pérdida documentada de materia prima arruinada por el actual. Por último, nos comprometeremos a gastar un total de más de 5 millones de dólares en maquinaria fabricada por su compañía durante los próximos 18 meses."

Cuando terminamos de cenar, el trato estaba hecho. Y antes de salir del restaurante también teníamos una cita para jugar golf.

Mi compañía aprobó el acuerdo y con buena razón. Esto aseguraba que recuperaríamos nuestras pérdidas, volveríamos a la producción normal y nos desharíamos del equipo defectuoso con ningún costo. También se encargaba de nuestras necesidades futuras y evitaba demandas costosas. Fue un trato dulce para el fabricante.

Más adelante, llamé al abogado que habíamos contratado y le expuse nuestro acuerdo; se quedó asombrado. Me escribió una carta afirmando que el trato que celebramos era mejor que 100 por ciento de victoria en un juicio, que quizás habíamos obtenido más de lo que un jurado nos hubiera concedido.

El ganar-ganar se jugó perfectamente y el golf subsecuente tampoco fue malo.

Para nosotros, el equipo que compramos al fabricante ha funcionado de maravilla. El viejo funcionó adecuadamente bajo el cuidado constante de nuestro nuevo socio de manufactura hasta que fue reemplazado. A la vez, el fabricante aseguró una relación duradera y cordial con un cliente multimillonario.

Como negociadores, se nos enseña a nunca descubrir nuestras vulnerabilidades. Es como un juego de póker, donde se usan todos los trucos, se alardea, se finge. Todas estas tácticas vienen de una posición de desconfianza mutua. El "ganar", si lo hay, generalmente otorga una rebanada pequeña de un pastel destruido. Por otra parte, la resolución positiva a una disputa se construye sobre un fundamento de confianza, en la cual cada parte busca sinceramente entender a la otra. Es un poco truculento, dado que requiere valor y paciencia.

La clave de este tipo de solución de problemas y la belleza del mismo es que brinda a cada persona la oportunidad de ser verdaderamente confiable. No puede sólo manipular o adoptar una postura, tiene que poseer principios sólidos y, lo que es más importante, ser él mismo, honesto y sincero.

También demanda que usted se niegue a ser cínico. Creo que casi todo ser humano, sin importar su experiencia pasada o capacitación, si se le da la oportunidad de ser confiable, honesto y justo, la abrazará y actuará con gran integridad.

 *Dada la descripción de la magnificencia y la profundidad de los problemas en esta historia, ¿cuántas personas pueden visualizar una solución sinérgica? ¿Qué clase de persona que renuncia a ser cínica dice "Creo que casi todo ser humano, sin importar su experiencia pasada o capacitación, si se le da la oportunidad de ser confiable, honesto y justo, la abrazará y actuará con gran integridad"? Esto viene de la mente, del corazón y del alma de alguien con profusión centrada en principios y es segura internamente. La nueva dinámica que en realidad marcó la diferencia fue dedicar el tiempo, el esfuerzo y la energía necesarios para construir una relación humana auténtica. Todo fluyó de esa relación. La voluntad de disculparse, de escuchar con sinceridad, de expresarse con valor, de explorar con creatividad nuevas opiniones, está dentro de casi todos nosotros, sólo hay que despertarla con el ejemplo de alguien que nos inspire, que haga detonar estos principios probados desde dentro.*

# LIDERANDO ORGANIZACIONES

- COLIN HALL, PRESIDENTE EJECUTIVO, WOOLTRU LIMITED, SUDÁFRICA
- DOUG CONANT, PRESIDENTE, NABISCO U.S. FOODS GROUP
- PETE BEAUDRAULT, DIRECTOR EJECUTIVO DE OPERACIONES, HARD ROCK CAFE
- CHRIS TURNER, PERSONA EN ENTRENAMIENTO, XEROX BUSINESS SERVICES
- JACK LITTLE, PRESIDENTE Y DIRECTOR EJECUTIVO, SHELL OIL COMPANY
- MICHAEL BASSIS, PRESIDENTE, OLIVET COLLEGE
- WOOD DICKINSON, PRESIDENTE Y DIRECTOR EJECUTIVO, DICKINSONTHEATRES
- JOHN NOEL, PRESIDENTE EJECUTIVO, NOEL GROUP

*Esta historia, contada personalmente por Colin en el Simposio Internacional de Franklin Covey, resultó uno de los discursos más electrificantes e inspiradores que hayamos escuchado. Fue tan profundamente conmovedora que algunos estuvieron abatidos con una sensación de humildad, reverencia y gratitud durante varias horas y otros por días e incluso semanas. Notará mientras lee que los elementos clave eran todos personales; se trata de la lucha interna de un alma autoreflexiva y honesta que resolvió hacer lo correcto y de acuerdo con sus principios.*

Nací justo al principio de la Segunda Guerra Mundial en una familia razonablemente opulenta, blanca y sudafricana. Era liberal y sensible. Me tocó un buen lugar para nacer y también era incondicional, o sea que mi madre y mi padre me amaban a pesar del hecho de que no era igual que ellos. No hacía todas las cosas que se "supone" uno debe hacer. Había veces que no les gustaba, pero nunca dejaron de quererme y siempre me dieron espacio para ser diferente.

Estuve en trece escuelas, por lo que me di cuenta de que la educación estatal para blancos era mejor que aquella para negros. Así era deliberadamente, nosotros recibíamos lo mejor. Pero con lo mejor, también obteníamos grandes dosis de sentimientos de superioridad, de competencia, de segregación racial. Pronto descubrí que la vida era para asirme a ella y que si no lo hacía, alguien más lo haría. Empecé por escalar la escalera del éxito corporativo. Me titulé como abogado y al serlo aprendí a ganar-perder. De ahí fui a los negocios. Me uní a una compañía destiladora sudafricana, que para los estándares locales era grande y poderosa. Continué escalando la escalera sobre la base de ganar-perder, lo cual no es sorprendente porque el mundo en que vivía era de ganar-perder. Sudáfrica

era un lugar ganar-perder. El comercio era de ganar-perder. Y la compañía también.

En los 20 años que estuve con ellos pasé de ser obrero del turno de noche a director ejecutivo del grupo encargado de toda la parte de licores y hoteles. Vivía un cuento de hadas en ese momento. Fui director cuando tenía 30 años, lo cual era un gran logro. Me sentía muy bien al respecto, en parte porque no elegí sentirme mal por lo que eso significó para otras personas. Si pudiera describir la experiencia de otra manera, en realidad estaba calificando para un doctorado en poder; poder crudo, desnudo y rudo. Era poder no sólo para ejercerlo en el mercado y sobre los competidores, sino sobre la persona en la oficina de junto y sobre mis subordinados. Y fue una experiencia que hace crecer la cabeza.

Pero todo eso cambió cuando llegué a casa después del trabajo una noche y jugué "Monopolio" con mi hijo de nueve años, a quien derroté. En realidad lo aplasté. Con lágrimas en los ojos me miró y preguntó: "Papá ¿acaso esto no es un juego?" Me sentí absolutamente enfermo.

Aunque algunas veces me había sentido incómodo por mi impulso para ganar a cualquier costo, incluso contra mi hijo, en nuestros juegos y conversaciones trataba de negar mis sentimientos y justificarme: "Así es como funciona este juego. Así es como los grandes hombres sobreviven en el mundo. Así es como se hacen los grandes negocios. El mundo es un lugar competitivo y mi hijo tiene que aprender. Será mejor que sufra un poco ahora para que se vuelva competitivo como yo, y encuentre su camino a través de este desastre de mundo y pueda golpear a algunas personas". Pero no me sentía cómodo. Esta experiencia me enfermó y fue un punto de partida. Me di cuenta que había estado usando el mismo poder de juego en casa que en la oficina. Supe que no es posible participar en dos juegos a la vez en la vida y me percaté de que también había desarrollado juegos de poder con mi esposa, Di.

En este punto crucial en mi vida, un amigo me dio una foto-grafía de un tigre dormido con sólo un ojo abierto. Me sugi-rió: "Nunca olvides que en todo humano radica el poder de un tigre, pero 99 por ciento está dormido. Las grandes labores de la vida son sobre realizar ese pequeño esfuerzo para ver cuánto vigor, cuánta vibración, cuánta energía, cuánta emoción y cuánta magia real sale de un tigre". La tuve en la pared de mi oficina mucho tiempo. Empecé a mirarla y a pensar: "¿Qué estoy haciendo? ¿Estoy solamente matando y castrando tigres, levantándoles las patas del piso para hacerlos sentir mal?" En vez de sentir alegría por ver crecer a las personas, siento ale-gría y satisfacción cuando caen, mientras yo tengo éxito.

Jugar "Monopolio" con mi hijo me ayudó a llegar a la con-clusión de que no podía vivir con un punto de vista para pro-bar que era mejor que alguien en el trabajo, todos los días, así que dejé la compañía. Mi inclinación natural fue brincar de una situación de poder a otra. De nuevo me dieron gran-des consejos. Alguien me sugirió que tal vez era el momento para reflexionar y reconsiderar; que no debía volver a una situación que era familiar sólo para sacar mi lodo, mis armas y mis herramientas de siempre. Asimismo, que podría ser una gran oportunidad para modificar el ritmo. "Cambia poder por influencia. Si eres tan bueno como piensas, ve si te es posi-ble hacerlo sin poder," me dijeron. Así que empecé de nuevo como consultor.

Fue una experiencia humillante, como se imaginarán, por-que ni siquiera tenía alguien a quien exigir que me trajera una tasa de té. Yo hacía mi té. No podía ir a la oficina de un cliente y ordenar: "Haz esto y haz aquello; aplasta la oposición si todavía puedes pensar en otra cosa perversa". Debía pregun-tar: "¿Has pensado en esta posibilidad? O ¿has considerado esa opción? O ¿tal vez esta idea te funcione un poco mejor que la que estamos usando? O ¿qué hay de una alternativa?" Encontré eso muy frustrante en el corto plazo porque estaba acostumbrado a crear estructura y ser el jefe. Creo que era una especie de autócrata. Pero cuando se es consultor, no se puede ser autócrata. Te quedarías sin dinero.

Empecé a leer vorazmente. Redoblé mi esfuerzo para entender a la humanidad. Pero la pregunta que absolutamente evitaba y que empezó a fascinarme era: "¿Por qué no hemos entendido qué hace la diferencia entre las personas muy efectivas y el hombre ordinario? Hemos estado juntos durante siglos y aun así parece que malentendemos el concepto del tigre durmiendo". ¿Por qué tantas personas viven lo que Thoreau describió como "vidas de tranquila desesperación"?

Después de dar consultoría varios años, me uní a Wooltru como director ejecutivo. Wooltru es un grupo comercial muy grande y empezó igual que yo, como un negocio familiar con buenos valores familiares. Fue fundado por un padre y un hijo que trabajaban juntos a pesar de sus diferencias. Pero también se vio atrapado en esta determinación perniciosa de ser mejor que y de convertirse en una compañía pública. Comenzó a medir todo en términos de resultados y retorno de equidad. Se volvió muy paternalista, mandón, autócrata, racista, chauvinista de arriba a abajo y a adquirir todas las demás características de los blancos de Sudáfrica en ese entonces. Era un negocio de amo y sirvientes. Funcionaba. Pero para cuando llegué a Wooltru el precio de nuestras acciones en el mercado estaban exactamente a la mitad del promedio del sector. ¡Eso significa mal desempeño! ¡Era una crisis! Aun así, me uní al grupo porque quería ver si podíamos caminar juntos. Para ellos y para mí era obvio que, con el país en crisis, no pasaría mucho tiempo antes de que hubiera un cambio hacia una nueva sociedad, en la cual los negros gobernarían a los blancos.

En esta prueba severa de mi vida y en la de Wooltru, así como muy dentro en las penas de Sudáfrica, está el compromiso de una familia, que es alegre por ser distinta de las demás, práctica que tiene una aceptación incondicional, a

pesar de nuestras diferencias, lo cual es extraordinario observar cómo se pierde. Mi compromiso se había perdido en mi antigua compañía. El de Wooltru, en una empresa pública cuando estuvo en un estanque enfrascado en su lucha contra los tiburones del comercio. Y el de Sudáfrica, en la segregación racial. Mi trauma, mi juego de "Monopolio", fue en 1980. El juego de Wooltru, si quieren, en 1988. El de Sudáfrica, en 1990. Si revisamos lo que ha sucedido desde entonces a los tres, el tema son las diferencias. Las crisis fueron las mismas: de poder coercitivo que se sale de las manos, ante lo que un sistema dice: "¡Ya basta!"

A veces, cuando la mayoría se entera de la deshonestidad del sistema élite, cuando el poder colectivo en el fondo de la organización surge por sí mismo, crece un anhelo profundo por algo diferente. Ese anhelo me llevó a dejar la destiladora, llevó a Wooltru a buscarme y condujo al presidente Klerk a entregar voluntariamente el mando al enemigo. En ese tiempo, el enemigo eran Nelson Mandela y los terroristas de la ANC. Qué extraordinario enemigo resultó ser. Su misión personal, contra nuestro horrible pasado, fue liberar a los oprimidos y a los opresores, porque todos éramos víctimas de un excesivo abuso de poder. Esa sensación de reconciliación, de perdón, es mucho más interesante y emocionante que entregar el poder. Tenemos un presidente que puso un alto a las agresiones de los blancos hacia los negros y del ala derecha hacia la izquierda, el tiempo suficiente para que reconsideráramos qué clase de país queríamos que fuera Sudáfrica. Y es auténtico. En esta nación tenemos liderazgo que nos está llevando a conocer nuestras diferencias, el perdón y la interdependencia.

En este mundo loco y competitivo de ganar-perder, retribución y venganza, el liderazgo sudafricano llegó a formar una Comisión de Verdad y Reconciliación (CVR) cuya manera de funcionar es extraordinaria. Implantó una amnistía, la verdad, sentimientos de compensación, no de retribución.

Lo que Mandela declaró fue: "No es bueno poner toda la basura debajo del tapete porque ya hay demasiada ahí. Hay demasiado dolor, sufrimiento e ira. Debemos sacarlo. Debemos dejarlo ir". Día tras día, esta comisión se sienta y escucha a las personas contar historias de lo que sucedió en la época de la segregación racial, qué les pasó a ellos como negros, qué sentían los policías que estaban obligados a hacer cosas que no querían.

Otro departamento de la CVR oye todo el día a individuos que vienen para abdicar de la amnistía: "Yo hice algo equivocado", expresan voluntariamente ante esa comisión. En cuanto a mí, aunque mi crimen no fue de la comisión, pero fue de omisión, debí haber sabido más sobre lo que estaba sucediendo. Pude hacer más, pero no de una sola persona a quien no hubiera lastimado deliberadamente. Pero como individuo en posiciones de poder e influencia considerables, no había sido humano ni cálido, y necesitaba confesarme. Fue maravilloso deshacerme de eso.

No estaba en verdaderos problemas, pero me senté en el mismo salón con personas que tenían sentencias de cadena perpetua por asesinatos horribles. ¿Alguna vez han estado en un salón con asesinos convictos? Fue una experiencia interesante. Tres acusados del asesinato de una mujer americana joven y blanca estaban sentados en la fila del frente; yo, justo detrás de ellos en la segunda fila. Ahí estaban pidiendo amnistía. Los comisonados les hacían preguntas como: ¿Están arrepentidos? ¿Cuál es la verdad? ¿Hasta qué grado fue algo motivado políticamente? Los dos cómplices se hundían en sus asientos como muchos en situaciones similares. "Bueno, realmente no fue culpa nuestra."

Los comisonados se ponían cada vez más impacientes con ellos porque para otorgar la amnistía habría que conocer todo. De repente, el hombre que en realidad era el asesino confesó todo. Nunca he escuchado algo así en mi vida. Pero todavía había más. Cuando terminó, los padres de la víctima se pusieron en pie y lo perdonaron. Luego los asesinos se abrazaron con los padres de la víctima que estaban sentados junto a ellos.

Por un momento en nuestra historia, estamos aprendiendo a vivir con amnistía, con más de una manera de manejar las cosas en un país que ha sido conocido sólo como ganar-perder. Estamos impulsados a facultar a las personas, lo cual no es darles un pescado, sino enseñarles a pescar. Además, estamos tratando de construir una nación ética y con principios. No va muy bien en esa área por el momento, pero no se puede administrar ni forzar ese tipo de transformación, que tiene que vivirse profundamente. Lleva tiempo, pero lo vemos como un desafío extraordinario y una oportunidad para, como afirmó Gandhi, "convertirnos en el cambio que buscamos en el mundo".

Después de asumir el timón de Wooltru, resolví ser un líder diferente. Quería empezar a torcerle la cola al tigre, lo mismo que enseñar, afirmar, descubrir y disfrutar la exclusividad, la energía y el genio que hay dentro de las personas. Pero tenía que estar preparado para renunciar al poder, así que empecé a organizar sesiones con nuestro personal para hablar de abundancia, ganar-ganar, interdependencia, sinergia, comunidad: los principios inherentes de los 7 hábitos. Pronto encontré que las historias de África, estaban llenas de principios con los que siempre habían vivido, pero que antes no eran practicados en el trabajo, empezaron a fluir de los corazones de nuestro pueblo. ¿Se pueden imaginar lo que es para mí, como presidente ejecutivo de un negocio que ahora tiene treinta mil empleados, tomar dos días y medio al mes, si no es que cada dos semanas, para dedicarme a enseñar, descubrir y facultar a mi personal? Imagínense lo que es para mí mezclar una poción de estas narraciones que vienen de ellos y compartirlas en todo el negocio. Así dice nuestra misión:

Wooltru aspira ser el núcleo de la "comunidad" africana o *uMphakathi* [*uMphakathi* significa comunidad. Para ser una *uMphakathi*, hay que trabajar de dentro hacia fuera. Hay que tocar la música del alma para lograrlo. Se tiene que agonizar con los demás] de diversas, concentradas e interdependientes empresas, impulsadas hacia la efectividad global por medio del liderazgo, el cual:

- comparte y sostiene una serie de principios admirables;
- respeta la excelencia tradicional de sus comercios;
- da la bienvenida a la tecnología moderna;
- está dirigido a producir flujo de efectivo libre y sustancial;
- considera la información como la fuente clave y la usa efectivamente;
- por encima de todo, busca crear un ambiente en el cual se generen y compartan niveles altos de energía positiva y riqueza sustancial, en relaciones únicas, sinérgicas y abiertas con los demás y con nuestras personas clave [la mayoría de las *cuales son mujeres*].

Estamos disfrutando más que nunca, a la vez que llegamos a un entendimiento más profundo de la naturaleza y de la cultura africanas. Es una oportunidad extraordinaria para compartir y trabajar con personas que son más sabias que nosotros por mucho, mucho tiempo. Estamos persiguiendo la posibilidad de seguir un camino más sencillo. Si hubiera dicho al consejo: "Éste es el menú para el cambio", creo que hubieran pensado que estaba loco. Al ver hacia atrás, eso es exactamente lo que debí haber expresado. Nuestras utilidades son ahora las más altas en el sector comercial, así que esto funciona. No son sólo palabras, celebramos que, me imagino, los humanos siempre conocimos a las familias y la forma en que trabajan, así como el respeto, la alegría y la admiración por las diferencias es lo que hace la diferencia; no el poder, no la superioridad, no el ser amo.

---

 *Colin y yo enseñamos en conjunto una vez en una universidad internacional con base en Sun City, Sudáfrica. Muchos en la audiencia eran amigos de Colin y otros cono-*

*cían su gran reputación y sus muchos éxitos. Su compañía era la comercializadora líder en su industria en ese país y había hecho increíbles mejoras en casi todas las áreas. Le hicieron varias preguntas para ver cuáles eran los elementos clave para un éxito tan avasallador. La esencia de lo que contestó fue profundamente significativa. Contó su propia historia y relató su lucha interna para reinventar su vida alrededor de los principios correctos. Habló de la jornada dentro del corazón de su sistema de valores; de su voluntad y deseo de verlo de manera fresca y dejar que su conciencia, su sentido de lo bueno y lo malo, fueran su guía. El clímax real de su expresión llegó cuando externó: "Todo empezó a cambiar para mí cuando fui segregado de mi corazón". Como todos saben, segregar significa apartar. Puede ser sobre la base racial, la posición social, el logro educativo, la afiliación religiosa, o cualquier otro estereotipo o etiqueta que desee usarse para separar a un grupo de otro. Indicó que cuando se salió de su corazón, vio a las personas de manera diferente. Las escuchó de manera diferente. Descubrió recursos internos que venían de las diferencias humanas. Llegó a discernimientos personales muy especiales que con eventualidad lo condujeron a un estilo de dirección que liberó el potencial humano en vez de tratar de controlarlo o contenerlo. Sentí, en ese momento, una enorme reverencia por su gran alma y profunda gratitud por la clase de valor interno que necesitó para descubrir su verdadera naturaleza y la de su país. Él ha logrado expresarlo por completo en su vida, sus enseñanzas y sus esfuerzos de liderazgo.*

Doug Conant, presidente, Nabisco U.S. Foods Group

*Busque tres cosas en esta historia: primero, la lucha personal constante que nunca se rinde; segundo, lo frágil*

*que es la confianza y cómo la cuenta de banco emo-*
*cional debe atenderse con depósitos regulares, o si no,*
*gradualmente se evaporará; tercero, cómo los 7 hábitos*
*realmente son un asunto difícil y de resultados, no sólo*
*material suave de poco estudio.*

Mi vida en los años recientes ha estado atrapada en alguna parte entre dos libros que tengo en la gaveta de mi oficina, *Bárbaros en la puerta* y *Los 7 hábitos de la gente altamente efectiva*. Sin embargo, ésta no es mi historia, es de las personas flexibles y extraordinarias de Nabisco y sus esfuerzos para triunfar frente a ola tras ola de cambio significativo.

RJR Nabisco es la compañía de 25 mil millones de dólares que en 1988 fue considerada la más grande y hostil del mundo. Ese apalancamiento es el tema de *Bárbaros en la puerta*, un libro que relata la crónica de la moda de los alimentos que arrasó con Wall Street a finales de los años 1980.

Tres años después de que RJR Nabisco fuera cedida en una compra apalancada por la firma KKR, quienes son los bárbaros en el libro, me uní a Nabisco U.S. Foods Group como vicepresidente y director general de una de sus pequeñas divisiones. Tenía raíces sencillas y mi ética de trabajo era también sencilla, del medio oeste. Obtuve una reputación como ejecutivo con un gran desempeño en dos grandes compañías de alimentos del medio oeste. Me consideraba un negociante con principios que se preocupaba por las personas con quienes trabajaba. Siempre había tratado de equilibrar mi compromiso para mejorar el valor de las acciones con una inquietud genuina por el bienestar de mis compañeros.

Mi habilidad para lograr ese equilibrio siempre había sido desafiada en el lugar de trabajo, pero nunca tanto como durante mis siete años en Nabisco. La magnitud de la compra creó una presión enorme para producir perpetuamente grandes reembolsos y así justificar la inversión de establecer registros. Al final, la demanda de crecimiento de utilidades excedió nuestra capacidad para producirla, lo cual creó una tensión enorme en el negocio y los empleados.

Uno de los lemas dentro de la cultura corporativa era "Lo que sea necesario"; en otras palabras, hacías lo que fuera necesario (dentro de los límites legales, morales y éticos) para entregar los resultados esperados en el momento, en el trimestre y en el año. Cada trimestre se volvía el más importante en la historia de la compañía. Entregabas y manejabas las consecuencias después. Si no entregabas según lo esperado, era fácil sentir que tu carrera estaba en riesgo.

Mi desafío al llegar a la organización fue no sólo cumplir de acuerdo con las expectativas cada año y cada trimestre, sino también encontrar una forma de establecer un fundamento para el éxito a largo plazo. La dificultad era que la compañía estaba haciendo cosas para cumplir con las expectativas a corto plazo que simplemente no se sostendrían con el tiempo.

Para enfrentar este ambiente, necesitaba herramientas que estuvieran alineadas con mis valores básicos y que pudieran apalancarse en este nuevo escenario. Encontré esos elementos en los 7 *hábitos*, que había comprado en un aeropuerto poco antes de unirme a Nabisco. Al hacer mi enunciado de misión personal, los principios contenidos en los 7 hábitos se identificaron profundamente con mis valores básicos. Supe, al mirar hacia atrás, casi 10 años más tarde, que la visión de mi vida contenida en mi enunciado de misión personal me ha proporcionado la fortaleza necesaria para calmar las muchas tormentas y sobreponerme a los momentos de duda que he encontrado en mi vida tanto profesional como personal.

Cuando llegué a Nabisco, encontré una organización llena de personas buenas que querían tener éxito. Pero también encontré empleados que estaban traumados por el LBO y quienes comprensiblemente estaban temerosos de los nuevos ejecutivos como yo. Lograr el éxito en Nabisco no iba a ser fácil. De hecho, durante mis primeros días en la compañía, a menudo me preguntaba en qué me había metido. Por otra parte, sin embargo, la situación me daba energía. Ese desafío era la razón que me había atraído a Nabisco en primer lugar.

Ciertamente era el desafío que estaba buscando. Mi primera asignación en Nabisco como vicepresidente y director general era desarrollar una propuesta de negocios y una cultura ganadoras en la división Fleischmann, que valía 400 millones de dólares. Hicimos un gran progreso, cumplimos nuestros compromisos financieros y empezamos a crear una cultura de alto desempeño, de "Se puede hacer", caracterizada por un grado impresionante de espíritu de grupo. Desafortunadamente estuve en esa posición sólo nueve meses, porque me pidieron que fuera a la compañía operativa más grande de Nabisco, Nabisco Biscuit Company, cuyos pasivos eran de 3 500 millones de dólares, como vicepresidente de mercadotecnia.

Al entrar a Nabisco Biscuit Company, la organización estaba en un doloroso estado de confusión. El desempeño del año anterior había sido muy decepcionante y el departamento de mercadotecnia, del cual yo era el jefe, había experimentado un periodo muy difícil con el líder anterior. Era claro que teníamos que poner a funcionar de nuevo tanto al negocio como a la organización, ¡y rápidamente! Pronto la organización hacía un plan de juego que apalancaba nuestra habilidad para innovar con la fortaleza de nuestra marca y nuestro sistema único de ventas. Para poner el negocio en el camino correcto necesitábamos un enfoque muy práctico y estructurado a corto plazo. Por fortuna, ese plan permitió vivir los tres mejores años de desempeño en los 100 de historia de la compañía.

En muchas formas, ésa fue la parte fácil. También tuvimos que crear una cultura ganadora. Una vez más, tuve la fortuna de ser colocado ante un grupo de personas talentosas que habían perdido, sólo momentáneamente, su sentido de dirección. Para manejar mejor la situación, ordené una encuesta de actitudes del empleado, para lo cual habría que usar la investigación del centro de valores. Su experto, quien interpreta los resultados, es un hombre maravilloso, algo brusco, veterano de miles de estas encuestas. Su reporte final establecía que de todas las entrevistas que había hecho, la nuestra había obtenido los peores resultados. La única forma para caracterizar nuestra cultura era comparándola con un pantano. Señalaba que nuestros empleados tenían los niveles más bajos de confianza que había visto.

Estaba en lo cierto, por supuesto. Nunca encontré un ambiente tan árido y desmotivante. Después de recibir el reporte de "pantano" y compartirlo con mi equipo ejecutivo, decidimos que era vital que tomáramos una actitud seria para evolucionar de lo que llamaría una cultura dependiente, muy reactiva y mar de víctimas, a una que fuera proactiva y muy interdependiente. Con valor, este enfoque llegó a casi todo el equipo ejecutivo.

Al acercarnos al término de nuestro primer año, decidimos capacitar en los 7 hábitos a todo el personal en nuestra parte de la organización. Lo hicimos porque estábamos convencidos de que no puedes motivar a las personas a cambiar así nada más, debes proporcionarles las herramientas. Tal acción comprobó ser un paso vital, porque mostraba una señal tangible a todos nuestros empleados de que la compañía (personificada por el equipo de liderazgo) se preocupaba por su desarrollo personal y profesional. Les hablaba en ambos niveles. Indicaba que sabíamos quiénes eran como individuos y como empleados. También hablaba de una de mis creencias básicas: no hay que esperar que un empleado valore la organización hasta que hayamos demostrado que la organización valora a ese empleado.

Encontramos que necesitábamos empezar la capacitación con los tres hábitos fundamentales. Primero, conociendo a las personas que tenían mentalidades proactivas [hábito 1: Ser proactivo]. Comenzamos a celebrar reuniones en las cuales se reconocía a los empleados por tomar iniciativa y manifestar cualidades proactivas. Históricamente, esta organización había galardonado a quienes apagaban fuegos, pero queríamos ir más allá de eso: promover la proactividad, así que recompensamos y promovimos a aquellos que evitaban problemas antes de que surgieran.

Después nos movimos hacia ayudar a la organización a empezar a enfocarse en lo que era verdaderamente importante. Creamos un equipo compuesto de trabajadores de todos los niveles y les pedimos que nos ayudaran a idear un sentido de dirección (una misión) para la compañía [hábito 2: Comenzar con el fin en la mente]. Había que abordar esta tarea con mucha cautela, porque todavía estábamos operando en un ambiente escéptico donde muchas personas aún funcionaban con un modo reactivo, cuestionando si nosotros o ellos en realidad iban a influenciar el futuro. Los escépticos vieron nuestro enfoque de liderazgo y formación de equipo y lo catalogaron como "suave", además de cuestionar nuestra "rudeza". Criticaron también el enfoque de "linda palomita Covey" y tuvieron la falsa impresión de que "todo lo que queremos hacer es darnos la mano y cantar 'Kumbaya'". Así que lo hicimos con lentitud, poniendo un pie frente al otro; en forma gradual fuimos construyendo la confianza de la organización, mientras entregábamos nuestros compromisos y manifestábamos rudeza mental disciplinada.

Nos llevó un año establecer un modo de pensar más proactivo, definir nuestra misión y empezar a ganar algo de credibilidad en la organización. Luego empezamos a trabajar en un plan estratégico para lograr nuestras metas [hábito 3: Poner primero lo primero], el cual necesitaba ser diferente; debíamos asegurar que contábamos con los recursos para mantenernos enfocados en el plan. No podía ser como el plan estratégico tradicional, el cual utilizas sólo para la presentación y luego no lo vuelves a ver. Una vez que desarrollamos nuestro plan, empezamos a crear un marco para el mismo en las operaciones diarias. Comenzamos por ver el plan de tres años como uno de 12 trimestres; asegurando que cada trimestre estuviésemos en el camino correcto para cumplir los compromisos.

La mayoría de este trabajo ocurrió durante el año siguiente al reporte "pantano". Luego hicimos otra encuesta. Nunca olvidaré las palabras del hombre en la cinta de video que envió con el análisis. "Esto es increíble —decía—. Es uno de los cambios más extraordinarios que he visto jamás. Han ido de agua de pantano a agua de manantial".

El año siguiente hicimos la encuesta de nuevo y los resultados fueron todavía mejores. "Esto es sensacional" —reportó—. Han ido de agua de pantano, a agua de manantial y ahora a champaña".

Sin duda, aquellos dos años y medio en Nabisco Biscuit Company estaban entre los más recompensantes de mi vida profesional. Una vez más, tuve el privilegio de trabajar con muchas personas buenas, cálidas y comprometidas, quienes querían hacer las cosas mejor… lo mejor fue que juntos lo hicimos.

Con lo bien que me siento respecto a los logros que hemos obtenido y las herramientas que tratamos de dar a las personas por medio de capacitación, mis satisfacciones más profundas llegaron por medio de mis esfuerzos personales para establecer relaciones con nuestro personal y dar origen a una cultura positiva, abundante y afirmante.

Algo que he hecho con los años es "confesarme" con mis subordinados y la organización cada vez que me muevo a una nueva responsabilidad. El primer día (o tal vez el segundo) me paso cerca de una hora con cada reporte directo y les expreso lo que es importante para mí, en lo que creo y por qué hago las cosas que hago. Les comento por anticipado: "Voy a compartir con ustedes algunas cosas sobre mí y me sentiría honrado de saber algo sobre ustedes. Quiero quitar el misterio de esta relación lo más rápido posible para emprender el negocio de hacer mejor las cosas. Entonces empezarán a medirme contra lo que les diga. Creo que descubrirán rápidamente que actúo con integridad".

He encontrado que hacer esto de manera personal con quienes me reportan directamente y luego más general por escrito con el resto de la organización, resulta una herramienta increíblemente poderosa. Crea un inicio y pone en movimiento una dinámica para construir confianza.

Otra cosa que he intentado hacer con la organización es poner énfasis en el aprendizaje y el crecimiento personal [hábito 7: Afilar la sierra]. Con los años me he convertido en estudiante del liderazgo y los negocios, a la vez que he desarrollado una biblioteca extensa sobre esos temas. Constantemente doy a los empleados libros que parecen relevantes para su desarrollo profesional. También tengo un club ejecutivo del libro del mes a cuyos miembros distribuyo todo tipo de material de lectura para estimular el pensamiento y el crecimiento. En lo fundamental, he llegado al punto de vista que la vida es muy darwiniana cuando se trata de crecimiento profesional (o personal); crecer o morir, es la opción, no hay nada intermedio. En lo que respecta a mí y a nuestra organización, creceremos o moriremos en el intento.

En términos de mi desarrollo personal también he formado una red de amigos, antiguos asociados y consejeros que me ayudan a mantener fresco mi desarrollo de pensamiento y liderazgo, así como a moverlos hacia adelante. Trato de estar en contacto con ellos regularmente. Confío en su objetividad cálida, misma que encuentro vital para mi crecimiento.

Asimismo, he aprendido el valor de decir gracias y reconocer a la gente [cuenta de banco emocional]. Hace alrededor de 15 años pasaba por una experiencia amarga (ojalá sea la única); ante esto, mi consejero me desafió a enviar a toda persona que había encontrado durante mi investigación una nota de agradecimiento 24 horas después de mi interacción con ellos. Aunque mi récord en este frente estaba muy lejos de ser perfecto, descubrí que era un proceso distintivo y que pagaba dividendos. Como resultado, hasta hoy, constantemente estoy buscando oportunidades para afirmar la conducta positiva en la organización. Cada día estamos haciendo miles de cosas correctas y creo que es vital que la dirección reconozca esas contribuciones, aunque también estamos cometiendo errores que necesitamos manejar de manera directa y decisiva. Por desgracia, a menos que uno esté vigilante, se vuelve fácil encontrar los errores y fácil también dejar pasar las contribuciones. Si una secretaria se sale de su camino para ayudarme con algo, siempre le digo gracias. Si estoy consciente de que un empleado ha hecho algo excepcional, le escribo una nota. Cuando sé de alguien que acaba de entrar a la compañía, que la deja o cambia de puesto, trato de enviar una nota personal reconociendo sus contribuciones de alguna manera.

Como escribo de cinco a diez notas al día probablemente he enviado 10 mil en mi tiempo en Nabisco, por lo cual he aprendido que las consecuencias son fenomenales. Pero no lo hago en busca de reconocimiento, sino porque es muy reconfortante. También porque es irreal de mi parte esperar esfuerzo y desempeño extraordinarios de la gente si no creo un ambiente donde se sientan especiales y muy valoradas. Como líder de negocios, no debes olvidar nunca que todas tus acciones están siendo vigiladas de cerca por la organización. Las personas te observan y te leen. Están sedientos de hacer una conexión personal contigo y con la compañía, pero también son muy rápidos para juzgarte. Por ello es tan importante declararte como líder y actuar en consecuencia. Si lo haces, construyes credibilidad y confianza; si no, no.

Incluso con todo el progreso que hemos logrado, honestamente no puedo decir que todo está perfecto. Después de liderar el trabajo de mercadotecnia de Nabisco Biscuit Company durante dos años, fui nombrado presidente de ventas y organización logística integrada, con lo cual nos embarcamos en un esfuerzo masivo que también disminuyó sustancialmente nuestra base de costos. Como parte de este esfuerzo, pusimos en funcionamiento un equipo talentoso de profesionales de ventas y logística, que está liderando esa organización, incluso ha llegado a un nivel más alto. Después de hacer avances ahí, fui promovido para manejar un grupo más grande de compañías que tiene 3,500 millones de dólares en ventas y más de siete mil empleados. Cada vez he tenido que empezar mi trabajo de liderazgo desde cero y observar cómo todo lo que establecí en mis asignaciones anteriores toma una nueva dirección bajo el otro liderazgo.

Recién dicté una conferencia parado frente a un salón lleno de presidentes y directores generales compartiendo mis experiencias de liderazgo. Empecé describiendo cómo había sido promovido a un puesto donde fue muy difícil ejercer influencia en la cultura de la compañía. También toda la organización había caído en tiempos difíciles y tuvimos el primer cambio de presidente ejecutivo en mis siete años trabajando ahí. Todo lo que hacíamos era comprensiblemente cuestionado y todo el trabajo duro emprendido en los siete años anteriores se había perdido con el nuevo liderazgo.

Seguí diciendo que el último año había sido claramente el más difícil de mi carrera de 24 años. Habíamos vuelto a montar dramáticamente el curso en Nabisco. Nos habíamos desprovisto de más de 500 millones de dólares de negocios por desajustes estratégicos. Habíamos reducido el personal en 30 por ciento para fijar de manera adecuada la estructura de costos, así como redefinido los papeles y las responsabilidades de todos los miembros de la organización.

Desde una perspectiva puramente de negocios, había sido una experiencia satisfactoria. Habíamos puesto en marcha las decisiones difíciles de manera tajante, firme y exitosa, y ya estábamos empezando a cosechar esos esfuerzos. Por primera vez en mis siete años con la compañía, el curso del largo plazo era sólido.

Al mismo tiempo, sin embargo, hubo un cambio cultural enorme que había dado rienda suelta al rezago en la vida de todos y cada uno de los empleados. La compañía dejaba ir a amigos, los papeles estaban cambiando y el futuro, a veces, era incierto. Había ansiedad en el aire. Con todo esto, tratamos de honrar a todo individuo hasta donde mejor podíamos pero, al final, me sentí como que había hecho efectivos los diez mil billetes de la cuenta de banco emocional depositados al escribir esas notas alentadoras.

Describí cómo estaba empezando a dudar si mis contribuciones se valoraban. No era claro si el nuevo presidente estaba satisfecho con mi desempeño y me preguntaba a cuántos en la organización les importaba que estuviera tratando de hacer las cosas bien para ellos y para los accionistas.

Justo en medio de mi presentación, llegué a una conclusión muy inquietante. Me estaba agotando la enormidad del desafío y convirtiendo en víctima, pues me volvía reactivo. Comenzaba a entrar en un estado muy dependiente donde el vaso estaba crónicamente medio vacío. Me di cuenta de que tenía que empezar otra vez a probarme a mí mismo y a mis métodos. Aunque me preguntaba si tendría el valor, la fortaleza y la estima para levantarme de nuevo.

Al volver a casa después de la conferencia, reexaminé mi situación en serio. Mientras más pensaba sobre mi situación, me sentía más motivado. De nuevo, el personal de Nabisco U.S. Foods Group estaba enfrentando los desafíos del día y realizando un desempeño extraordinario sin precedentes. Hacíamos crecer las ventas y rebasábamos en exceso nuestros compromisos en cuanto a utilidades. Al mismo tiempo, poníamos la mesa para continuar el éxito en el futuro. Estaba conmovido por sus esfuerzos y me puse a pensar: "Un momento. *Estamos* haciendo las cosas correctas aquí y hay una diferencia positiva. Lo sé y no me importa si nadie más lo sabe o no. Voy a tener que volver a ubicarme en este ambiente y seguir haciendo lo mismo".

Me recordé que nadie dijo jamás que el liderazgo sería fácil y que todos iban a tener sus momentos de duda. Cuando mis momentos de duda llegan, me echo lo que llamo un clavado profundo; entonces me sumerjo en mi enunciado de misión personal y me vuelvo a conectar. Para ese fin, puse una copia enmarcada de mi misión sobre mi escritorio y siempre llevo otra en el portafolios. Procuro revisarla constantemente y reflexionar sobre mis valores y mis roles en la vida. De hecho, he encontrado que mi nivel de energía casi depende de ese tipo de autoreflexión cada mañana. Me levanto antes que nadie en la familia y paso cerca de 30 minutos sólo colectando mis pensamientos en una silla cómoda con una taza de café, ya sea en el jardín o dentro de la casa. Luego hago ejercicio entre 15 y 30 minutos. Es mi pequeña manera de renovarme y ponerme en contacto con la naturaleza y la vida. Los días que no lo hago, siento la diferencia.

He encontrado que igual como es importante hacer las pequeñas cosas en el trabajo, necesito hacer pequeñas cosas en casa. Trato de tener contacto personal con cada integrante de mi familia todos los días. Solía estar en la oficina temprano todas las mañanas, pero ahora me quedo en casa y trato de conectarme con cada uno de mis hijos durante el desayuno y llevar cuando menos a uno de ellos a la escuela cada día. Estos contactos personales con ellos se han vuelto muy importantes para mí. También trato de ponerme en comunicación con mi esposa todas las mañanas. Ella por lo general se acuesta tarde por la noche, porque lo considera su tiempo personal, así que no se levanta tan temprano como yo. Esto me da una gran oportunidad de ayudarle a empezar el día en una manera cálida y gentil, para luego irme a trabajar. Mi relación con mi esposa, que es la más atesorada de todas mis relaciones, es la que más fácilmente tiene conexiones, aunque cortas, durante el día. Una vez que me sumerjo y obtengo mi victoria diaria cada mañana, he renovado energía para todo el día.

Otro paso que he dado para mantener mi energía y enfoque es disfrutar un tiempo sabático cada año. Me voy solo todos los otoños durante tres o cuatro días a revisar mi misión personal y mi dirección profesional. Busco y encuentro un ambiente de apoyo donde escapar de las luchas diarias, acercarme a la naturaleza y reflexionar sobre mi vida. Es una experiencia provocativamente refrescante.

Profesionalmente, mi experiencia en Nabisco ha sido desafiante, pero recompensante. Una y otra vez, el personal de la organización ha demostrado poseer la capacidad para construir una cultura centrada en principios y entregar resultados superiores de negocios. Me conmueven sus esfuerzos y también me doy cuenta de que tengo la misma capacidad, incluso si las cosas han cambiado y necesito empezar de nuevo.

Honestamente no vivía de otra manera. Y estoy empezando de nuevo… ansioso por emprender la jornada.

 *"El alimento de ayer no satisface el hambre de hoy". Si no se atienden continuamente las cuentas de banco emocional, en particular aquellas de las personas con quienes trabajamos y vivimos cada día, de manera inevitable los depósitos de ayer se evaporarán y no podrán satisfacer las necesidades de hoy. Piense en la cantidad de valor, paciencia y persistencia que requirió este presidente para practicar tales principios con fe. Fue como nadar contra corrientes muy poderosas de cultura, contexto de negocios y presiones de mercado. El idealismo y el pragmatismo llegaron juntos. Los principios que se practican con consistencia sólo tienen que practicarse con consisten-*

*cia hoy y mañana. Por eso es tan importante institucio-*
*nalizar los principios en los procesos de todos los días,*
*las estructuras y los sistemas de una organización. Sólo*
*entonces se liberará la organización de depender de los*
*depósitos que los líderes hacen en la cuenta de banco*
*emocional. En otras palabras, usted diseña el sistema de*
*reclutamiento y selección, el de capacitación y desarro-*
*llo, el de comunicación y toma de decisiones, el de plani-*
*ficación, el de información y los de reforzamiento físico*
*y compensación financiera, para que estén en armonía*
*con los principios fundamentales y los valores integrados*
*en el enunciado de misión. Entonces el principio central,*
*el alma de la organización, se reforzará de continuo en*
*sus operaciones cotidianas. La clave real es poner a tra-*
*bajar los 7 hábitos en los niveles personal, interpersonal,*
*gerencial y organizacional. Se producirá una sinergia*
*interactiva entre los cuatro niveles, en tanto que la crea-*
*tividad se alimenta por sí misma.*

*En esta historia inspiradora vemos una enorme can-*
*tidad de actividad de renovación sobre afilar la sierra,*
*personal, interpersonal y gerencialmente. El personaje es*
*un presidente impresionante que entiende la importan-*
*cia de P y CP (producción y capacidad de producción),*
*la gallina de los huevos de oro: que la esencia de la efec-*
*tividad es ser capaz de dar resultados ahora en forma*
*tal que permita dar aún más en el futuro.*

PETE BEAUDRAULT, DIRECTOR EJECUTIVO DE OPERACIONES,
HARD ROCK CAFE

*Al estudiar los efectos del infarto en la vida de este líder*
*observe dos cosas: primero, cómo una crisis no sólo*
*vuelve a dar prioridades a la vida y los valores de una*
*persona, sino también expande y profundiza su autorre-*

*flexión y autoconciencia; segundo, cómo volver a considerar prioridades afecta no sólo el estilo de vida propio sino también su estilo de dirigir y trabajar.*

Con facilidad recuerdo la hora y el día exactos en que volví a obtener mi perspectiva sobre la vida.

Eran las siete de la mañana del 25 de febrero, poco después de mi cumpleaños número cuarenta. Había ido al hospital con dolor en el pecho y el médico me dijo que me estaba dando un infarto. Me hicieron una angioplastia de emergencia y seis meses después, una cirugía para colocarme dos marcapasos. Esa experiencia me proporcionó una gran oportunidad para reflexionar sobre mi vida. En realidad, me hizo buscar mayor equilibrio.

Antes de mi infarto, estaba atrapado en un remolino. Conducía mi auto para ir al trabajo y luego para regresar a casa, y la siguiente semana lo mismo. Ésa era mi vida: siete días a la semana, 365 días al año. Había perdido valores personales para alcanzar objetivos profesionales. También me cambié de casa 15 veces en 14 años por el bien y la gloria de la compañía, pero en detrimento de mi familia y de mi salud.

Cuando tomé tiempo para reflexionar, supe que en realidad había retrocedido, en particular al tratarse de mis cuatro hijos, mi esposa y de todo eso que realmente vale la pena en la vida. Así que al recuperarme de la cirugía, volví a la oficina sólo el tiempo suficiente para empacar mis cosas y renunciar. Entonces empecé a buscar un trabajo menos presionante.

Lo encontré en un lugar muy improbable: Hard Rock Cafe. La misma cadena internacional de restaurantes legendaria que acababa de ser consolidada y estaba a punto de emprender las campañas de expansión más ambiciosas de su historia.

Descubrí que Hard Rock Cafe no era una opción promedio de operación de restaurantes, es por ello que ahora estoy orgulloso de ser su director ejecutivo de operaciones a nivel internacional. Ahora cuenta con cien restaurantes en 34 países.

Isaac Tigrett y Peter Morton abrieron el primer Hard Rock Cafe en Londres en 1971. Eran estadounidenses que vivían en Inglaterra pero añoraban una hamburguesa con papas fritas. Su restaurante de Londres rápidamente se convirtió en el favorito de los músicos de *rock and roll*, muchos de los cuales donaron instrumentos y otros objetos que se volvieron parte de Hard Rock Cafe. 13 años después, los socios se separaron. Isaac abrió el segundo Hard Rock Cafe en la ciudad de Nueva York, donde su reputación por atraer celebridades lo convirtió en un lugar para ver y ser visto. Su éxito disparó la expansión alrededor del mundo y competencia de varias cadenas de restaurantes similares como Planet Hollywood y la Casa del Blues.

La cultura en Hard Rock es muy diferente a la de la mayoría de las organizaciones. Celebramos el espíritu del *rock and roll* y aceptamos a las personas por ser lo que son. Eso lo hace muy divertido. A los empleados se les ha permitido usar estilos de cabello extraños y "modas raras" que no se aceptan en restaurantes más conservadores. El código de vestir relativamente relajado, proporcionaba beneficios generosos y horas de trabajo flexibles han producido una fuerza laboral demasiado fiel con rotación de personal baja, en un negocio conocido por su alta tasa de rotación. La cadena Hard Rock estaba también entre las primeras empresas comerciales en abrazar causas sociales, incluirlas en su mercadotecnia y celebrar eventos especiales en su beneficio.

Sin embargo, cuando llegué a Hard Rock Cafe Internacional, como vicepresidente de operaciones, encontré algunos problemas culturales serios debido a una fusión y a la rápida expansión.

Ahí estaba, recuperándome de un infarto y buscando más equilibrio en una compañía que tenía planes de doblar el número de sus restaurantes en cuatro o cinco años.

En ese momento, la oficina corporativa, en vez de los operadores en el campo, dirigía nuestra cultura. Había siete vicepresidentes y cada uno de ellos se involucraba en los restaurantes a su antojo. Los pobres gerentes generales, que son vitales para el éxito de la organización, recibían instrucciones de siete personas diferentes. Mis metas eran invertir esa pirámide y hacer que la compañía desarrollara un entendimiento con los comensales o clientes y todos los empleados.

Vi que la rápida expansión diluiría fácilmente e incluso arruinaría la marca de la cadena de restaurantes y el ambiente de trabajo. Años antes, había tenido éxito aplicando los 7 hábitos a una situación similar con otra compañía. Introduje estos hábitos al Hard Rock como una forma de establecer una cultura común que uniera a todos los empleados nuevos con el personal existente. También les propuse una serie de principios guía [hábito 2: Comenzar con el fin en la mente].

Pero había una razón más personal para hacer de los 7 hábitos una pieza central de la compañía. No quería sufrir otro infarto, ni que mis empleados sufrieran agotamiento, lo cual es muy común en la industria restaurantera. Pensé que un enfoque de dentro hacia fuera sería beneficioso para mí mismo y para todos en la organización.

Me negué a entrar en un remolino de nuevo. Mi meta es primero tener éxito en casa con mi familia y luego en Hard Rock. Ahora, cuando voy a casa después de la oficina, estoy oficialmente fuera de servicio. Todos saben que no tomaré ni haré llamadas a menos que sea una emergencia real. Les pedimos a los gerentes generales de cada tienda que adopten la misma conducta [hábito 3: Poner primero lo primero]. En Hard Rock, mi meta ha sido liderar con el ejemplo, no administrar como dictadura. Tengo mi política de familia primero, trabajo segundo, por toda la organización, porque quiero que mis empleados también vivan con ese fin en la mente.

Sirvo como ejemplo de lo que suele suceder a personas que se dejan atrapar por remolinos de trabajo. Esto agrega credibilidad a mi historia. Las personas deben creer que su vida personal y profesional son maratones, no carreras de alta velocidad. Le explicamos a todos que nuestras prioridades son salud, familia y Hard Rock, en ese orden. Creo que si nuestros empleados siguen esa filosofía al final seremos un negocio mejor. Requiere un compromiso sólido ser modelo tanto en el trabajo como en la casa, aunque constituye un desafío en casa.

Mi hija de diez años es cinta negra de primer grado y yo tomo clases con ella cada semana. Fácilmente podría encontrar cien razones para no hacerlo, pero hay que estar comprometido.

Mi gerente general en el Hard Rock Cafe de San Diego, Joe Baldwin, recién tuvo una prueba de fe. Justo una hora antes de que el restaurante abriera sus puertas, Joe recibió una llamada telefónica de su esposa embarazada. Había empezado el trabajo de parto. Por un instante, se quedó paralizado, pues temía que su personal se sintiera abandonado en un momento tan importante. En vez de ponerse ansiosos, todos felices acompañaron a Joe hasta su auto. Le desearon "buena suerte", lo cual lo conmovió mucho.

Hard Rock Cafe ha alentado a sus empleados a considerarse parte de una familia. Lo hemos hecho estableciendo horas de trabajo más flexibles y liberales, programas de beneficios y pago de bonos. Como resultado, el personal de Hard Rock es menos probable que quiera marcharse, ya que pueden ser promovidos dentro de la organización. La rotación de trabajadores de restaurantes por lo general llega a casi 75 por ciento para empleos de gerencia y a más de 100 por ciento para los demás puestos. En Hard Rock Cafe está abajo de 30 por ciento para gerencia y cerca de 60 por ciento para los demás. Mi personal de gerencia ha trabajado muy duro para nutrir sus relaciones con empleados y clientes, aunque la cadena se ha expandido por todo el mundo. Respecto a los pagos, es líder de la industria, con baja rotación y es mejor en muchos otros aspectos menos mesurables, pero igualmente importantes.

Hard Rock Cafe, que con frecuencia requiere que los supervisores hagan depósitos diarios en las cuentas de banco emocional de sus subordinados, también juega un papel proactivo con aquellos que enfrentan algún problema, y dentro de las comunidades a las que pertenecen.

En Myrtle Beach, Carolina del Sur, una madre de familia recién divorciada, después de atender clientes en Hard Rock, al llegar a su nuevo departamento encontró que no estaba como ella lo había dejado. Sus compañeros de trabajo habían entrado y comprado sillas y sillones para que su vida no pareciera tan vacía. Supo que sus compañeros la entendían y se preocupaban por ella.

En Hard Rock Cafe de Maui, Hawaii, una fuerza de trabajo facultada se ha convertido en una fuerza en sí misma. El personal preparó un maratón de juguetes en Navidad y una fiesta para los niños menos privilegiados, sin participación de la gerencia. Ellos reunieron los juguetes, prepararon un menú, invitaron a las familias, notificaron a la prensa y coordinaron todo el evento. El único gerente involucrado fue al que le pidieron que se vistiera de Santa Claus.

El negocio de restaurante puede agotar a las personas, por eso tratamos de ayudar a nuestros empleados a considerar su autovalía y su sensación de pertenencia a una comunidad más grande. Es bueno para ellos y para la compañía, además, créanme, sé que también lo es para mí.

---

 *Como dice el refrán: "Nadie en su lecho de muerte añora haber pasado más tiempo en la oficina". Por lo general se requiere una crisis para sacar a una persona de su inconsciencia, para hacerlo entrar en una reflexión consciente de qué es realmente lo más importante. Una vez que los individuos empiezan a reflexionar, la sabiduría empieza a liberarse y se toma control de uno mismo. En el caso de este alto ejecutivo, cuando asumió*

*control, estuvo consciente y comprometido con los principios contenidos en los 7 hábitos, con lentitud desarrolló una filosofía de facultar. Esto originó una cultura de "vivir y dejar vivir" que se adentró en las energías más profundas y compromisos de los empleados de toda la cadena.*

*Cuando el trabajo del liderazgo para desarrollar valores globales se hace primero, permite que surja una filosofía liberada de administración. Sin un propósito común y un sistema de valores, entonces la dirección se hace necesaria para mantener las cosas en marcha. Pero un estilo de dirección de control nunca oculta las energías más profundas, las lealtades y los poderes creativos de las personas; permite sobrevivir si los competidores son igualmente tontos. Las culturas facultadas detrás de una visión común son invencibles.*

Chris Turner, persona en entrenamiento, Xerox Business Services

*¡Hay que hablar del valor y la confianza de un agente de cambio! En la siguiente historia medite sobre la creencia absoluta de Chris Turner en una filosofía liberada más que en una de control. Ella demuestra que el poder radica dentro de todas las personas, no sólo en aquellas que están hasta arriba y toman todas las decisiones, también en aquellas que aprietan tornillos.*

En 1993, le dieron a mi puesto un título único, que conllevaba un desafío importante. Me asignaron como la "persona en entrenamiento" en Xerox Business Services (XBS), una de las compañías con el crecimiento más rápido del mundo.

Había estado con XBS casi 13 años y, como rebelde natural, me propuse trabajar en cambiar las tontas reglas de la burocracia para ayudarles a alcanzar sus metas. Cuando me convirtieron en agente de cambio, no supieron que habían puesto al zorro a cargo de las gallinas.

Bueno, no me pusieron exactamente a cargo. Reportaba a un miembro del personal del presidente, pero eso no me detuvo. Los altos ejecutivos de la compañía *dijeron* que querían crear una sensación mayor de unidad y compartir metas dentro de XBS, por lo cual me pidieron que les ayudara a desarrollar una organización completamente nueva.

Más tarde, descubrí que lo que querían y lo que estaban dispuestos a cambiar eran dos cosas diferentes. Pero en ese momento tomé mi título como un medio para modificar todas las cosas que odiaba de las organizaciones burocráticas y su trato a las personas que realmente hacían el trabajo y producían las utilidades.

Mi meta era dar origen a una organización de 15 mil personas excepcionales. Supusimos que todos querían ser empresarios dentro de la compañía, y les dimos crédito por tener cerebro e iniciativa para hacerlo. Vi ésta como mi oportunidad para ayudar a formar un ambiente donde los empleados de XBS tuvieran libertad de usar todas sus habilidades para tomar decisiones independientes, ser creativos e innovadores, responder rápida y eficientemente a las necesidades del cliente, así como para tomar riesgos que beneficiarían a la organización.

Mi misión era cambiar la cultura dentro de lo que es esencialmente una compañía virtual. Había entonces más de 15 mil empleados en XBS, pero sólo un porcentaje pequeño estaba en las oficinas corporativas en Rochester, Nueva York. Más de 80 por ciento de los empleados pertenecían a las oficinas de las compañías alrededor del mundo. La firma produce, administra y distribuye documentos para más de cuatro mil clientes en 36 naciones.

Los desafíos de mantener comunicación efectiva y una cultura corporativa saludable bajo dichas circunstancias eran considerables, particularmente cuando la compañía está en un periodo de crecimiento rápido. A principios de los años 1990, el avance anual de XBS excedía 40 por ciento. El remolino interno estaba incrementándose junto con la empresa.

Nuestra corporación enfrentaba más problemas territoriales que el Medio Oriente. La información era atesorada, la comunicación estaba interrumpida. La confianza y la sinergia virtualmente no existían. Los gerentes de XBS en diferentes regiones promovían los negocios en otros territorios porque su compensación estaba basada en ingresos y utilidades, no por desempeño general. Creo que se podía afirmar que la mentalidad de escasez era el patrón organizacional. La mayoría de los empleados operaban bajo la suposición de que había muchas cosas por hacer y sentían que debían agarrar todo el trabajo posible.

Esto había sucedido por un tiempo, pero la compañía había estado demasiado ocupada creciendo y produciendo utilidades, por lo que nadie se preocupaba. Entonces, a principios de los años 1990, las alarmas se apagaron. De repente la competencia estaba a nuestro alrededor, mejorando los precios y atrayendo a nuestros clientes. XBS tenía que actuar rápido. No era suficiente ser más grande; debíamos también ser más inteligentes. Uno de mis objetivos era volver a la compañía más competitiva: "Debemos aprender más rápido que la competencia y más rápido que el mercado". Mi trabajo era ayudar a crear entre el personal de la compañía una sensación de propósito y objetivo compartido [hábito 2: Comenzar con el fin en la mente] para que todos se intercomunicaran por el bien de la empresa. Nuestra estrategia fue diseñada para conectar el sistema completo, aunque reconocía que el cambio es un proceso que hay que iniciar de raíz.

Una de nuestras inspiraciones fue el Campamento Lur'ning, un gran lugar que serviría para nutrir el espíritu de nuestra estrategia de cambio con todo el personal de XBS. No creo en el viejo dicho de que el cambio debe venir desde arriba en una organización, pues estoy convencido que viene de dentro, así que nuestra meta era despertar en ellos el ímpetu.

Después de contratar a las mejores personas, más brillantes y más motivadas, amablemente introducimos a las realidades de nuestro negocio, para ello les presentamos información sobre márgenes de ganancias, el mercado, y las influencias que impactan las decisiones de los clientes [hábito 5: Buscar primero entender, luego ser entendido]. También les mostramos un curso de los 7 hábitos diseñado para proporcionarles los principios fundamentales y el contexto para los demás materiales. Pero no los forzamos a nada. No creo que ese caos sea bueno para las organizaciones, pero sí que en la orilla del caos es donde existe esa tensión entre control e innovación. Estoy seguro que se necesita estar en el límite, porque es ahí donde se ubican brechas y discernimientos.

Había sólo tres reglas en el Campamento Lur'ning: *Cuídate a ti mismo. Cuídense entre sí. Cuida este lugar.* La fundamental era ayudar a las personas a aprender cómo alinear sus intereses con los de sus clientes. Para ese fin, algunos integrantes de XBS traían a uno o dos clientes. Los talleres del quinto día alentaban a los empleados a divertirse, a buscar información y a aprender en maneras divertidas.

El hábito 5, buscar primero entender y luego ser entendido, era fuerte, pero fue sutilmente incorporado en varios de los programas. Muchos de los talleres en el campamento se realizaban en forma de juego. Uno trataba de convertir a los empleados de XBS en detectives, cuyo desafío era conocer lo más posible de un cliente en particular y luego dar una solución de ganar para el negocio del cliente. Era intrigante igual que recompensante ver a muchos equipos unirse en las representaciones de sinergia espontánea.

Otro juego de estrategia llamado "Guarda el cambio" proporcionaba una experiencia divertida de aprendizaje que ayudó a nuestro personal a concentrar su pensamiento en sus clientes, mientras los mantenía alertas para conocer los resultados de su compañía. Este taller empezó cuando leí un artículo en el diario sobre un cajera de banco que se quedó sola un viernes por la noche en la ventanilla de autoservicio en una pequeña sucursal del banco en un vecindario pobre. En esa noche en particular, tantas personas vinieron a cambiar cheques, que la cajera se quedó sin cambio. Entonces ella empezó a redondear todas las cantidades al siguiente dólar. Rápidamente se quedó sin billetes de un dólar, así tuvo que redondear a múltiplos de cinco y luego de 10. Para cuando cerró, había hecho esto con más de 200 dólares de dinero del banco. Hubiera podido meterse en muchos problemas, pero la cajera sostuvo que fallar en satisfacer las necesidades del cliente hubiera minado la relación del banco a largo plazo con la comunidad. Tampoco le hizo daño el hecho de que los medios de comunicación se enteraran y la felicitaran por hacer lo correcto. De hecho, el incidente generó tanta publicidad positiva que el banco obtuvo más de 100 clientes nuevos la siguiente semana.

El mensaje de la historia que manejamos en el taller fue que cuando uno se enfoca en lo que es correcto para los clientes, esto se refleja en los resultados del negocio. Esa narración estableció el contexto para el juego "Guarda el cambio". En la simulación, se avanza en el tablero al tomar decisiones sobre servicio a clientes que influyen los resultados de la compañía. Los jugadores llevan una hoja de balance y usan los principios de pérdidas y ganancias mientras luchan contra el reloj. Otra experiencia de aprendizaje que utilizamos junto con "Guarda el cambio" es "Somos responsables". Este taller se enfoca en la clase de pensamiento y actuación que inevitablemente conduce a hacer las mejores cosas para nuestros clientes [hábito 1: Ser proactivo].

El campamento comprobó ser tan popular que después de que los asistentes se fueron a casa, nos bombardearon con peticiones para un segundo campamento. Como nuestro presupuesto era limitado, preguntamos a los gerentes generales de cada división si cubrirían los costos de viaje e inscripciones de sus empleados. He sido gerente general y sé que la compensación se basa en ganancias. Debido a eso, los gerentes generales tienen mucha cautela cuando se trata de pagar cualquier cosa fuera de su presupuesto. (Esto lo afirmo con cierta autoridad, porque como gerente general también soy estricta.)

Pero muchos de los gerentes estaban tan convencidos del valor del campamento que también sacaron dinero de sus bolsillos para enviar a cerca de cuatrocientas personas a la segunda sesión. Un gerente mandó a dieciocho subalternos, lo cual le costó casi 40 000 dólares. Fue un gasto considerable, pero vio el campamento como una inversión de la que habría un gran retorno.

Las clases especialmente diseñadas en *Los 7 hábitos* y *liderazgo centrado en principios* probaron ser rentables para XBS. Cuando los asistentes al campamento volvieron a sus oficinas, no pasó mucho tiempo antes de que empezaran a aparecer enunciados de misión en las paredes de los cubículos, y las conversaciones entre empleados estaban marcadas por referencias a hacer depósitos en las cuentas de banco emocional. Resultó una experiencia de autodescubrimiento para muchas personas, pues vieron que la compañía los valoraba. Muchos esposos y esposas de nuestros trabajadores se me acercaban después de que sus cónyuges habían estado en una sesión para informarme: "Esto modificó mi vida porque cambió a nuestra familia".

El beneficio personal cosechado por los empleados puede haber excedido en aquellos que impactaron su trabajo, pero cuando los profesionistas están bien preparados, por lo general su desempeño mejorará también. Mi suposición fundamental en diseñar el enfoque del cambio fue que las personas que trabajan en XBS deberían ser reconocidas más que dirigidas. Nuestra intención era ayudarlas a entender sus papeles dentro de la empresa, apreciar los desafíos de un mercado que evoluciona rápidamente y estar más conscientes de cómo nuestros competidores se estaban posicionando. Además, pensé que era vital que la fuerza de trabajo entendiera no sólo a sus clientes, sino a los mercados y a la competencia. En vez de controlarlos para que dieran resultados, creí que era mejor darles la libertad para buscar esos resultados a su manera.

Marc Wilson, gerente general de la oficina de Denver de XBS, es quien literalmente encontró inspiración en su trabajo con los hábitos. Sus palabras lo expresan mejor:

Hace algunos años me enfrenté con la noticia de que iba a perder 250,000 dólares en negocios cada mes. La batalla más difícil de mi carrera empezó cuando mi cliente más grande anunció un plan a nivel compañía para reducir el costo de sus servicios de procesamiento de documentos en sus oficinas, distribuidas en 14 estados.

Nuestro contrato con el cliente representaba el 20 por ciento de los ingresos brutos de mi división. Nuestros competidores estaban hambrientos por ese negocio y cuando el cliente hizo público el hecho de que aceptaría propuestas, empezó la batalla.

Nuestros rivales ofrecían recortar los precios en sus copiadoras y servicios de documentos. Nuestros productos están en el lado más alto del mercado. No era fácil competir en ese ambiente. Pasé meses en reuniones con los ejecutivos del cliente, tratando sin éxito de convencerlos en enfocarse a construir una sociedad de alta calidad para servir mejor a sus necesidades a largo plazo, más que sólo en bajar costos. Pero fue difícil que aceptaran que estaba interesado sólo en satisfacer sus requerimientos y los nuestros.

Durante meses traté de convencer al cliente sin suerte. Mientras revisaba los 7 hábitos un día, tuve una idea: "¿Qué tal si relaciono los 7 hábitos con las dos organizaciones en vez de hacerlo con sólo una persona?" Fue una especie de momento mágico.

Cuando comencé a hablar a las personas con las que trabajaba en XBS no tenían idea de qué les decía. Estaban muy asustados de que me estuviera saliendo por la tangente, pero mi actitud resultó ser muy, muy efectiva.

Lo difícil llegó cuando estaba preparando una presentación vital de dos horas para los ejecutivos de la organización cuyo negocio estábamos perdiendo. Más de 20 de ellos iban a estar presentes y varios tomarían parte por teléfono. Me deshice de mi estrategia original para la gran reunión y reestructuré la presentación completa alrededor de estos principios de efectividad.

Inicié preguntando cuántos de los presentes habían leído o escuchado sobre el libro de los 7 hábitos. Entre 50 y 70 por ciento estaban familiarizados con los hábitos, lo cual hizo las cosas más fáciles. Luego insistí: "¿Qué les parecería si nuestras dos organizaciones unieran sus mejores recursos y aplicaran los hábitos al trabajo de cada quien? ¿Qué tal si bajamos las armas y dejamos de atacar o encontrar fallas, y en vez de eso compartimos el mismo fin y arrancamos con una meta común [hábito 2: Comenzar con el fin en la mente] basada en el beneficio mutuo [hábito 4: Pensar ganar-ganar]? ¿Qué tal si en vez del costo más bajo para los materiales, buscan un socio respetado que les ayude a cambiar estratégica y tácticamente ambos negocios para que sean mejores?"

Hablé durante dos horas, relacionando cada uno de los hábitos a las organizaciones para que trabajaran sinérgicamente. Había tratado de venderles el mismo concepto por meses, pero ahora tenía un marco de referencia. Estaba pidiéndoles que tomaran un riesgo enorme y confiaran en un solo proveedor, el cual era un anatema por la forma en que siempre habían manejado esas relaciones. Veían a sus proveedores como depredadores. Estaba tratando de cambiar esa percepción. Quería reemplazar la sospecha con confianza. Les comenté que podían seguir luchando con sus proveedores o decidir que era posible que ambas partes se beneficiaran sin que ninguna tomara ventaja de la otra. Era un enfoque muy radical para que ellos lo tomaran y yo lo propusiera, pero nuestra compañía había estado presionándonos para ser más innovadores y trabajar en obtener más confianza de los clientes y encontrar maneras de mejorar sus negocios mientras crecían nuestras relaciones con ellos.

Al final de la reunión, el representante de nivel más alto expresó que pensaba que mi propuesta era muy atractiva y emocionante, a la vez que le parecía buena idea. Pero agregó que el hecho de formalizar un contrato basado en confianza y beneficio mutuos era algo que nunca habían intentado. Puedo asegurar que lo entendieron y que el asunto les parecía atractivo, pero también que pensaban que quizá no era práctico en la realidad.

Más tarde supe que la idea de formar alianzas estratégicas [hábito 6: Sinergizar] había estado flotando alrededor de los niveles más altos de la organización, pero que no habían encontrado una forma de que funcionaran. Los hábitos demostraron cómo podía hacerse prácticamente. Al estar centrado en principios, averiguará cómo hacer cosas que nunca antes ha intentado.

Dos meses después de la junta, nuestro cliente abrió su negocio de copiado y procesamiento de documentos a propuestas con una lista de 16 preguntas para XBS y sus competidores. La primera era: "¿Cómo definiría usted una relación ganar-ganar?", y cuando menos la mitad del resto se relacionaba con cosas que yo había expresado en esa reunión. También preguntaban: "¿De qué manera está comprometida la alta dirección de su empresa con esta relación?" Cuando vimos las preguntas, fue casi como si nosotros las hubiéramos escrito. Desde ese punto fue cuestión de explicar en detalle nuestras propuestas y hacer nuestra presentación.

Al final, la de XBS no fue la propuesta de precios más bajos para su contrato. A diferencia de sus competidores, mi compañía no hacía grandes promesas sobre exactamente cuánto recortaría los costos. Hice sólo una promesa, misma que captó su atención.

Al sentir que los ejecutivos de nuestro cliente estaban teniendo dificultad para superar una desconfianza innata de los proveedores en general, decidí que debía hacer algo dramático para ganar su confianza. Parecía como si tuvieran miedo de que estuviéramos escondiendo algo porque nuestra propuesta era demasiado buena para ser cierta, entonces ofrecí abrirles nuestros libros. Les expuse que estábamos dispuestos a compartir con ellos cuánto pagábamos a nuestro personal asignado a su contrato y cuáles eran nuestros márgenes de ganancias.

Tuve que conseguir aprobación de los niveles más altos de la dirección de Xerox, pero luché con la creencia de que abriendo nuestros libros al cliente le probaría nuestra confiabilidad. Creo que fue una gran prueba de que XBS estaba realmente hablando en serio sobre dejar a su personal actuar como empresarios. Debí haber estado más nervioso, pero me sentía confiado al usar estos principios como base de mi enfoque. Sentía que iba a ser ganar-ganar o no hay trato [hábito 4: Pensar ganar-ganar]. Tenía tanto sentido para mí que si nadie más en la compañía lo entendía o si pensaban que debían despedirme, bueno, entonces yo no pertenecía ahí de cualquier forma. Era un enfoque muy atrevido y de alto riesgo, pero nos ayudaba a diferenciarnos de la competencia.

También con esa acción sellaba el trato que conducía a una alianza estratégica de largo plazo y mutuamente beneficiosa con este cliente, un trato que se ha convertido en un modelo para nuestro negocio. De hecho, después de que se firmó el contrato, usé el mismo enfoque para aterrizar otros tres grandes contratos.

Esas campañas exitosas contribuyeron a que me ganara el premio que otorga el presidente de la corporación Xerox en 1994. Sólo 25 empleados de Xerox, de los 90 mil en todo el mundo, reciben ese premio cada año.

Lo que hizo Marc es un gran ejemplo de cómo hacer negocios basados en principios y relaciones de confianza. Nuestra estrategia de cambio trataba de desafiar suposiciones y encontrar enfoques nuevos, así como para renovar el contrato con un cliente importante. También fue un gran ejemplo de ser proactivo, de comenzar con el fin en la mente, de sinergizar y de realizar todas las demás cosas que los hábitos nos invitan a hacer.

No quiero que esto suene como un cuento de hadas, así que voy a ser breve. Como agente de cambio en XBS tuve mucho rechazo de todas partes de la organización. Eso viene con el puesto.

En un punto al principio del proceso, me pidieron que saliera de una reunión que había convocado porque los altos ejecutivos no estaban cómodos con mi presencia. Casi renuncio en ese momento. Pero exactamente un año después me llamaron a otra junta y me pidieron que pasara al frente. Ahí, frente a la mayoría de los altos ejecutivos de XBS, un vicepresidente que había sido vital para la estrategia de cambio, se disculpó conmigo: "Usted ha tenido razón todo el tiempo y yo he estado equivocado". Después de más de un año de tratar romper estructuras de la antigua organización, el comentario fue para mí algo muy importante e hizo que todo valiera la pena.

En 1993, el nivel de satisfacción del empleado era de 63 por ciento. Al final de 1997, era de más de 80 por ciento. Externamente, los resultados de nuestra estrategia fueron citados por el comité encargado del premio nacional de calidad Malcolm Baldridge como un factor para que XBS fuera considerada como una empresa con un servicio extraordinario en 1997.

El presidente ejecutivo de XBS, Tom Dolan, se convirtió en un verdadero campeón en todo este proceso. Resumía bien nuestros esfuerzos: "Estos principios se volvieron una forma de crear un ambiente que facultó a nuestro personal para ser hábiles en las instalaciones del cliente donde ser proactivo es vital. Nuestro personal necesita hacerse cargo y ser capaz de detectar lo que es correcto para el cliente. Los 7 hábitos ayudan a definir lo que es importante para usted y qué clase de persona quiere ser. Son una forma de enriquecer a toda la gente. Creo que los individuos necesitan sentirse bien con ellos mismos primero, y después con en el trabajo todos los días. Los principios dan equilibrio a la vida, lo cual impacta poderosamente las interacciones cotidianas de los empleados".

Mi meta era formar una comunidad de investigadores y aprendices que se atrevieran a ser innovadores y tomar riesgos en la búsqueda de soluciones a sus desafíos de trabajo. Y, casi para cualquier medida que conozco, funcionó.

---

 *Mi experiencia ha sido que muchos profesionistas en las áreas de recursos humanos dejan de ser catalizadores reales del cambio, como Chris, porque gradualmente se ven seducidos por normas culturales y por las expectativas de la dirección, así que se retraen y se quedan en el trabajo de servicios del personal. Las personas deben tener suficiente seguridad para endurecer su piel. Cuando no poseen seguridad, por lo general tratan de obtenerla externamente, alineándose con las normas. Entonces, mientras se sientan aprobados y su trabajo sea aceptado, dejan de ser agentes de cambio.*

*Intentar cambiar una cultura empieza al tomar conciencia de que eso no puede ser. Lo que sí es posible es poner en movimiento ciertos principios, que las personas y los principios interactuen juntos, y buscar con fe en el resultado. Los principios deben también ser amables con el mercado, con el cliente y con las personas. Chris recientemente dejó XBS para establecer un negocio de consultoría en cambio organizacional. Qué poderosa contribución continuará haciendo de seguro, pero ¡ahora con muchas más organizaciones!*

> *Mientras estudia la siguiente historia de la reinvención de una compañía y la transformación de una cultura de dentro hacia fuera, note la naturaleza de la lucha que el presidente libró personalmente, por lo que tuvo que abandonar zonas de comodidad, tomar nuevos riesgos, cambiar mucho sus paradigmas. Sentirá la humildad y el valor de este líder. Así como también qué proceso tan estremecedor, difícil y lleno de obstáculos implicó.*

A mediados de los años 1980, el apogeo del petróleo terminó abruptamente abriendo más expectativas. Esto lanzó a las principales compañías petroleras a una década de remolino internacional. El petróleo crudo que se había vendido entre 25 y 30 dólares por barril en 1983, había dejado utilidades anuales en el rango de los miles de millones de dólares para las petroleras. Luego cayó a 15 dólares por barril en 1988 y ha estado en suspenso en las regiones más bajas desde entonces.

Shell Oil había contratado empleados con base en las expectativas de que el petróleo crudo se vendería alrededor de 100 dólares por barril en 1997. Cuando el precio bajó, Shell y la industria del petróleo empezaron a hacer despidos masivos. La mayoría sentía que tenía dos alternativas: salirse u ocuparse en encontrar una forma de sobrevivir en un ambiente enteramente nuevo.

En esa época, yo era presidente de la compañía de exploración y producción de Shell. Al principio pensé que necesitábamos cambiar la estructura de la organización para reaccionar ante precios más bajos, cuando en realidad deberíamos hacer cambios fundamentales en nuestro personal y en los patrones de conducta organizacional. Nuestro negocio estaba manejado por valores culturales fuera de razón y de ritmo. Las cosas eran bastante anticuadas. Llevábamos varios años recortando personal y nuestro negocio no mejoraba en nada. Nuestra estructura de costos no era buena. Luchábamos contra un enorme problema de moral del personal. Las personas estaban preocupadas de que vendiéramos nuestro futuro eliminando más puestos. Los empleados de exploración, que son sumamente analíticos por naturaleza, estaban particularmente molestos y consideraban que estábamos exagerando y que eso sería un fenómeno de corto plazo.

El equipo de liderazgo estaba bajo mucha presión. Tratamos muchas cosas diferentes a corto plazo, pero ninguna de ellas parecía ayudar. Mi opinión era que no habíamos atacado el problema fundamental. Nuestra organización era jerárquica, burocrática e inflexible. Aplicábamos pequeños vendajes a heridas que necesitaban torniquetes, o cuando menos varios cientos de puntadas. Eso fue lo que condujo a nuestro proceso de transformación.

No teníamos un mapa de caminos. Pero contraté a Denny Taylor como gerente de mejora continua para que me ayudara a dirigir nuestros problemas fundamentales. Le pedí que averiguara qué otras compañías estaban haciendo reingeniería, y que tomara cualquier curso, asistiera a cualquier conferencia y viera qué estaba sucediendo, y luego que me lo reportara. Varios miembros de nuestro equipo de liderazgo regresaron de una conferencia convencidos de que los 7 hábitos podrían proporcionarnos un fundamento para construir el cambio.

Denny respondió en ese momento: "Si van a modificar la cultura y el ambiente en el cual opera la compañía, tienen primero que transformar a las personas desde dentro". Y eso fue lo que intentamos. Los hábitos me hablaban personalmente, como estoy seguro lo hicieron a otros miembros del equipo de liderazgo. Me di cuenta que había cosas que debía cambiar en mi relación con el personal de liderazgo, con nuestros empleados y con mi familia. Era difícil para mí porque no soy el tipo de persona que le guste hablar de sus asuntos personales. Pero llegué al punto en que ya no me fue difícil manejarlo, cuando menos cómodamente.

Éramos una compañía muy introvertida. Nunca habíamos hablado de manera clara de nuestros sentimientos sobre el personal, de cada uno o de nuestra familia. Sencillamente eso no había sido parte de nuestra estructura normal. Empezamos a abrirnos. Me volví más dispuesto a compartir durante el proceso de toma de decisiones. Comencé a delegar a personas de niveles más bajos de la empresa. Al hacerlo, señalaba que quería desarrollar una clase diferente de organización. Cuando ofrecimos los 7 hábitos, resultó la primera vez que las personas vieron que Shell se preocupaba de una u otra forma de cómo se sentían, o que las consideraciones familiares eran importantes. De hecho capacitamos a cinco o seis mil empleados en estos principios. Iniciaron poniendo fotografías de sus familiares sobre sus escritorios.

Pese al arranque de todas estas cosas, la situación todavía no estaba muy bien en la compañía. Algunos cuestionaban nuestra cordura por hacer este tipo de cosas mientras el negocio se estaba perdiendo. Pero yo pensaba que era absolutamente vital manejar el cambio que estaba dentro de nosotros antes de empezar a dirigir los problemas fundamentales de la organización. En realidad, esto era lo que tenía que hacerse.

Habíamos integrado a gran parte de la organización y empezado a construir una cultura de más confianza. Para ello unimos los niveles redundantes y dado facultamiento, pero todavía faltaba algo.

Una de las cosas que vi al pasar por alteraciones internas era que, como líder, construiría una "máquina de eliminación de riesgos". Tenía a todos estos gerentes que hacían mi trabajo más fácil, pero también volvían difícil llegar a la cima.

Había una organización poderosa con cuatro vicepresidentes y 16 gerentes generales en ese momento. Entre el nivel de ingeniería y yo había algo obstaculizando lo que intentábamos construir: este sistema de dirección fuerte y controlado central-mente. Ahí es donde empezaría mi sacrificio personal.

Debía renunciar a algo bueno para ir por algo mejor. Tenía que eliminar a ese grupo de personas muy buenas que ase-guraban que nunca vería una propuesta que requiriera mi aprobación hasta no ser revisada, vuelta a revisar, moldeada y enfocada para quitarle toda probabilidad de riesgo. También era impresionante lo que queríamos construir. Iniciamos un estudio de seis meses sobre cómo cambiar la organización desde arri-ba. Como se esperaba, las sugerencias requerían sólo algunos movimientos débiles por aquí y por allá, pero en esencia todos se quedaban en el mismo lugar. Pensé en esa recomendación un día y luego regresé a algo que había aprendido en los hábi-tos: *"Si quieres hacer un cambio pequeño, incremental, cuida-doso y metódico, entonces modifica tu actitud y tu conducta. Si quieres un cambio significativo, radical, revolucionario, enton-ces varía tu paradigma, tu marco de referencia."*

Al principio, esperaba que las personas que me reportaban lo mismo sin que yo se los señalara. Quería que encontraran una forma de eliminar los factores que estaban lastimando a nuestra compañía, pero no respondían. Entonces un día entré a una reunión con todos mis altos ejecutivos y anuncié que iba a eliminar todos sus puestos. Con eso logré captar su atención.

Les comenté que este tren estaba saliendo de la estación y que algunos ya iban en él: unos a un lado, listos para brin-car, otros corriendo detrás tratando de subirse, en tanto que los menos probablemente nunca se subirán, lo cual está bien. Trabajaremos con ustedes y trataremos de subirlos a todos, pero al final del día se va a ir de la estación y ustedes estarán arriba o se quedarán.

Agregué que se les daría oportunidad amplia para inte-grarse al proceso, pero aquellos que se negaran o no se ajus-taran eventualmente se quedarían atrás. En un caso tuve que despedir a un alto ejecutivo, lo cual no es nada agradable.

Había estado con nosotros un buen número de años, pero tenía que hacerlo. Ésa es la parte más difícil pero hay que llevarlo a cabo para evitar confusión y conflictos. Se debe ser justo con la organización y con aquellos que están tratando de cambiar.

Abordé todo de la manera más compasiva y cálida que conocía. Traté de encontrar lugares para todos dentro de la organización. En unos meses, no tenía subordinado inmediato con quien hablar. Me deshice de la máquina de eliminación de riesgos. Las personas estaban motivadas a ser más empresarias y creativas, por lo cual comenzamos a usar la investigación y la tecnología para identificar nuevos negocios para la compañía. En el pasado, nuestro personal de exploración nunca hablaba con el de producción y viceversa. Eso iba a cambiar. Teníamos que reducir costos y desarrollar sinergia para derrumbar los muros, así como para mover la autoridad y la responsabilidad hacia donde las personas actuaran sobre las oportunidades para crear alianzas mucho más rápido. Nos convertimos en una de las pocas firmas petroleras que crecieron durante este periodo de precios bajos.

Cuando empezamos esta jornada no dijimos: "Oigan, vamos a cambiar la estructura". La intención original era modificar la cultura y tratar, como resultado, de dar forma a un negocio que estuviera más de acuerdo con el ambiente y con lo que veíamos como el futuro. Eliminar personal fue un riesgo para mí. Me sentía muy nervioso al respecto porque me estaba exponiendo a muchos movimientos sin el apoyo de la gente con la que me sentía cómodo. Al mismo tiempo me dirigí a los jefes de unidades de negocios: "Miren, muchachos, no tengo tiempo para involucrarme en el negocio de todos los días. No voy a llamarles para que me expliquen qué están haciendo. Ustedes deben manejarlo. Aquí está el fundamento y lo que esperamos de ustedes. Háblenme si necesitan mi ayuda. Los voy a visitar periódicamente para revisar cómo van las cosas. Pero espero que manejen este negocio con muy buen desempeño. Estoy para ayudarles si me llaman. Pero no voy a estar metiendo mi nariz en sus negocios, pues no tengo tiempo para ello".

Les encantó, aunque desde mi punto de vista, era un riesgo. Francamente no sabía cómo iba a funcionar todo esto y no tenía respaldo. Sólo sabía que era lo correcto. Ya no contaba con personal en la oficina matriz para que revisara y volviera a revisar los números que llegaban. Por ello, traté de crear un concepto gerente-equipo en el cual todos fueran escuchados. Ése fue el movimiento fundamental de la forma en que manejábamos este negocio.

No podíamos haber hecho esto en 1991 porque el nivel de confianza no era lo suficientemente alto. No estábamos siquiera cerca de la madurez para trabajar en equipo y depender de los demás. Con los años debíamos desarrollar respeto. No había eso en la organización antes, lo que había eran sospecha y celos.

Creo que es mucho mejor ahora. No quiero dejarles con la impresión de que es perfecto, pues no todos lo sienten así. Pero hay ahora muchos más que desafiarán, hablarán y debatirán, lo cual no sucedía. Aprendieron que pueden desafiarme después de que uno o dos hablaron y no se metieron en problemas. En el pasado, había la sensación de que el que daba malas noticias recibía un disparo. Cuando no sucedió, vieron que era en serio aquello de desarrollar una nueva cultura dentro de la organización. Les insistimos que está bien asumir riesgos y fallar, no por trabajo mal hecho, sino por razones legítimas de negocios. Nunca antes hicimos eso. Queremos construir y sabemos que habrá algunos inicios falsos y callejones sin salida sobre la forma en que remunera desarrollar buenas ideas.

Hemos tenido un éxito considerable desde que pusimos en marcha estos cambios y no creo que funcionara tan bien si no hubiéramos empezado desde dentro hacia fuera. Al mirar primero el interior y pidiendo a las personas de arriba que modifiquen su enfoque, mirando desde lo individual hasta lo grupal, creo que encendimos la flama.

---

 *Las organizaciones que han seguido el enfoque autoritario y jerárquico de arriba hacia abajo por largo tiempo gradualmente cultivan una cultura de dependencia institucionalizada. La gente se acostumbra al enfoque de fuera hacia dentro, hacia el cambio y el desarrollo, por lo que empiezan a volverse cínicas. Luego cuando son entrenados para ver de dentro hacia fuera, su actitud es: "Esto es bueno, pero la persona que en realidad lo necesita no está aquí". Pero si el líder es un buen modelo, cultiva la comunicación abierta y construye confianza, en tanto que si las fuerzas del mercado son dinámicas, cambiantes y amenazadoras, la cultura que surge desarrollará un enfoque externo de supervivencia e impulso en dicho mercado. En forma gradual emerge un sentido común de dirección, propósito y valores. La confianza aumenta.*

*Si los principios de responsabilidad, la toma de riesgos, la interdependencia y la alineación se integran en la cultura y se formalizan en las estructuras y los sistemas institucionales, se forma una especie de autoridad moral alrededor de estos principios, lo cual profundiza y fortalece aún más la confianza. Todo se vuelve el fundamento para liberar el enorme potencial humano, mientras que el negocio se acomoda a la realidad del mercado y todo tipo de energía creativa, talento, recursos e inteligencia se traen a flote para hacer lo necesario a fin de tener éxito en la realidad.*

*Los principios contenidos en los 7 hábitos aplican a los niveles gerencial y organizacional, tanto como a los niveles personal e interpersonal. Los principios son universales, eternos y autoevidentes. Jack Little fue un pequeño timón en esta situación, que engranó con otro*

*más grande para llegar al que mueve todo el barco.*
*Cuando un barco monstruoso, pesado, hinchado y buro-*
*crático está moviéndose en una dirección y el futuro del*
*mercado en otra, un toque sabio, valiente y hábil en*
*el timón inicia el proceso de cambio. Por lo general le*
*lleva una hora dar una vuelta en el océano a un barco*
*y varios años a una organización industrial. Mucho*
*depende de la urgencia y el involucramiento sincero que*
*sientan las personas.*

*Cuando Pearl Harbor fue bombardeado durante la*
*Segunda Guerra Mundial, el almirante Yamamoto habló*
*sabiamente cuando expresó: "Siento que lo único que*
*hemos hecho es despertar a un gigante dormido y lle-*
*narlo de una terrible determinación". La mayoría de los*
*estadounidenses subordinaron sus intereses persona-*
*les por el bienestar de todos y ocurrió un cambio mila-*
*grosamente rápido. Cuando la cultura está detrás de*
*un cambio, hay muy pocas vacas sagradas. Las únicas*
*vacas sagradas que no se deben tocar son aquellos prin-*
*cipios sin modificaciones que al final ocasionan todas*
*las consecuencias.*

Michael Bassis, presidente, Olivet College

*Mientras lee esta impresionante historia de cambio que*
*sucedió en una universidad, trate de imaginar la canti-*
*dad de confianza y valor internos de su presidente. Más*
*importante aún, note el nivel de fe que esta persona tuvo*
*en otras. Sienta el respeto que él profesó hacia ellas, sufi-*
*ciente para asumir el proceso riguroso y maratónico de*
*participación profunda, significativa y desafiante con*
*los consejos gobernantes, maestros, administradores y*
*estudiantes. La renovación de los principios representa*
*los manantiales de una corriente poderosa.*

Muchos de mis amigos pensaban que estaba absolutamente loco por pensar siquiera en ser el presidente de la universidad Olivet College, que era una escuela problemática y estaba cerca de la bancarrota, en la primavera de 1993. Les dije que estaba buscando un desafío y que en ese reto lo encontré.

Olivet fue establecida en 1844 como una especie de escuela revolucionaria en la zona rural del sur de Michigan y fue una de las primeras instituciones de educación superior en la nación que abría sus puertas a estudiantes sin importar su raza, género o posición social. Su misión académicamente alta era proporcionar a los alumnos "los medios de mejora intelectual, moral y espiritual, así como enseñarles el divino arte y la ciencia de hacer el bien a otras personas".

Sin embargo, en tiempos modernos, Olivet College ha perdido su cometido. Como muchas universidades pequeñas fuera de zonas urbanas, fue golpeada por problemas relacionados con explosión demográfica, finanzas, calidad académica y conflictos internos. Olivet estaba muy mal al aproximarse su 150 aniversario en 1994. Su rotación de maestros era casi de 40 por ciento. Había estándares muy bajos en reclutamiento de estudiantes, muy poco talento y ninguna reputación nacional. Un presidente que lo había sido mucho tiempo mandaba con dictadura. Los maestros estaban mal pagados, subutilizados y desmoralizados.

El remolino interno llegó en la primavera de 1992, cuando una disputa menor donde participaba un grupo pequeño de estudiantes blancos y otro de negros se convirtió en una riña mayor que involucró a 70 personas. No había empezado como un incidente racial, pero en eso se convirtió. Nadie fue arrestado y sólo dos muchachos tenían heridas menores. Pero la reputación de la escuela se fue al fango, dado que la administración manejó muy mal el incidente. Cuando los líderes de la escuela se negaron a responder a los sentimientos legítimos de los estudiantes negros después de la riña, muchos se dieron de baja.

Esto ocurrió justo cuando se llevaba a cabo el debate nacional sobre el juicio de Rodney King. Reporteros de las principales repetidoras y de los diarios usaron el incidente para informar que las tensiones raciales también existían en el centro del país. Pocos se dieron cuenta que el lema de Olivet era promover el entendimiento racial y la igualdad de oportunidades.

El incidente y la cobertura negativa que recibieron de CNN, el *New York Times* y otros medios de comunicación nacionales condujo a una ruptura total. El presidente de la universidad renunció bajo presión. Muchos exalumnos, integrantes de la comunidad, maestros y estudiantes cuestionaban si la universidad sobreviviría.

En un esfuerzo por tratar de reconstruir la confianza, los apoderados de la escuela emprendieron una búsqueda nacional de un nuevo presidente. En ese tiempo yo era el vicepresidente ejecutivo de la universidad Antioch, donde había estado involucrado en su revitalización exitosa. Cuando conocí la situación de Olivet, pensé que me proporcionaría una gran oportunidad para poner en práctica lo que había aprendido en Antioch sobre cómo dirigir una transformación.

Por supuesto, me di cuenta que iba a necesitar mucha ayuda. La escuela requería un sentido revitalizador de visión compartida [hábito 2: Comenzar con el fin en la mente]. Lo primero que hice fue reunir a los maestros y exponerles que iban a tener que encargarse de la dirección académica básica de la universidad. Les enseñé criterios de diseño, algunos límites dentro de los que debían operar, y les dije que empezaran. Los seis criterios que establecí para la nueva visión académica que la escuela requería eran:

- Ser aprobada por un consenso efectivo entre los maestros.
- Ser consistente con los valores de la universidad y con las necesidades educativas que están emergiendo en la sociedad.

- No ser indiferente ante asuntos de justicia social y la diversidad.
- Adherirse a los principios de buena práctica en la educación superior.
- Llevarse a cabo por medio de un sistema de entrega efectiva en cuanto a costos.
- Ser generadora de entusiasmo y apoyo entre estudiantes, *exalumnos y amigos.*

Incluso con esos lineamientos, había algo de confusión y no poca resistencia de los maestros acostumbrados a seguir lo que dictaba el presidente anterior. Pensaban que iba a darles órdenes precisas o explicarles exactamente qué hacer. No estaban seguros de que fuera de su competencia dar forma a la dirección de la institución, pero pensé que era vital para ellos desarrollar una sensación profunda de pertenencia en cualquier esfuerzo de revitalización.

Algunos pensaron que iba a querer controlarlos y otros deseaban que lo hiciera porque no confiaban en sus colegas. Cuando les aclaré que no había una agenda escondida y que llevaría su propuesta al consejo de administración, se quedaron helados.

El nuevo grupo de maestros fue conocido como la Comisión de la Visión o, en momentos menos reverentes, "Los Comisionados". Inicialmente hubo tropiezos, pues luchábamos contra la libertad y responsabilidades que yo les había dado, a las que no estaban acostumbrados, pero aunque de manera lenta el nuevo enfoque empezó a tomar forma.

En tres meses, la Comisión de la Visión de Olivet emitió un enunciado de visión de una página que titularon "Educación para responsabilidad individual y social". La visión se convirtió en el fundamento de la recuperación de la universidad. De manera interesante, todas las secciones surgieron de los documentos originales de fundación de la escuela.

Cuando los maestros presentaron el enunciado al consejo de apoderados de la universidad ocurrió algo extraordinario. Espontáneamente, los apoderados se pusieron de pie y dieron a los maestros una acalorada ovación. Fue uno de los momentos más emotivos que he experimentado en mis 30 años de participar en educación superior. Fue electrificante y los mentores estaban impresionados. Esa demostración de apoyo nos impulsó.

Mi siguiente paso fue pedir a los maestros que llevaran su visión a la universidad, por lo cual desarrollaron un enunciado de lo que creían que los estudiantes debieran aprender en Olivet. Varios meses después, presentaron una lista de 16 "resultados de aprendizaje" en cinco categorías clave que cubrían comunicación, habilidades de razonamiento y de trabajo colaborador, responsabilidad individual y social, lo mismo que cualidades para el campo específico elegido por el estudiante.

Después de que se aprobó el plan, pedí a los maestros que dieran los pasos lógicos, es decir, que crearan un programa de estudios totalmente nuevo con base en la nueva visión [hábito 3: Poner primero lo primero]. Los miembros de la fuerza del plan de estudios viajaron por todo el país para conocer programas modernos. Cuando volvieron traían cuatro propuestas que se presentaron a maestros y administradores en un retiro de dos días en 1994.

Después del primer día de presentaciones, los maestros organizaron una votación. Una de las propuestas no recibió votos; todos estaban equitativamente repartidos entre las otras tres opciones. Había dificultades. Esa tarde, invité a un día de campo a todos los participantes y sus familias. Fue un día hermoso, pero muchos de los asistentes estaban ansiosos por saber cuál de las propuestas sería la elegida.

Con la presión encima, llamé a los arquitectos responsables de las propuestas a la casa del presidente, para tener una discusión informal. Durante las primeras dos horas, no hice nada más que escucharlos debatir. Finalmente, fui al rotafolio que había preparado y anoté todos los puntos de empatía que había identificado entre las propuestas [hábito 5: Buscar primero entender, luego ser entendido]. Mientras las escribía, observé que se quedaban boquiabiertos. Había un cierto acuerdo. Cuando hice un resumen usando las ideas de las propuestas, todas parecían encajar a la perfección. De repente, todos empezaron a hablar sobre cómo funcionaría esto [hábito 6: Sinergizar].

Al día siguiente, presentamos una propuesta armada con las mejores ideas de las cuatro opciones originales. Un voto preliminar demostró que 90 por ciento de los maestros la aprobaban. Fue un momento mágico.

Una de las cosas que hice bien fue establecer una serie de reglas básicas referentes a cómo debíamos engranar unos con otros. No era que lo impusiera, sino que era un modelo de ello. A mediados del año dicté una conferencia sobre la diferencia entre debate y diálogo. Señalé el punto de que el diálogo era un método superior para llegar al entendimiento y a soluciones. La diferencia esencial entre diálogo y debate es que en el primero uno escucha para entender, más que buscar maneras para convencer a alguien de su punto de vista. Era mi forma de tratar de que hubiera entendimiento en toda la cultura y se le dio la bienvenida rápida y fácilmente. Se volvió una fuerza poderosa en el *campus* y una manera de hacer negocios.

También ayudamos a restaurar la reputación de Olivet, arruinada durante tanto tiempo, posicionándola como una institución educativa vanguardista. Preparar a todos los estudiantes para funcionar en una sociedad cada vez más diversa se ha convertido en una meta educativa explícita. En el corazón del nuevo plan de estudios diseñado por los maestros está un "proceso de evaluación del portafolio" en el cual los alumnos desarrollan muestras de su mejor trabajo. La idea es que haya evidencia sólida de competencia demostrada. Los muchachos en todos los grados se someten a examen y deben ser aprobados por el comité de revisión de maestros. Entonces usan los portafolios para solicitar empleo después de la graduación.

Tal vez lo más significativo en Olivet es el énfasis que hay en todo el *campus* sobre responsabilidad individual y social. En la primavera de 1997, la universidad canceló clases y llamó a sus administradores, maestros y estudiantes a una discusión de un día diseñada para identificar qué significa ser un miembro responsable de nuestra comunidad. Por coincidencia, aunque bastante irónica, el día de esa reunión marcó el quinto aniversario del incidente racial que había sido el catalizador para tanto cambio en la institución.

Como ir no era obligatorio, se presentaron sólo aquellos que *querían* estar ahí y contribuir, maestros, administradores y estudiantes, junto con algunos miembros del consejo de administración, todos sentados en pequeñas mesas redondas en grupos mixtos en el gimnasio. Había papel y lápices para hacer tormentas de ideas. Cada grupo debía trabajar en conjunto y llegar a sus mejores ideas, las cuales presentarían a toda la asistencia. La mayoría de los equipos llenó varias hojas con ideas. Conforme cada uno las explicaba, se capturaban en hojas grandes que luego se pegaban en las paredes; después todos caminaban alrededor del gimnasio para pegar notitas así como para agregar sus ideas y discernimientos a las que ya estaban ahí [hábito 6: Sinergizar]. ¡Aquí se encontraba una comunidad universitaria en la cual todas las personas clave estaban desarrollando estándares de conducta, responsabilidad y disciplina! Los estudiantes estaban sorprendidos porque en realidad formaban parte y se les permitía expresar sus opiniones. Respondieron con entusiasmo, agregando considerable energía.

Después de la reunión, las grandes hojas que incluían las notitas se exhibieron en el vestíbulo principal para que toda la comunidad universitaria, especialmente aquellos que no habían participado, conocieran las ideas y dieran sus opiniones.

La serie de principios resultantes de esa ocasión y de varias semanas de refinamientos ahora es conocida como el Compacto de Olivet College. Se le entrega a todo estudiante en el momento de ser admitido en la universidad y se ha convertido en una especie de constitución guía para la institución, y para aquel que estudia y trabaja aquí. Junto con el nuevo enunciado de visión académica de la escuela, el compacto está grabado en bronce y fue colocado en la entrada principal del primer edificio académico del *campus*.

Los principios se están traduciendo ahora en estándares de la comunidad que aplican igualmente a estudiantes, maestros y administrativos, a la vez son parte de los procesos para seleccionar personal de la universidad. Todos vieron la importancia de integrarlos. El compacto no es sólo retórica para poner en nuestro catálogo o en bronce, posee verdadera integridad operativa.

Con el fin de asegurar que cada nuevo grupo de estudiantes se comprometa con los valores y principios, se celebra una ceremonia al inicio de cada ciclo académico en la cual se entrega el compacto a un representante de la clase entrante. Es una actividad maravillosa para integrar a los nuevos integrantes a la comunidad con el espíritu de todo lo que estamos haciendo, además es una forma de asegurar que el contenido se vuelva un documento viviente.

Toda la comunidad de Olivet College, puede integrar personalmente más elementos a los principios por medio de oportunidades abiertas para recibir capacitación en los 7 hábitos. De hecho, en una de las primeras clases que toman los nuevos alumnos, cada uno desarrolla un enunciado de misión para articular su visión y sus sueños [hábito 2: Comenzar con el fin en la mente]. Ellos deciden qué principios quieren adoptar tanto en su experiencia universitaria como en el resto de sus vidas.

En 1996, Olivet se convirtió en la primera escuela de la nación que lleva un registro de aspirantes de servicio a la comunidad, que es la piedra angular de su programa de becas de responsabilidad de la comunidad las cuales están valuadas en 6 000 dólares por año, y son consideradas una parte importante del esfuerzo general de la universidad para alentar a los estudiantes a asumir responsabilidad no sólo por ellos mismos, sino también por las comunidades donde viven y trabajan.

Una vez más, Olivet College se encuentra en la cumbre nacional. Sin embargo, ahora está siendo reconocida por su énfasis en responsabilidad individual y social por el Consejo sobre Educación y la Asociación de Universidades estadounidenses, como una de las mejores 26 escuelas en toda la nación por su compromiso con los asuntos de diversidad y por el éxito de su transformación. También fue nombrada una de las principales del país. Durante los últimos tres años, recibió aproximadamente 860 000 dólares de diversas fundaciones y de donadores anónimos. Además, fue una de las cinco instituciones en todo el país que recibieron un millón de dólares del Proyecto de Transformación Institucional Nacional de Kellogg.

Olivet College ha sobrevivido, pero sus desafíos siguen siendo considerables. A pesar de aumentos sustanciales en la recolección de fondos e inscripciones, incluyendo las de estudiantes de color, todavía tiene una deuda considerable por sus problemas pasados. Su infraestructura está en condiciones pobres. Enfrenta mucha competencia de otras escuelas liberales en el reclutamiento de alumnos. Y aún debe sanar un poco más. Pero creo que está en el camino correcto, no sólo de una recuperación total, sino tal vez de lograr ser más grande.

 *Me he involucrado personalmente con Michael Bassis en varias ocasiones, lo cual incluye la oportunidad de hablar en su* campus. *Me asombró muchísimo la transformación que se había llevado a cabo y la profundidad de la emoción en toda la institución. Es un modelo inspirador de cambio organizacional y cultural logrado*

*por medio de un proceso de paciencia y tolerancia, de involucramiento profundo a pesar de todos los obstácu- los internos y externos.*

*Enfrentada con la posibilidad de ser cerrada, Olivet regresó a los valores y principios con que se fundó, y se reconstituyó creando una visión nueva y más grande de su misión. Sus maestros y administradores aprendieron, adaptaron y se comprometieron con esa nueva visión. Al estar preparando este libro, me enteré que Michael Bas- sis había aceptado un nuevo desafío como decano en el Campus Sarasotal Manatee de la Universidad del Sur de Florida y como presidente de la nueva universidad. Me dijo que está ansioso de poner en práctica las habilida- des y perspectivas que desarrolló en Olivet, así como de aplicarlas en un círculo más amplio.*

*A menudo la partida de un líder de transformación de una organización suele ser muy desconcertante. Pero como él dirigió un proceso que involucra a todos, faculta a las personas e integra principios de la cultura univer- sitaria, evitó la trampa de muchos de crear dependen- cia institucional. Se valió del poder de la sinergia. Estoy convencido de que Olivet continuará su camino de cre- cimiento e influencia, incluso sin él. Esta universidad no es sólo un modelo, también tiene potencial para ser líder en todo el país.*

WOOD DICKINSON, PRESIDENTE Y DIRECTOR EJECUTIVO, DICKINSON THEATRES

*Esta historia es un recuento de la transformación de un negocio tradicional de mando, control y baja confian- za, en uno centrado en principios, con alta confianza y comunicación abierta. Notará que casi todos los momentos que produjeron resultados más significati-*

*vos tenían que ver con vencer batallas internas priva-*
*das. Vea cómo los involucrados no podían simplemente*
*tomar el curso de menor resistencia, sino que debían*
*detenerse, reflexionar, luchar, ir por el kilómetro extra*
*y esforzarse por cultivar una orientación creativa más*
*que una para resolver problemas.*

Dickinson Theatres, ubicada en Mission, Kansas, fue fundada en 1920 por mi abuelo antes de que se filmara la primera película de largo metraje. Es una de las cadenas más antiguas del país. Me convertí en su presidente y director ejecutivo en 1992. Con más de 250 pantallas en Kansas, Missouri y Oklahoma, Dickinson es una cadena de cines de tamaño mediano en una industria que, como muchas otras en los años 1990, fue arrasada por una onda tras otra de consolidaciones y fusiones.

Para competir en este ambiente, nuestra compañía tenía que volverse más capaz de dar respuesta, y más innovadora. Para ello, había que cambiar desde dentro. Como todo negocio familiar, nos habíamos vuelto muy herméticos. El modelo de administración de mandato y control había hecho difícil a nuestros gerentes de tienda responder rápidamente a sus desafíos únicos. Algunos de nuestros problemas serios estaban al nivel del cine. A los gerentes se les mandaba desde las oficinas corporativas, donde no tenían la menor idea de qué estaba pasando en los cines individuales. Todos estaban obligados a ser increíblemente creativos para trabajar alrededor del sistema que les imponían.

Como resultado, la moral todo el tiempo era baja. Las estructuras y los sistemas en la organización, terribles. La duplicidad crecía rampante. Las reuniones de personal duraban sólo 15 minutos, porque nadie hablaba con nadie. Era un ambiente hostil, pero las personas temían hablar abiertamente sobre sus inquietudes.

En mis primeros seis meses en el timón, intenté abrir la comunicación e instalar un programa de administración por calidad total, aunque me pareció que algo faltaba. No estaba seguro de qué era, pero después de un tiempo las cosas empezaron a descubrirse para mí.

Mi pasión por el trabajo presentaba altas y bajas, aunque algo faltaba en la vida. Pensé que sería un momento emocionante y divertido, pero no estaba funcionando así. El compromiso con mi familia es muy fuerte y mi actividad laboral se estaba volviendo demasiado demandante, lo cual producía un impacto negativo en mi matrimonio y en mi relación con mis hijos. Me estaba dejando sacar de balance por la marcada curva de aprendizaje en la que me encontraba para tratar de cambiar a la compañía.

Al principio, tratamos de permitir a los gerentes tomar más decisiones, lo cual intentaban, pero tomaban muchas que nos costaban dinero, así que tuvimos que volver a tirar de la rienda y pensar otra vez cómo estábamos haciendo las cosas. Nuestra respuesta fue entrenarnos en los 7 hábitos, pues queríamos que la confianza fluyera con base en la confiabilidad. Eso encendió un fuego dentro de todos y nos ayudó a ver cuál era el problema clave. No era posible entrenar a las personas hasta que hubiera confianza entre unos y otros. En el momento en que empezamos a hablar de eso, la situación se aclaró.

El nuevo enfoque para administrar Dickinson Theatres dio lugar a algunas transformaciones personales, así como muchos desarrollos de negocios poco usuales y recompensantes. Un ejemplo asombroso es Andy Armstrong. Testarudo e irritable, cuestionaba todo en el seminario de los 7 hábitos. Pero después de que terminamos era un hombre diferente. Se había convertido en el más ferviente seguidor de estos principios en toda la compañía y su vida había cambiado 180 grados.

Andy se enfrentó a una prueba de campo casi cuando fue promovido a gerente general de un problemático conjunto de ocho pantallas en los suburbios de la ciudad de Kansas. El personal era exclusivista. Había ocasionado que renunciara un buen gerente general. Andy entró, estableció nuevas expectativas para una relación ganar-ganar y avisó a aquellos que no se integraban que tendrían que marcharse. Después de 30 días, había cambiado la cultura de esos cines.

Andy también aplicó el hábito 5: Buscar primero entender, luego ser entendido en un problema conflictivo en un área de almacén perpetuamente sucia, situada detrás de los cines. Era tan malo que el encargado de limpieza del centro comercial siempre amenazaba con demandarnos. Andy pensó que se había encargado del problema, pero un día llegó una carta con una fotografía del área sucia y una nota del encargado de limpieza diciendo que nos habían multado por 150 dólares.

Andy llamó a quien había escrito la carta a nombre del encargado de limpieza. Estaba molesto porque la multa lo ponía mal ante la oficina matriz. Pero resolvió ser proactivo y crear un ganar-ganar. En vez de dar excusas, la mujer comentó que entendía la presión ocasionada por el problema de limpieza. Ella agregó que Andy en realidad había hecho mucho por mejorar los cines, pero que esta área era todavía un problema. Luego ofreció olvidar la multa porque "tengo el presentimiento de que usted sabe exactamente cómo me siento respecto de este asunto".

Andy ahora es un facilitador del seminario de 7 hábitos de tiempo completo. Su nuevo puesto fue creado para que brindara capacitación a los gerentes y adolescentes que trabajan para nosotros. Es una victoria personal tremenda para él.

Buscar primero entender me ayudó personal y profesionalmente cuando dos adolescentes discapacitados por problemas de oído demandaron a nuestra cadena de cines por no adaptarnos a sus necesidades especiales. Era la clase de demanda que daña seriamente un negocio, en particular uno familiar que se ha enorgullecido por atender los requerimientos y los deseos de sus clientes.

Inicialmente, atendí la demanda, molesto porque sentía que nuestra compañía se había esforzado mucho por complacer a personas con problemas.

Quienes no escuchaban deseaban entrar a una presentación especial de una película popular, y nosotros estuvimos de acuerdo con traer dos intérpretes de lenguaje en señas para ellos. Pensamos que ya estaba resuelto el problema, pero luego nos demandaron porque querían que pagáramos los intérpretes. Al principio tuve una actitud reactiva. Sentí que era algo extremadamente poco razonable. Me sentía frustrado porque incluimos equipo para quienes no escuchan en los cines antes de que alguien pensara en eso y pusimos asientos especiales para discapacitados mucho tiempo antes de que la ley lo obligara. Hacemos muchas cosas por nuestros clientes porque sentimos que es lo correcto.

Después de unos cuantos días, decidí ser proactivo más que reactivo. Escuché y traté de entender qué querían estos adolescentes discapacitados sobre mi negocio. Tuve una experiencia sinérgica. De repente, la ansiedad y la frustración desaparecieron y me di cuenta de que eran individuos que sólo querían salir, ver una película y divertirse, así que pensé en una solución. Tuve un cambio de paradigma impresionante. Escuché con el corazón. "Muy bien, de acuerdo con el hábito 5, debo ver esto desde otro lado, así que déjenme ponerme en la posición de estos chicos discapacitados." Luego decidí que *tenía* que haber una tercera alternativa para ceder a sus demandas o luchar contra ellos.

Deseaba encontrar una solución ganar-ganar, así que me puse a hablar sobre traer un mediador. Como los abogados tienden a golpear a las personas hasta morir, tuve la idea de que fuera alguien que nos ayudara a lograr nuestro objetivo.

Cuando el mediador entró, había mucho antagonismo en el salón. Sentíamos que estos dos chicos estaban intimidándonos con base en las leyes de protección a los discapacitados, las cuales obligaban a dar trato igual a todos. En tanto, ellos sentían que debían poder divertirse como cualquier otra persona y que el cine debía proporcionarles intérpretes de lenguaje en señas.

Con el apoyo del discernimiento de Platón, en cuanto a que "El principio de la sabiduría es la definición de términos", el mediador empezó por hacer que cada parte definiera exactamente qué quería. Se dio cuenta de que cuando las personas se enfocaban en los medios, el resultado eran problemas, pero cuando se enfocan en los fines, hay cooperación.

Giró instrucciones a nuestro personal y a los adolescentes para que escribieran sus metas últimas [hábito 2: Comenzar con el fin en la mente]. Como trabajaban en rotafolios en los lados opuestos del salón y fuera de la vista de la otra parte, iba de un lado a otro para ayudar a ambas partes a llegar a sus metas.

Cuando cada bando volteó sus gráficas para que el otro las viera, se enteraron que sus metas eran casi idénticas. Tanto los adolescentes como el personal de los cines querían que todos los clientes pudieran disfrutar las películas, comer palomitas de maíz, beber refresco de cola y pagar un precio razonable por ello. La mayor diferencia era que los dueños de los cines también deseaban obtener utilidades razonables. Después de analizar las metas de ambos, el mediador miró a los adolescentes y les preguntó si estarían de acuerdo con que el cine recibiera utilidades razonables; contestaron que sí, así que eso hizo que las metas de ambos fueran virtualmente idénticas. Una vez que se determinó que los dos lados querían lo mismo, desapareció la tensión.

De repente, todos se encontraban en la misma página. Así, desarrollaron el enunciado de misión: "Queremos crear un plan de acción que permita a todas las personas beber refresco, comer palomitas de maíz y disfrutar la película a un precio razonable con utilidades razonables para los cines". Entonces empezaron a buscar formas para lograr esta misión.

Liberamos toda esa energía que había sido desperdiciada cuando peleábamos alrededor del problema y nos enfocamos en llegar a una solución. Todavía había puntos de contención, pero cuando todos en el salón empezaron a trabajar hacia una solución, el proceso se volvió mucho más fácil.

Cuando los adolescentes insistían en que se les proporcionaran intérpretes para todas las películas, los intérpretes se convirtieron en participantes. Informaron a ambas partes que los costos serían casi prohibitivos debido a las dificultades de firmar para una película en la cual la acción con frecuencia se mueve a un ritmo acelerado y muchos personajes están hablando. Agregaron que se necesitarían cuando menos dos intérpretes para cada cinta, y que cobrarían por sus servicios más de 50 dólares por hora. Un estimado determinó que los costos anuales de Dickinson serían de 18 millones de dólares.

Entonces el mediador dijo que en ese punto todavía estábamos más lejos de un acuerdo que cuando empezó la reunión, y si no podían moverse de la demanda, entonces íbamos a tener que retirarnos sin lograr nada. Nos urgió pensar más creativamente. Pronto hablábamos de todo tipo de cosas como subtítulos, presentaciones especiales y equipo de alta tecnología. Todos nos involucramos en trabajar hacia una meta común.

Muchas de las sugerencias eran poco prácticas o demasiado costosas. De repente tuve una idea e hice la sugerencia. Tenía claro que cualquier solución iba a costar mucho dinero. Ya había iniciado tres fundaciones altruistas en la comunidad y se me ocurrió que quizá podría establecerse una cuarta para obtener fondos de reserva para ayudar a proporcionar películas para las personas que no oyen. Ofrecí donar los primeros 10,000 dólares.

Cuando los dos adolescente vieron esa oferta de buena voluntad, bajaron la guardia y analizaron otras soluciones posibles, incluyendo una en la cual intérpretes traducirían una película completa en video. Entonces, en cada presentación subsecuente, se mostraría la cinta en las pantallas colocadas cerca del área de descanso. Eso no violaría ningún derecho de autor, pero requeriría presentaciones especiales para discapacitados del oído. Estábamos mucho más cerca de una solución que antes.

Con todos aportando ideas, eventualmente formulamos siete soluciones alternativas que cada parte estuvo de acuerdo en explorar [hábito 6: Sinergizar]. Ninguna era perfecta, pero todas prometían. Al final, elegimos la de dar presentaciones especiales con intérpretes de lenguaje. Las personas con discapacidad para oír tenían que solicitar una presentación especial con 72 horas de anticipación, por lo cual optaron tratar durante seis meses para ver cómo funcionaba y cuáles eran los costos, y luego nos reuniríamos otra vez.

Lo más importante es que el espíritu había cambiado. Todos trabajábamos juntos. Nos despedimos como amigos en vez de como adversarios. Incluso los dos intérpretes, que habían venido con actitudes duras, porque no querían estar involucrados, estuvieron de acuerdo. El asunto real no era que estos chicos querían ver una película, sino que deseaban ser escuchados y entendidos al igual que nosotros.

Como en el caso de Andy Armstrong y la disputa de la basura, la relación de las dos partes opositoras en la demanda cambió cuando sintieron que sus puntos de vista eran entendidos. Tal vez el principio más poderoso de toda interacción humana sea esta necesidad de ser entendido.

---

 *Después de estudiar esta historia casi tuve un déjà vu porque durante los últimos treinta años de trabajar con organizaciones, se ha duplicado una y otra vez. Los nombres de las personas y los detalles específicos de la situación son siempre diferentes, pero los problemas fundamentales, las luchas, los desafíos y las soluciones son casi siempre los mismos. Cada situación es única y*

requiere entendimiento especial para llegar a las prácticas adecuadas que reflejan esas realidades también únicas. Pero en el meollo, los individuos son los mismos y las organizaciones similares. Todas tienen relaciones, clientes y proveedores, además de ser clientes y proveedores simultáneamente. La naturaleza y la calidad de las relaciones gobiernan muy bien el éxito de las operaciones. Los principios son universales, eternos y autoevidentes, pero las prácticas son situacionales y específicas, por lo tanto requieren entendimiento especial.

Cuando las personas en Dickinson Theatres se involucraron en su capacitación tuvieron que manejar asuntos específicos que surgían de estos principios y de las cuatro necesidades básicas de todo ser humano: la física-económica para sobrevivir y prosperar; la socioemocional para las buenas relaciones con uno mismo y con otros; la mental para usar y desarrollar sus talentos; y la espiritual para obtener un sentido de significado, contribución e integridad, que conlleva una vida de principios. Una y otra vez vi cómo la victoria privada debía ganarse antes de la pública. Esto se lleva a cabo si se pretende buscar primero entender, luego ser entendido, así como crear sinergia y mejores sentimientos. El elemento clave surgió cuando las personas estuvieron dispuestas a un segundo esfuerzo, a hacer más de lo que los otros esperaban. En cuanto Dickinson estuvo listo para trabajar y hacer la primera inversión para una fundación altruista y ayudar a los discapacitados del oído en los cines, entonces los afectados supieron que estaban siendo respetados, afirmados y entendidos. Se requirió más que empatía. Esta acción se convirtió en el bálsamo curativo para la herida abierta.

En pocas palabras, el patrón se repite una y otra vez. Los involucrados simplemente deben pagar el precio si

*quieren ver los frutos en relaciones y culturas organi-*
*zacionales.*

JOHN NOEL, PRESIDENTE Y DIRECTOR EJECUTIVO, NOEL GROUP

> *John Noel es el equivalente humano de una oruga que*
> *se transforma en mariposa. Observe primero la influen-*
> *cia que tuvo el guion que John recibió tanto en el trabajo*
> *como en el hogar, particularmente de su padre. Tam-*
> *bién vea qué sucede cuando uno se centra en el trabajo*
> *en vez de en principios o valores. Como con un par de*
> *anteojos, se observa todo a través de la lente del trabajo,*
> *lo cual impacta toda decisión y relación en casa y en la*
> *oficina. Asimismo, nos pone en el camino de la arrogan-*
> *cia. Por otro lado, puntos ciegos le impiden abrirse a la*
> *retroalimentación, así que hace pocas o ninguna correc-*
> *ción del curso. Como todo se mira mediante la impor-*
> *tancia del trabajo, la familia se vuelve secundaria y las*
> *relaciones laborales se explotan por medio de una filo-*
> *sofía de dirección de control autojustificado.*
>
> *Al leer esta historia, trate de sentir empatía por John,*
> *así como de sentir cómo era su vida, su mundo y su*
> *pensamiento. Si llega a involucrarse emocional e inte-*
> *lectualmente en este esfuerzo, impactará de manera*
> *significativa la calidad y cantidad de discernimientos*
> *en su vida.*

Fui nombrado vicepresidente de la división internacional de
una gran compañía de seguros en Stevens Point, Wisconsin, a la
edad de 36 años. Mi jefe, el presidente y director ejecutivo que
trataba a sus empleados como familiares, me dio un enorme
grado de responsabilidad y autoridad. También me consideraba
un hombre de familia. Después de todo, me había casado con
mi novia de la preparatoria, Paty, habíamos adoptado a cua-

tro niños y tenido dos hijos biológicos. Pero como muchas personas encaminadas hacia el éxito, no estoy seguro de que mi autoimagen la compartieran conmigo quienes me rodeaban.

En 1985, entró un nuevo presidente y director general a la compañía de seguros y rápido me di cuenta de que tenía un enfoque enteramente diferente de los negocios. Revirtió casi todas las cosas positivas que había hecho el presidente anterior para entablar relaciones con sus empleados. No estaba interesado en el personal como una comunidad. Por mi parte, no estaba de acuerdo con sus valores.

Los conflictos con la nueva dirección parecían inevitables, así que enfrenté una difícil decisión. ¿Debía ajustarme al cambio y quedarme en un trabajo relativamente seguro al que había dedicado 15 años? O ¿debía ser fiel a mis valores y dejar la compañía, jugándome la seguridad de mi joven familia?

Después de mucho pensar, elegí abandonar la compañía, pero llevarme un poco de ella conmigo. Hablé con el nuevo presidente y le expliqué que no creía que trabajáramos bien juntos y que iba a marcharme, pero que quería comprar Travel Guard Internacional, una firma de seguros que inicié dentro de la matriz. Estuvo de acuerdo y después de cerrar el trato cambié mi oficina y el negocio al sótano de mi casa. Era mucha presión para mí. Tenía seis niños trabajando para mí, incluyendo a Missy, que sólo contaba con nueve años. Me ayudaban a sellar las pólizas. (Si los clientes hubieran visto mi operación nunca habrían negociado conmigo.)

Cuando me volví un hombre de negocios independiente, estoy seguro que me contemplaba a mí mismo como mi padre, quien había formado una exitosa constructora, aunque su educación había llegado sólo hasta octavo grado. Trabajaba muy duro, era una persona cálida y yo hacía las mismas cosas que él. Laboraba largas horas y me concentraba en el negocio. No lo vi mucho mientras crecía porque sus actividades estaban antes que la familia.

Tuve mucho éxito en mi esfuerzo para desarrollar un negocio y brindar seguridad a mi familia. Travel Guard International, que proporciona seguros por medio de la mayoría de las agencias de viajes y operaciones de excursiones en Estados Unidos, Canadá e Inglaterra, creció hasta lograr ventas anuales de 130 millones de dólares. El éxito financiero promovió otros negocios, incluyendo una empresa de paquetes vacacionales para ejecutivos, otra de excursiones en grupo con profesionistas del cuidado de la salud, una más de asistencia médica para emergencias internacionales, una cadena de agencias de viajes y organizaciones de adquisición y manejo de bienes raíces.

Todas estaban organizadas bajo la sombra de Noel Group, que hoy tiene 240 empleados y se ubica en un antiguo hotel con 75 años de existencia, el cual fue renovado con 4.5 millones de dólares. El símbolo corporativo de Noel Group es una aguja de brújula que señala al norte, una imagen que elegí porque sentía que me había mantenido en el curso de mis valores cuando dejé a mi patrón anterior. Había una piedra grabada en el piso con ese símbolo en el vestíbulo de nuestras oficinas generales en Stevens Point.

Después de una década de trabajo duro y éxito considerable del negocio, encontré que mi matrimonio de 26 años estaba en problemas y mi relación con nuestros hijos ya crecidos no era lo que quería. Todos se habían marchado de casa para asistir a la universidad y empezar sus carreras, dejando a Paty en un nido vacío debido a mis frecuentes viajes de negocios. El aislamiento magnificó sus temores y preocupaciones por una relación que había perdido su enfoque.

Al hablar de este periodo, Paty recuerda que "nuestro matrimonio estaba en su punto más bajo. Teníamos una familia y también problemas muy grandes. En el trabajo y en casa, nuestra forma de vida se había convertido en una crisis. Si toma la analogía de poner su escalera contra la pared equivocada, la nuestra estaba en la casa y en el estado equivocado y no estoy seguro siquiera de si John y yo supiéramos en qué escalera estábamos o si estábamos en la misma".

Las presiones familiares y del negocio no sólo las manifestaba con temperamento explosivo en el hogar sino también en la oficina. Aunque me enorgullecía de ser un patrón cálido y protector, había desarrollado la tendencia a confrontar y humillar a aquellos que no cumplían con mis expectativas o demandas. Apretaba el puño con críticas injustificadas, sólo para manipular a mis empleados para que hicieran lo que quería.

Paty y yo buscamos ayuda para solucionar nuestros problemas, pero al principio no estaba preparado para ver críticamente mi conducta, mucho menos para buscar cambiarla. A ella le encantaba decirme: "John, podemos cambiar, mejorar nuestra relación". A lo que yo contestaba: "¿Por qué debo cambiar? Yo estoy feliz como soy".

Ni mi esposa ni mis empleados eran capaces de convencerme.

Una de las cosas que el consejero me recomendó en un esfuerzo por poner más equilibrio en mi vida fue leer *Los 7 hábitos de la gente altamente efectiva*. Tomé su consejo como cualquier empresario lo haría, desde una perspectiva de negocios. Pensé que el autor de esa obra tal vez supiera algo que yo no sabía si podía escribir un libro y vender millones de copias, así que decidí dejarlo influenciarme.

Cuando lo leí dejó mi armadura abollada. Comencé a ver un patrón de conducta que estaba en conflicto con mi autoimagen. Cuando leí sobre el cuadrante I, el área de las actividades urgentes e importantes, me impresionó al ver que era mi lugar favorito. Soy como un bombero, porque respondo mejor en tiempos de crisis, y siempre estaba en crisis, más que en una situación de liderazgo. De alguna manera, es una conducta enfermiza, pero realmente genero mucha energía cuando enfrento problemas. En ese entonces tenía dos computadoras encendidas y audífonos telefónicos, así como perso-

336

nas entrando y saliendo de mi oficina, ante lo cual me sentía con mucha energía. Pero como el alcohólico que siente que es más efectivo cuando está ebrio, yo también me sentía infeliz con ese modo de pensar.

Con este primer paso para obtener autoconciencia, decidí explorar el material y asistir al seminario Semana de Liderazgo, en Utah. Hacerlo fue, de hecho, una afirmación. Sin embargo, el evento más significativo se presentó el lunes en la mañana cuando intenté abrirme a la influencia de los tres instructores hasta el viernes, pero después volvería a mi antigua manera de ser. El segundo día del seminario se nos pidió que registráramos las cosas que deseábamos que nuestros seres queridos pensaran de nosotros durante nuestro funeral.

Al escribir me debilité emocionalmente. Las lágrimas empezaron a mojar el papel que estaba junto a mí y el hombre a mi lado me preguntó que qué demonios me sucedía. Le contesté que estaba pensando en lo que quería que mis hijos pensaran de mí y que me había dado cuenta de que no he estado ahí para ellos.

Quería que mis hijos y mi esposa me respetaran porque les di mi tiempo y mi amor, que pensaran en mí como el mejor padre y esposo y que expresaran que siempre había estado cuando me necesitaban. Pero entonces vi mi perfil de 360 grados, el cual daba retroalimentación de mis compañeros y de aquellos que me reportaban. Aseguraban que no era congruente, lo cual era obvio en las relaciones con mi familia y empleados. Comprendí que había perdido mucho tiempo, pero que todavía tenía la oportunidad de modificar y restaurar el equilibrio en mi vida.

Esa noche, llamé a Paty y le pedí que viniera a Utah inmediatamente. Nuestra relación era distante, pero sentí que necesitaba su apoyo en mi esfuerzo por cambiar. Ella actuaba de manera cautelosa, pues su confianza en mí se había deteriorado. Dudaba que mis motivos y mi compromiso se transformaran. Requerí hacer tres llamadas telefónicas para convencerla de que sí quería cambiar.

Pasamos cinco días examinando nuestras vidas y relaciones, así como todas las influencias y equipaje emocional que nos estaba afectando negativamente. Ella y yo leímos el libro juntos frente a la chimenea, capítulo por capítulo; al hacerlo, hablábamos de su significado. Se vertieron muchas lágrimas y emociones, pero supe que en primer lugar, con quien tenía que liberarme de este desequilibrio en mi vida era con mi esposa. Debía disculparme con ella y empezar de nuevo: "Esto no es lo que intentábamos hacer con nuestra vida, lamento mucho lo que he hecho. Veamos si podemos volver al camino correcto".

Paty me comentó que le llevó tiempo hacer a un lado sus heridas y desconfianza para ver al hombre en el que su esposo quería convertirse en vez de ése que había sido. "Al principio no creía que John pudiera adquirir dicha transformación tan rápido, pero después me di cuenta que era sincero. Había algo diferente en la forma en que me miraba. Antes, casi nada de lo que hacía era aprobado por él. Era como si en una noche alguien le hubiera quitado la venda de los ojos". También él sentía que no le era posible cambiar, que era como era, pero aprendió que si lo deseaba sería una persona de transición y modificaría su estilo de vida. Ambos llevábamos equipaje que no sabíamos que estábamos cargando."

En el vuelo de vuelta a casa, iba con ansiedad y temor. Había cambiado, pero no estaba seguro si los demás lo creerían o aceptarían. Dudaba si sería demasiado tarde para volver a organizar mi vida. También temía que regresar a la oficina y al ambiente de manejo de crisis me harían volver a mis viejas costumbres. Paty sentía ese mismo miedo.

Después de regresar, pasé mucho tiempo descargando ese equipaje, disculpándome incluso con aquellos que sentía que no era necesario. Se trataba de limpiar todo como una forma de señalar que estaba dispuesto a empezar de nuevo. Supuse que era mi manera de tratar de asumir responsabilidad.

Escribí disculpas a mi esposa y a mis hijos, así como a las personas con quienes trabajo. Cuando lo hice, consideraron que era muy duro conmigo mismo, pero no lo era porque sabía que había caído muy bajo en mis estándares y permitido que mi temperamento controlara mis acciones con mucha frecuencia. No había escuchado a mis hijos como estaba obligado.

Lo que probablemente aprendí más de la capacitación fue buscar primero entender y luego ser entendido. Eso era algo que rara vez hacía. Mi opinión había sido la única que contaba en mi mente. La fuerza de mis convicciones me había ayudado a triunfar en los negocios, pero había obstaculizado mis relaciones con mi esposa, con mis hijos y con otras personas al no permitirme ser influenciado por ellos. Siempre tuve buenos valores e integridad, pero pude haber sido mejor si hubiera escuchado a los demás y dejarles influenciar mi pensamiento.

Varias semanas después, Paty y yo salimos juntos otra vez. Nuestra meta en este viaje era iniciar un enunciado de misión que nos ayudaría a enfocarnos a las cosas que eran más importantes para nosotros. Queríamos crear una visión clara, un mapa y un plan.

Nuestra discusión empezó haciéndonos preguntas básicas que condujeron a horas de búsqueda en el alma y ventilación emocional:

- ¿Qué quieres ser?
- ¿Qué fortalezas de carácter deseas?
- ¿Qué cualidades buscarás desarrollar?
- ¿Qué quieres hacer el resto de tu vida?
- ¿Qué deseas lograr?
- ¿Qué contribuciones vas a hacer?
- ¿Qué valores y principios usarás como fundamento para dar lo mejor de ti?

Para ayudar a formular respuestas, hicimos el ejercicio del funeral juntos. Nos sirvió para vernos a través de los ojos de otros. Descubrimos también que había una gran diferencia entre dónde estábamos y dónde queríamos estar. Deseábamos cerrar esa brecha. Supimos que éramos como dos personas que íbamos en una bicicleta doble pedaleando cada una en direcciones opuestas. Queríamos hacer que la bicicleta marchara en una sola dirección, aunque sabíamos que tal vez cayéramos y nos lastimáramos, pero al final valdría la pena.

Una vez que decidí que mi meta era ser feliz y que vivir era una parte integral de mi felicidad, todo se hizo más fácil. Me di cuenta de que como era el dueño de mi negocio, me era posible modificar mi estilo de vida y reflejar mis metas.

Comenzamos a dar forma a nuestra vida. Al final del cuarto día teníamos ya 25 páginas de pensamientos en mi computadora portátil y sentíamos que habíamos logrado mucho. Estábamos listos para reducirla pero acabábamos de arrancar cuando la alarma de la máquina avisó que no tenía batería y que debía guardar mi documento si no quería perderlo. Antes de hacerlo, se apagó y perdimos todo. Fue uno de esos momentos en que debes ejercer tu libertad para obtener la respuesta. Opté por expresar: "Mañana nos vamos a la playa, nadamos y nos olvidamos de que perdimos algo. Luego volveremos y lo haremos otra vez". Y eso fue exactamente lo que hicimos. El enunciado de misión que desarrollamos y todavía sigue con nosotros es éste:

Vivir, amar, reír, aprender y dejar un legado para nuestros hijos, parientes, amigos, empleados y comunidad global y local por medio de propósito; buscar cumplir con nuestros compromisos e intentar obtener el éxito en nuestro negocio, para ayudar a los niños y promover la diversidad en todas las áreas de la vida, todo esto con nuestros valores básicos inamovibles que legaremos a nuestros hijos y nietos.

Se convirtió en la piedra de toque a la que acudíamos cuando sentíamos la necesidad de volver a alinearnos con nuestros valores y principios.

Existe esta cosa llamada "felicidad", con la que tengo que estar continuamente en contacto. Se requiere algo de tiempo porque uno se encuentra con obstáculos que lo ponen en situación de crisis y en realidad hay que volver a su enunciado de misión y empezar a resolver problemas poniendo primero lo primero. Ésa es la parte que en ocasiones pierdo de vista. Debo golpearme seguido para asegurar que lo hago, no sólo por mí sino también por mi negocio.

Mi decisión de restaurar el equilibrio personal también ha tenido un impacto sustancial en nuestro negocio. Cuando volví a mi oficina después de haber pasado por ese seminario de capacitación en Utah, no quería trabajar. Era una persona cambiada y pensé que quizá me verían como extraño. Esa parte me asustaba, así que reuní a los ejecutivos y les expliqué lo que había sucedido y cómo me sentía. En realidad quería que entendieran que la experiencia me había transformado y que no era una cosa de corto plazo. Compartí con ellos el perfil de 360 grados que había hecho en Utah. Les hablé del ejercicio del funeral y su impacto en mí. Había lágrimas rodando por mis mejillas, por lo que estoy seguro que el personal se preguntaba: "¿Qué demonios le sucede? ¿Debemos llevarlo a un manicomio?"

Aseguré que deseaba modificar mi estilo de vida y les pedí su ayuda. La mayoría aceptó el reto. Continué explicando que la única forma para seguir con esta nueva sensación de felicidad era pidiéndoles que conocieran los 7 hábitos. Quería que ellos los abrazaran. Afortunadamente la mayoría lo hizo.

Después de dos meses empezamos a traer a capacitadores para enseñar a cuarenta empleados de alto nivel, incluyendo a los ejecutivos. Entonces ellos me ayudaron a decidirme a dar el siguiente paso que era capacitar a todo el mundo en la compañía, incluyendo a Elmer, el encargado de hacer las entregas, que tenía 75 años y quien sólo trabaja 15 horas a la semana. Ahora tenemos 15 facilitadores que capacitan a todos los trabajadores nuevos. La capacitación se ha convertido en uno de los beneficios más significativos que ofrece nuestra compañía. No sólo ha ayudado a nuestro personal a volverse mucho más efectivo, ha salvado matrimonios, ha ayudado a padres de familia a educar a sus hijos. La gente en nuestra comunidad conoce los beneficios que se han derivado de nuestro compromiso con estos principios.

Es fácil explicar al personal cómo vamos a manejar la compañía con base en valores; lo difícil es hacer que ellos abracen esas ideas. Encontramos que algunos no podían. En cualquier negocio hay chismes y personas problemáticas que ven el mundo como un lugar oscuro. Ellos se fueron. Algunos habían estado conmigo 13 años, pero ahora, nuestra organización está mucho mejor sin ellos. Tenemos un ambiente de trabajo más feliz. El personal se trata con respeto. Los nuevos empleados me comentan que les sorprende que no haya chismes, manipuleo, habladurías o políticas. Estoy seguro que habría algo, pero comparado con lo que sucede en otras compañías es muy poco porque no se tolera. Fue difícil ver a algunos de mis amigos ser despedidos, pero simplemente fue porque no estaban de acuerdo con nuestros valores.

El lema en Noel Group es "Donde nuestra dirección está determinada por nuestros valores"; por ello, atribuimos el éxito del negocio al compromiso de nuestros empleados con la integridad y el servicio.

Por supuesto, las ventas y la rentabilidad también son nuestros objetivos, pero primero están los valores. La honestidad y la integridad son partes integrales del éxito del negocio de cualquier compañía, puesto que la confianza es vital en los negocios, entre propietarios y gerente, gerentes y subordinados, empleados y otros empleados, y clientes y empleados, en tanto que la cuerda que sostiene esa confianza es hacer lo que se ordena, y decir cuándo se hará.

Creo que estoy logrando equilibrio y tanto mi compañía como yo estamos determinados a enfocarnos en el verdadero objetivo. Tuve éxito antes, pero mi vida estaba fuera de balance. Lo interesante es que una vez que decidí ser más equilibrado, la firma se volvió más exitosa. Hemos cuadruplicado el tamaño y no considero que sea sólo por el mercado. Creo que es el resultado de la capacitación que mis empleados y yo tuvimos en estos principios, y su compromiso con nuestras metas de prometer lo mejor y entregarlo.

Sin embargo, lo más importante es el impacto que el nuevo enfoque ha tenido en nuestra familia. Uno de los cambios más sencillos, pero más profundos que mi esposa y yo tuvimos fue decidirnos a apagar la televisión y sintonizarnos en nuestra relación. Ahora hablamos, leemos y nos disfrutamos. Llevamos una vida más plena, porque nuestro tiempo no está dictado por influencias externas. Nosotros lo controlamos.

Nuestros hijos todos viven fuera de casa, pero hablo con ellos 10 veces más que antes. Ahora, cuando uno de ellos me llama a la oficina, dejo todo lo que esté haciendo. No me importa si la reina de Sheba está sentada ahí esperando una reunión conmigo, tomo las llamadas de mis hijos siempre. Me disculpo por la interrupción, pero digo a quien esté presente que mi familia es primero. He encontrado que cuando hago eso genero más respeto, ya sea con clientes o con ejecutivos visitantes. Tienden a verte más como alguien que ha encontrado un equilibrio significativo en la vida.

Paty y yo sentimos que el mensaje más grande en la transformación de nuestra familia es que siempre puede esperarse un nivel más alto. Cierto día, al estar platicando, expresó: "Si alguien me hubiera dicho algo como esto cuando tenía 20 años, nunca lo hubiera creído. Pero ahora, no sólo lo creo, lo profeso. Siempre comparto con las parejas jóvenes que nunca deben darse por vencidas en una relación amorosa porque siempre es posible mejorar".

La decisión que tomé ese lunes por la mañana de ponerme en manos de esos tres instructores fue la más valiosa. Después de cuatro años de vivir y amar, no hay poder capaz de apartarme de donde estoy... feliz.

---

 *John se abrió a los 7 hábitos porque era socialmente aceptable y podía contribuir a un negocio más grande, pero su decisión de inmediato lo forzó a tener autoconciencia. Tuvo que retroceder y examinar su vida, sus guiones, sus patrones de conducta, su actitud de estar centrado en el trabajo, así como su tendencia a dejarse manejar por crisis, ira y manipulación. Su acercamiento crítico ocurrió cuando la autoconciencia se conectó con su conciencia mientras trabajaba en su enunciado de misión. Se volvió catártico, lo cual lo preparó para recibir retroalimentación de otras personas. Esta acción le permitió ver las cosas con una luz real, que hizo un compendio de su conciencia en las incongruencias entre valores muy arraigados y su estilo de trabajo.*

*Como ejercitó su agencia moral para decidir en ese momento, su conciencia se profundizó y se expandió; a la vez, aumentó su poder y libertad para elegir su actitud ante otras circunstancias. Su interés en otras personas también se profundizó y se volvió mucho más sincero. Se convirtió no sólo en modelo, sino también en tutor de muchos otros y aseguró que participaran en experiencias que les ayudarían a usar sus dones únicos.*

*La arrogancia es el camino que descarrila a la mayoría de la gente, organizaciones, familias y matrimonios. El uso de los cuatro dones: autoconciencia, conciencia, imaginación y voluntad independiente, pondrán a todos en el camino correcto.*

# Apéndices

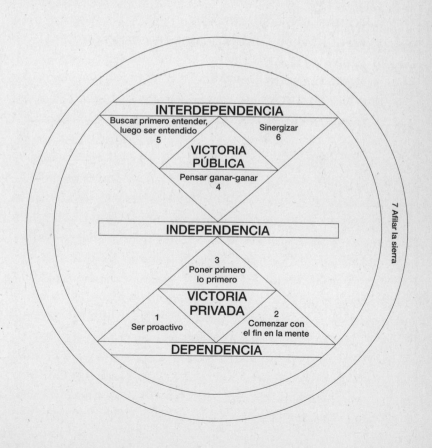

# APÉNDICES

1. COMPARTIENDO SU HISTORIA

Las historias *son* una fuente poderosa de aprendizaje, afirmación y esperanza. Pueden hacer surgir ideas, opciones y posibilidades en nuestra vida. Ilustran, además principios que tienen aplicación universal. Quizás usted tenga su propia historia de superación de desafíos personales, en su familia, en la comunidad o en su trabajo u organización. O tal vez haya escuchado alguna. Si deseara compartir su historia y someterla para posible inclusión en un volumen futuro de *Viviendo los 7 hábitos*, por favor envíela a:

Franklin Covey Co.
Viviendo los 7 hábitos
MS 2233
466 West 4800 North
Provo, Utah 84604-4478

e-mail: stories@7habits.com
Internet: http://www.franklincovey.com
Fax: (801) 496-4225, atención: *Viviendo los 7 hábitos*

2. PREGUNTAS QUE ME HACEN CON FRECUENCIA

> *Francamente siempre me he sentido un poco avergonzado con preguntas personales, como algunas en esta sección. Pero me las hacen con tanta frecuencia y con tal interés que he decidido incluirlas aquí.*

Los 7 hábitos *fue publicado en el verano de 1989. En la década siguiente, ¿qué le hubiera gustado modificar?*

No estoy contestando ligeramente, sino con franqueza; no hubiera cambiado nada. Podría haber deseado ir más profundo y aplicar los principios con mayor amplitud, pero he tenido la oportunidad de hacer eso en algunos de los libros que he publicado desde entonces.

Por ejemplo, los resultados de aplicar perfiles a más de 250,000 personas capacitadas en los 7 hábitos mostraron que el hábito 3: Poner primero lo primero, era el más rechazado. Así que el libro *Primero lo primero* (publicado en 1994) no sólo fue más profundo en los hábitos 2 y 3, sino que también contenía más material e ilustraciones de los demás.

*Los 7 hábitos de las familias altamente efectivas* aplicaron el marco de la mentalidad de los 7 hábitos para construir núcleos familiares más fuertes, felices y más efectivos.

También, mi hijo Sean aplicó el marco a las necesidades únicas, los intereses y los desafíos de los muchachos de su edad en una forma muy atractiva, amena y edificante en *Los 7 hábitos de los adolescentes altamente efectivos*.

*¿Qué ha aprendido de los 7 hábitos desde la publicación del libro?*

He aprendido o reforzado muchas cosas. Mencionaré brevemente 10 de ellas.

1. La importancia de entender la diferencia entre principios y valores. Los principios son leyes naturales externas a nosotros, pero que finalmente controlan las consecuencias de nuestras acciones. Los valores son internos y subjetivos, por lo que representan en qué nos sentimos más fuertes, qué guía nuestra conducta. Por fortuna hemos llegado a *valorar los principios*, para así obtener los resultados que queremos, de manera tal que nos permita resultados aún más grandes en el futuro, lo cual es efectividad. Todos poseemos valores; incluso las bandas de criminales. Éstos gobiernan la conducta de las personas, pero los principios están al mando de las con-

secuencias de esas conductas. Estos últimos son independientes de nosotros. Operan aún sin que tengamos conciencia de ellos, los aceptamos, nos gusten o no, si creemos en ellos o los obedecemos. He llegado a pensar que la humildad es la madre de todas las virtudes. La humildad dice que nosotros no controlamos, que los principios lo hacen; por lo tanto, nos sometemos a principios. El orgullo afirma que nosotros controlamos y como nuestros valores gobiernan nuestra conducta, sencillamente podemos vivir a nuestra manera. Es posible hacerlo, pero las consecuencias fluyen de principios, no de valores. Por lo tanto, debemos *valorar los principios*.

2. Por experiencias en todo el mundo, he llegado a entender que la naturaleza *universal* de los principios fortalece este material. Las ilustraciones y las prácticas pueden variar y son culturalmente específicas, pero los principios son los mismos. He visto que los principios contenidos en los 7 hábitos han recurrido a citas de escrituras sagradas de las seis religiones principales cuando se enseñan en esas culturas. Lo he hecho en el Medio Oriente, India, Asia, América del Norte y del Sur, Europa y África, así como entre nativos estadounidenses y otros indígenas. Hombres y mujeres por igual, enfrentan problemas similares, tienen necesidades similares y en su interior existen los principios fundamentales. Hay una sensación interna del principio de justicia o ganar-ganar y una sensación moral interna del principio de responsabilidad, del de propósito, de integridad, de respeto, de cooperación, de comunicación, de renovación. Éstos son universales. Pero las prácticas no. Son situacionalmente específicas. Cada cultura interpreta los principios universales de manera específica para dicha cultura.

3. He llegado a conocer las implicaciones organizacionales de los 7 hábitos, aunque en el sentido técnico estricto,

una organización no tiene hábitos. Su cultura se rige por normas, costumbres o códigos sociales que representan hábitos. Una organización también ha establecido sistemas, procesos y procedimientos. Éstos representan hábitos. De hecho, en el último análisis, todo comportamiento es individual, aunque con frecuencia también es parte de la conducta colectiva en forma de decisiones tomadas por la dirección respecto a estructura y sistemas, procesos y prácticas. Hemos trabajado con miles de organizaciones en casi todas las industrias y profesiones, y hemos encontrado que los principios básicos contenidos en los 7 hábitos aplican y definen efectividad en todas ellas.

4. Se pueden enseñar los 7 hábitos empezando con cualquier hábito y puede darse el que uno de los 7 hábitos conduzca a los otros seis. Es como un holograma, en el cual el todo está contenido en la parte, y la parte está contenida en el todo.

5. Aunque los 7 hábitos representan un enfoque de dentro hacia fuera, funcionan maravillosamente cuando se empieza con el desafío exterior y se sigue el enfoque de dentro hacia fuera. En otras palabras, si se está enfrentando un desafío en una relación, digamos, una ruptura de comunicación y confianza, esto definirá la naturaleza del enfoque de dentro hacia fuera que necesita, a fin de obtener la clase de victoria privada que hará posible que pueda cumplirse el desafío de ganar esa victoria pública. Ésta es la razón por la que con frecuencia enseño los hábitos 4, 5 y 6 antes de enseñar los hábitos 1, 2 y 3.

6. La interdependencia es 10 veces más difícil que la independencia. Demanda mucho más esfuerzo mental y emocional para pensar ganar-ganar cuando la otra persona está en ganar-perder; buscar primero entender

cuando todo dentro de uno quiere que sea al revés, e intentar una tercera alternativa cuando ceder es mucho más fácil. En otras palabras, trabajar exitosamente con otros en forma creativa y cooperadora requiere una cantidad enorme de independencia, seguridad interna y autodisciplina. De otro modo, lo que llamamos interdependencia es en realidad contradependencia, en la cual las personas hacen lo opuesto a sostener su independencia o codependencia, por lo que literalmente requieren de la debilidad de otro individuo para satisfacer sus necesidades y justificar sus debilidades.

7. Puede muy bien resumir los primeros tres hábitos con la expresión "hacer y cumplir una promesa". Asimismo, resumir los siguientes tres con la expresión "involucrar a otros en el problema y encontrar juntos la solución".

8. Los 7 hábitos representan un nuevo lenguaje, aunque contienen menos de una docena de palabras o frases únicas. Este lenguaje se convierte en un código, una forma corta de expresar mucho, como cuando le pregunta a alguien, por ejemplo: "¿Eso fue un depósito o un retiro?" "¿Eso es reactivo o proactivo?" "¿Eso es sinérgico o es una concesión?" "¿Eso es ganar-ganar o ganar-perder o perder-ganar?" "¿Eso es poner las cosas más importantes en primer lugar o en segundo?" "¿Eso es empezar con los medios o con el fin en la mente?" He visto culturas enteras transformadas por un entendimiento amplio y un compromiso con los principios y conceptos simbolizados en estas palabras de códigos muy especiales. Muchas de las historias en este libro lo reflejan.

9. La integridad es un valor más alto que la lealtad. O puesto mejor, la integridad es la forma más alta de lealtad. Integridad significa estar integrado o centrado en principios, no en individuos, organizaciones o

incluso familias. Encontrará que la raíz de la mayoría de los asuntos que la gente maneja es "¿es popular (aceptable, político) o es correcto?" Cuando damos prioridad a ser leales con un sujeto o un grupo, por encima de hacer lo que sentimos que es correcto, perdemos integridad. Podemos ganar popularidad temporalmente o crear lealtad, pero en definitiva esta pérdida de integridad minará aun esas relaciones. Es como hablar mal de alguien a sus espaldas. La persona con la que está unida de manera breve por medio de esa dinámica, sabe que usted hablaría mal de ella bajo diferentes presiones y circunstancias. En cierro sentido, los primeros tres hábitos representan integridad y los siguientes tres lealtad, pero definitivamente están entrelazados. Con el tiempo, la integridad ocasiona lealtad. Si intenta revertirlas y poner primero la lealtad, encontrará que está poniendo la integridad en un plano temporal. Es mejor ser confiado que ser gustado. Al final, la confianza y el respeto por lo general producen amor.

10. Vivir los 7 hábitos es una lucha constante para todos. Todos se tropiezan de vez en cuando con cada uno de los siete y en ocasiones con los siete al mismo tiempo. En realidad son sencillos de entender, pero difíciles de practicar consistentemente. Son sentido común, pero lo que es sentido común no siempre es práctica común.

*¿Con cuál hábito tiene usted personalmente mayor dificultad?*

Con el hábito 5. Cuando me siento muy cansado y ya convencido de que estoy en lo correcto, en realidad no quiero escuchar. Puedo incluso pretender escuchar. En lo básico soy culpable de lo mismo que profeso, escuchar con la intención de contestar, no de entender. De hecho, en cierto sentido lucho casi a diario con los 7 hábitos. No he conquistado a ninguno de ellos. Los veo más como principios de vida que por lo general nunca dominamos, y cuando llegamos cerca de dicho dominio, estamos más conscientes de que en realidad hay todavía un largo camino por recorrer. Es como que mientras más sabes, más sabes que no sabes.

Es por ello que con frecuencia doy a mis estudiantes universitarios 50 por ciento de su calificación por la calidad de sus preguntas y otro 50 por ciento por la calidad de sus respuestas a esas preguntas. Su verdadero nivel de conocimientos se revela mejor de esa manera.

De forma similar, los 7 hábitos representan un ciclo ascendente.

El hábito 1 en un nivel alto es completamente diferente del hábito 1 en un nivel bajo. Para ser proactivo en el nivel de inicio puede requerirse sólo conciencia de la distancia entre el estímulo y la respuesta. En el siguiente nivel, tal vez se requiera una elección como no dar retroalimentación. El siguiente, quizá implique pedir perdón. En el siguiente suele involucrarse el perdón. En el siguiente nivel, es probable que se le pida no darse por ofendido.

*Usted es el copresidente de Franklin Covey Co.*
*¿Franklin Covey vive los 7 hábitos?*

Tratamos continuamente de vivir lo que enseñamos, que es uno de nuestros valores más fundamentales. Pero no lo hacemos a la perfección. Como cualquier otro negocio estamos desafiados por realidades de un mercado cambiante y por integrar las dos culturas de las empresas anteriores, Covey Leadership Center y Franklin Quest. La fusión se llevó a cabo en el verano de 1997. Se requiere tiempo, paciencia y persistencia para aplicar los principios y la verdadera prueba de nuestro éxito será en el largo plazo. Ninguna cámara instantánea producirá una fotografía exacta.

Cualquier avión está fuera de ruta mucho del tiempo, pero pronto regresa al plan de vuelo original. Eventualmente llega a su destino. Esto es verdad con todos nosotros como personas, familias u organizaciones. La clave es tener un "fin en la mente" y un compromiso compartido para retroalimentación y corrección constantes del curso.

*¿Por qué siete? ¿Por qué no seis o diez u ocho o quince? ¿Qué tiene de sagrado el siete?*

No hay nada sagrado en el siete; es sólo que los 3 hábitos de la victoria privada (libertad para elegir, elección, acción) preceden a los tres de la victoria pública (respeto, entendimiento, creación) y luego hay uno que renueva a todos, lo que da un total de siete. Si existe alguna otra característica deseable que les gustaría convertir en hábito, sólo pónganlo en el hábito 2 como uno de los valores por los que está tratando de vivir. En otras palabras, si la puntualidad es un rasgo deseable que quiera convertir en hábito, sería uno de los valores del hábito 2. Así que no importa qué otra cosa se le ocurra, póngalo bajo el hábito 2, que es su sistema de valores. El hábito 1 es la idea de que puede tener y elegir un sistema de valores. El hábito 2 es qué son las elecciones o los valores y el hábito 3 es vivir con ellos. Son muy básicos, genéricos y están interconectados.

*¿De qué manera le afecta la notoriedad?*

Me afecta de diferentes maneras. Desde el punto de vista del ego, es halagadora. Desde aquel de enseñar, es humillante, pero debo reconocer que no soy el autor de ninguno de estos principios y absolutamente no merezco reconocimiento. No estoy diciendo esto por un deseo de ser modesto y humilde. Lo afirmo porque lo creo. Me veo a mí mismo como la mayoría de ustedes; como un buscador de la verdad, de entendimiento. No soy un gurú; no me gusta que me llamen gurú. No quiero discípulos. Sólo estoy tratando de promover seguidores de los 7 hábitos por medio de los principios que ya están en el corazón de las personas, para que vivan de acuerdo con su conciencia.

*Si tuviera que volver a hacer todo de nuevo,*
*¿qué haría de manera diferente como hombre de negocios?*

El reclutamiento y la selección los volvería más estratégicos y proactivos. Cuando uno está abrumado por asuntos urgentes y tiene miles de pelotas en el aire, es tan fácil poner a las personas que parecen poseer soluciones en las posiciones clave. La tendencia no es ver con profundidad sus antecedentes o patrones, no hacer la "debida diligencia", ni desarrollar con detenimiento los criterios que necesitan cumplirse en sus roles particulares o asignaciones. Estoy convencido de que cuando el reclutamiento y la selección se hacen estratégicamente, es decir, con pensamiento a largo plazo y proactividad, no con base en las presiones del momento, producen enormes dividendos. Alguien una vez dijo: "Aquello que deseamos con más intensidad es lo que creemos más fácilmente". En realidad hay que ver muy dentro del carácter y la competencia porque suelen manifestarse vacíos en ambas áreas. Estoy convencido de que aunque la capacitación y el desarrollo son vitales, el reclutamiento y la selección lo son aún más.

*Si tuviera que volver a hacer todo de nuevo,*
*¿qué haría de manera diferente como padre de familia?*

Como padre, deseo haber pasado más tiempo en desarrollar acuerdos ganar-ganar suaves e informales con cada uno de mis hijos en las diferentes fases de sus vidas. Debido al negocio y las obligaciones de viaje, a menudo renunciaba a mis hijos e iba por perder-ganar demasiado en vez de pagar el precio para construir relaciones suficientes para desarrollar acuerdos ganar-ganar sólidos más consistentemente.

*¿Cómo va a cambiar la tecnología los negocios en el futuro?*

Creo en el enunciado "cuando la infraestructura cambia, todo tiembla" y que la infraestructura técnica es vital para todo. Acelerará todas las tendencias buenas y malas. Estoy convencido de que es por esta razón que el elemento humano se vuelve todavía más importante. La alta tecnología sin un toque de sensibilidad no funciona, en tanto que mientras más influenciadora se vuelva la tecnología, más importante será el factor humano que controle dicha tecnología, particularmente al desarrollar un compromiso cultural con los criterios para el uso de esa tecnología.

*¿Le sorprende la popularidad universal de los 7 hábitos en otros países y culturas, y entre personas de todas las edades y ambos géneros?*

Sí y no. Sí, porque no tenía idea de que se convertirían en un fenómeno mundial y que unas pocas palabras se volvieran parte del estilo de vida estadounidense. No, en el sentido de que el material que ha sido probado durante más de 25 años y sabía que funcionaría porque está basado en principios que no inventé y por lo tanto no tomo crédito por ellos.

*¿Cómo empezaría usted a enseñar los 7 hábitos a niños muy pequeños?*

Creo que viviría con las tres reglas básicas de Albert Schweitzer para educar hijos: primera, el ejemplo; segunda, el ejemplo; tercera, el ejemplo. Pero no irían tan lejos. Yo diría: primera, el ejemplo; segunda, construir una relación cálida y afirmante; y tercera, enseñar algunas de las ideas sencillas fundamentales de los hábitos en el lenguaje de los niños; ayudarles a obtener el entendimiento básico y el vocabulario de los 7 hábitos, así como mostrarles cómo procesar sus experiencias por medio de los principios; déjelos identificar qué principios particulares y hábitos se están ilustrando en sus vidas.

*Mi jefe (cónyuge, hijo, amigo, etc.) realmente necesita* Los 7 hábitos. *¿Cómo recomendaría hacer que esta persona lea el libro?*

A las personas no les importa cuánto saben hasta que saben cuánto les importa. Forme una relación de confianza y apertura con base en un ejemplo de carácter de confiabilidad y luego comparta cómo los 7 hábitos le han ayudado a usted. Simplemente déjelos ver los 7 hábitos en acción en su vida. Luego, en el momento adecuado, podría invitarlos a participar en un programa de capacitación, compartir el libro como un regalo o enseñar algunas de las ideas básicas cuando la ocasión así lo amerite.

*¿Cuáles son sus antecedentes y cómo llegó a escribir* Los 7 hábitos?

Estaba implícitamente entendido que seguiría los pasos de mi padre y estaría en los negocios de la familia. Sin embargo, encontré que disfrutaba enseñar y capacitar a líderes incluso más que los negocios. Me interesé mucho y me involucré en el lado humano de las organizaciones cuando estuve en la facultad de negocios de Harvard. Más tarde di clases sobre materias de negocios en la universidad Brigham Young, e impartí consultoría y capacitación en ese sentido durante muchos años. En ese tiempo, me involucré en crear programas de liderazgo integrado y desarrollo administrativo alrededor de una serie de principios secuenciales y equilibrados. Eventualmente, éstos evolucionaron en los 7 hábitos y luego, mientras aplicaba los hábitos a organizaciones, se desarrollaron en el concepto del liderazgo centrado en principios. Decidí dejar la universidad para dedicarme de tiempo completo a capacitar a ejecutivos de todo tipo de organizaciones. Después de un año de seguir un programa de estudios desarrollado minuciosamente, surgió un negocio que nos permitía llevar el material a personas en todo el planeta.

*¿Cuál es su respuesta a las personas que dicen poseer la fórmula verdadera del éxito?*

Diría dos cosas: primero, si lo que afirman está basado en principios o leyes naturales, quiero aprender de ellos y recomendarlos. Segundo, que probablemente estamos usando palabras diferentes para describir los mismos principios básicos o leyes naturales.

*¿Realmente es calvo o se afeita la cabeza por cuestión de eficiencia?*

Oigan, escuchen, mientras ustedes se están secando el cabello, yo estoy dando servicio a clientes. De hecho, la primera vez que escuché el dicho "calvo es hermoso", ¡de plano quedé fascinado!

3. MIDIENDO EL IMPACTO

Desde la publicación de *Los 7 hábitos de la gente altamente efectiva*, mucho se ha dicho y escrito sobre los hábitos y cómo han ayudado a personas a volverse más efectivas. Para este libro, *Viviendo los 7 hábitos*, revisamos literalmente miles de cartas recibidas de gente de todo el mundo que escribe para expresar su aprecio por el impacto de los 7 hábitos en sus vidas.

Estas historias juegan un rol muy útil y poderoso en la búsqueda y el entendimiento del impacto de los 7 hábitos, pero todavía hay mucho que decir de la investigación científica o los datos profundos. Un panorama completo y la evaluación del poder de los 7 hábitos incluye tanto datos profundos como historias. Entonces, además de estas narraciones recolectadas por medio de cartas y entrevistas, Franklin Covey realiza investigación para medir científicamente el impacto de los 7 hábitos sobre el desempeño de las personas, las organizaciones y los resultados financieros o el retorno e inversión.

La recopilación de datos profundos revela que hay un impacto positivo estadísticamente significativo sobre las tres categorías después de que ocurre la capacitación en los 7 hábitos. Para el individuo, hay impacto importante sobre conductas como aceptar responsabilidad por sus acciones, crear más equilibrio en todas las áreas de la vida, aumentar el seguimiento con grupos de trabajo, balancear la necesidad de enfocarse en los resultados del negocio con las preocupaciones y los requerimientos de las personas, así como buscar retroalimentación en formas que conduzcan a mejorar.

Para la organización, el impacto significativo es evidente en resultados clave de desempeño mejorado tales como hábitos, ambiente de trabajo, servicio a clientes y todas las personas clave.

El impacto más profundo para una organización es evidente por medio del retorno de la inversión. Diversos estudios revelan que la capacitación en los 7 hábitos conlleva ahorros financieros importantes por medio de menor rotación de personal y mayores ahorros en tiempo y productividad. El resultado es que la capacitación se paga por sí misma muchas veces.

Si está interesado en datos estadísticos específicos o en cómo medir el impacto de la capacitación sobre el desempeño en su organización, visite nuestro sitio en Internet: www.franklincovey.com, o llame al Centro de Investigación y Evaluación de Franklin Covey, al teléfono 1-800-331-7716, extensión 64093, dentro de Estados Unidos.

## 4. SOBRE EL AUTOR

Stephen R. Covey es una respetada autoridad en liderazgo reconocido internacionalmente, experto en familia, maestro, consultor organizacional, fundador de la desaparecida Covey Leadership Center y copresidente de Franklin Covey Co. Ha hecho de la enseñanza de Vivir Centrado en Principios y Liderazgo Centrado en Principios, el trabajo de su vida. Posee una maestría en administración de empresas de Harvard y un doctorado de la universidad Brigham Young, donde fue profesor de conducta organizacional y administración de negocios, además de servir como director de relaciones universitarias y asistente del presidente. Por más de 30 años ha enseñado a millones de personas, familias y líderes de negocios, educación y gobierno, el poder de transformación de los principios o las leyes naturales que gobiernan la efectividad humana y organizacional.

El doctor Covey es autor de varios libros aclamados, incluyendo *Los 7 hábitos de la gente altamente efectiva*, que ha estado en el número uno de las listas de *best sellers* por más de 10 años y fue elegido por los lectores de la revista *Chief Executive* como la obra número uno de influencia del siglo xx. De ésta, se han vendido más de 12 millones de copias en 32 idiomas y 70 países. *Liderazgo centrado en principios* y *Primero lo primero* son dos de los libros de negocios mejor vendidos de la década. *Los 7 hábitos de las familias altamente efectivas* es también un *best seller.* La publicación más reciente del doctor Covey, *La naturaleza del liderazgo*, explora los principios del liderazgo mediante entrevistas y la lente de una cámara.

El doctor Covey y otros autores, conferencistas, oradores y otras autoridades de liderazgo y efectividad de Franklin Covey son solicitados consistentemente por estaciones de radio y televisión, empresas, revistas y diarios de todo el mundo.

Entre los recientes reconocimientos que el doctor Covey ha recibido están el Medallón de la Universidad Tomás Moro, por su servicio continuo a la humanidad; el premio al mejor conferencista internacional de Toastmasters; el premio de la revista nacional *Ernst & Young and Inc.*, por su liderazgo empresarial y varios doctorados honoríficos. También ha sido reconocido como uno de los 25 estadounidenses de mayor influencia por la revista *Time*.

Stephen, su esposa Sandra y su familia viven en la montañas Rocallosas de Utah.

## 5. Sobre Franklin Covey Co.

Franklin Covey Co. es una compañía internacional con 4,500 integrantes cuya misión es inspirar el cambio detonando el poder de principios probados de modo que las personas y las organizaciones logren lo que es más importante. La visión de Franklin Covey es ser la firma líder del mundo en efectividad personal y organizacional, que afecte positivamente a millones de vidas cada año y construya una gran empresa, un modelo de lo que enseñamos.

El portafolios de clientes de Franklin Covey incluye 82 de las compañías de *Fortune 100*, a más de dos tercios de las de *Fortune 500*, además de miles de pequeñas y medianas compañías, así como entidades gubernamentales en niveles locales, estatales y nacionales. Franklin Covey también ha formado sociedades piloto en ciudades en busca de comunidades centradas en principios y enseña los 7 hábitos a maestros y administradores en más de 3,500 distritos escolares y universitarios en los Estados Unidos, lo mismo que por medio de iniciativas estatales con líderes en educación de 27 estados.

El enfoque de Franklin Covey en enseñar a las personas a enseñar ellos mismos y volverse independientes de la compañía. Al adagio eterno de Lao Tzu: "da a un hombre un pescado y lo alimentarás toda la vida", Franklin Covey agrega: "Desarrolla maestros de los pescadores y levantarás a toda una sociedad". Este proceso se lleva a cabo por medio de programas conducidos en las instalaciones de las Montañas Rocallosas en Utah, servicios de consultoría adaptados, entrenamiento personal, capacitación en sitio y facilitada por clientes, así como por medio de talleres de asistencia abierta y discursos en más de cuatrocientas ciudades en Estados Unidos y cuarenta países en todo el mundo.

Con más de 19,000 facilitadores con licencia para impartir programa de estudios con sus organizaciones, Franklin Covey capacita a más de 750,000 personas anualmente. Las herramientas de puesta en marcha, incluyendo el planificador Franklin y una amplia gama de cintas de audio y video, libros y programas de computadora, permite a los clientes retener y utilizar de manera efectiva los conceptos y las habilidades. Éstos y otros productos han sido seleccionados a detalle por Franklin Covey y están disponibles en más de 130 tiendas de Franklin Covey en Estados Unidos y en muchos otros países.

Los productos y materiales están disponibles en 32 idiomas, y los productos del planificador de Franklin Covey son usados por más de 15 millones de personas. La compañía tiene más de 15 millones de libros impresos, y vende más de un millón y medio cada año.

Para mayor información sobre las tiendas Franklin Covey o la oficina internacional más cercana, así como para solicitar un catálogo gratuito de los productos y programas de Franklin Covey, llame o escriba a:

FRANKLIN COVEY
2200 West Parkway Boulevard
Sait Lake City, Utah 84119-2331, EU.
Llamada sin costo: 800-976-1492
Fax: (801) 496-4252
Llamadas internacionales: 800-975-1776
Sitio en Internet: http://www.franklincovey.com
* En México llame al 01 800 837 76 00

Los productos y programas de Franklin Covey proporcionan amplia gama de recursos a las personas y las familias, así como a organizaciones de negocios, gubernamentales, altruistas y educativas, incluyendo:

*Libros*

*Los 7 hábitos de la gente altamente efectiva* *
*Liderazgo centrado en principios**
*Primero lo primero* *
*Meditaciones diarias de las personas altamente efectivas**
*Primero lo primero todos los días*
*El factor brecha*
*¡Hacer… haciendo… hecho! Un enfoque creativo para administrar proyectos y terminar efectivamente lo que es más importante*
*El principio del poder*
*Las 10 leyes naturales de la administración exitosa del tiempo y de la vida*
*Los 7 hábitos de las familias altamente efectivas* *
*Los 7 hábitos de los adolescentes altamente efectivos* *
*La naturaleza del liderazgo*
*Citas y ocurrencias*

*Viviendo los 7 hábitos,* de Stephen R. Covey
se terminó de imprimir en agosto de 2012 en
los talleres de Litográfica Ingramex, S.A. de C.V.
Centeno 162-1, col. Granjas Esmeralda,
C.P. 09810 México, D.F.